古代世界の超技術〈改訂新版〉

あっと驚く「巨石文明」の知恵

志村

ブルーバックス

カバー装幀／五十嵐徹（芦澤泰偉事務所）
カバー写真／Getty Images
本文デザイン・図版制作／鈴木知哉＋あざみ野図案室

はじめに

本書は、二〇一三年に上梓したブルーバックス『古代世界の超技術』の「改訂新版」で、拙著『古代日本の超技術』（一九九七年「初版」、二〇一二年「改訂新版」、二〇二三年「新装改訂版」刊行）の姉妹編でもある。

私が古代世界、古代日本の「超技術」に興味をもち、それらに対して畏敬の念を抱くようになった経緯を簡単に説明しておきたい。

私は歴史学者でも考古学者でもなく、現代文明の支柱の一つであるエレクトロニクスの基盤材料である半導体の研究に日本とアメリカでそれぞれ一〇年ずつ従事した、いわば「古代」とは対極の場にいた者である。

歴史探訪を趣味の一つとする私は、いままでに国内外の数多くの歴史的建造物、古代遺跡を訪ね歩いた。そのつど、私は、コンピュータはもとより、大型クレーンや鉄骨などの土木建築機材がなかった古代の技術（それらは〝ハイテク〟を超えた〝ウルトラテク（超技術）〟とよぶにふさわしい）に驚嘆し、古代の技術者に畏敬の念を抱いたのである。

本書では「古代世界の超技術」を述べるのであるが、古代日本と古代世界の技術の基盤には顕著な差がある。その差はもちろん、それぞれの風土と不可分のものであるが、古代日本の技術の基盤が「木の文化・文明」であるのに対して、古代世界のそれは「石の文化・文明」であることだ。

古代世界の巨石・巨大遺跡を目《ま》のあたりにし、その詳細を知れば知るほど、私にはそれらがとても〝人間業《わざ》〟には思えず、いっそのこと〝宇宙人業《わざ》〟にしてしまいたい誘惑に駆られる。しかし、〝宇宙人業〟を考えるより、『古代日本の超技術』で述べた古代日本の匠《たくみ》（技術者）たちが現代日本人にはない智慧と技をもっていたように、古代世界の彼らもまた、現代人がもっていない智慧と技をもっていたと考えるほうが理性的である。

私の素朴な疑問は、「コンピュータも大型クレーンもない時代に、なぜあれだけ重い、大きな石を積み上げ、精密に組み立てることができたのか」ということに集約される。

今般の「改訂新版」には、私が古代遺跡の中で最高傑作と思うストーンヘンジを加筆することができた。

「巨石・巨大建造物」と聞いて、誰もが真っ先に思い浮かべるのはエジプトの大ピラミッドであろうが、ほぼ同時期に古代ブリトン人が建造したストーンヘンジは、巨石を積み上げただけではなく、それが周到に造られた巨大な「宇宙カレンダー」であったことに驚かされる。

もちろん、本書で触れるように、私が驚嘆してやまない「古代世界の超技術」は巨石・巨大建造物に関わるものだけではないのであるが、石は広くヨーロッパ文明の礎《いしずえ》である。

そのことを示していると思われる一例が、ヨーロッパのサッカー強豪国のクラブチームがもつ下部組織の名称に表れている。

近年は日本でも、サッカーに限らず野球のプロチームにもジュニアの選手を育成する下部組織があるが、ヨーロッパの強豪国のクラブチームには古くから下部組織があり、そこから幾多の名選手が輩出されている。

世界のサッカー最強豪国の一つであるスペインでは、この下部組織は「カンテラ（cantera）」とよばれている。スペイン語の〝カンテラ（cantera）〟は「石切り場、採土場、才能、（材料・資料の）宝庫」の意味である。似た言葉に「カンテリア（cantería）」があるが、これは「石細工、石塊加工（術）、石造、加工した石」の意味である。つまり、将来の〝玉〟となる逸材は石切り場から発掘されるということだろう。

このような意味における「石切り場」に相当する日本語は「青田」かもしれない。「青田買い」という言葉があるように、日本人は〝将来の逸材〟を「青田」に求めるのである。日本人には、〝将来の逸材〟を求める場として「石切り場」は決して思い浮かばないだろう。日本人が〝将来の逸材〟を「青田」に求めるのは、日本の「木の文化・文明」と無関係ではないはずである。

この「改訂新版」では、旧版で扱ったアルキメデスやヘロンらによる「古代技術と発明」に替えて、前述のストーンヘンジのほかに「古代アジア」の章を加え、人類最初の「人工石」であるセラミックス、「石器文明」から現代の「金属文明」にいたる画期となった青銅や鉄に関わる「古代技術」を述べる。その結果、本書は「石の文化・文明」から「金属の文化・文明」への移行というコンセプトを貫けることになったのであるが、その「移行」は、社会的にはいうまでもなく、「人間性」にも甚大な、決して喜べるものには思えない変化を生んだ。

本書では適宜、日本の「木の文化・文明」と対照させながら「石の文化・文明」、「金属の文化・文明」が遺《のこ》した「古代世界の超技術」を眺めていく。しかし、「対照させながら」とはいうものの、その両者には、当然とはいえ、共通の〝美意識〟が窺《うかが》えるし、本書で述べる「デリーのサビない鉄柱」と姉妹編『古代日本の超技術〈新装改訂版〉』で述べる「法隆寺のサビない釘」との間に、さらには意外にも、時代も国も異なるストーンヘンジと前方後円墳の〝建造思想〟などに共通点が見出せることは興味深い。

とはいえ、ほぼ解明されている「古代日本の超技術」と異なり、エジプトの大ピラミッドに代表される「古代世界の超技術」には現代でも未解明の〝謎〟が少なくない。その〝謎〟の解明に立ちはだかり続けている〝壁〟は決して小さくはないのであるが、〝現代のハイテク〟に従事した私は、「古代世界の超技術」の完全解明とはいかないまでも、古代人が現代〝文明人〟に突きつけている謎に〝現代のハイテク〟の観点から挑戦してみようと思う。

私が、我田引水と思われるのを覚悟で『古代日本の超技術〈新装改訂版〉』の「はじめに」でも述べたことであるが、歴史的建造物や遺品を見るとき、文献主義の歴史学者や考古学者とは異なるハイテク分野で仕事をした「専門外」の人間だからこそ、〝見える〟〝感じる〟〝わかる〟〝感心する〟〝驚く〟〝感動する〟ことは少なくない。古代の遺跡の構造やしくみ、それを支える技術や道具について、歴史の「専門家」よりも深く理解できると思うからである。

このような私が書いた本書を一人でも多くの人に読んでいただき、私と一緒に〝謎〟の解明を楽しんでいただきたいと思う。そして、古代人に畏敬の念を抱くだけでなく、現代につながる文明の「進歩」が、「人間性」の観点からいえば決して喜んでばかりはいられないことを考えるきっかけにしていただければ幸いである。

本書の姉妹編『古代日本の超技術〈新装改訂版〉』とともに読んでいただければ、「日本」と「世界」の対照性と同時に、普遍性をより深く理解していただけるだろう。

古代世界の超技術〈改訂新版〉もくじ

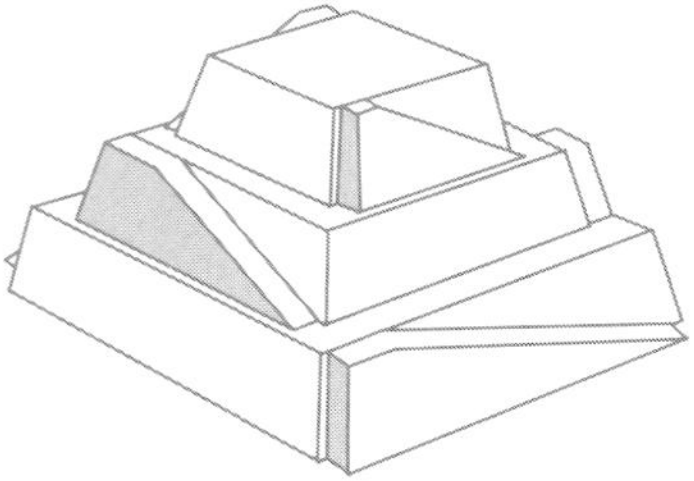

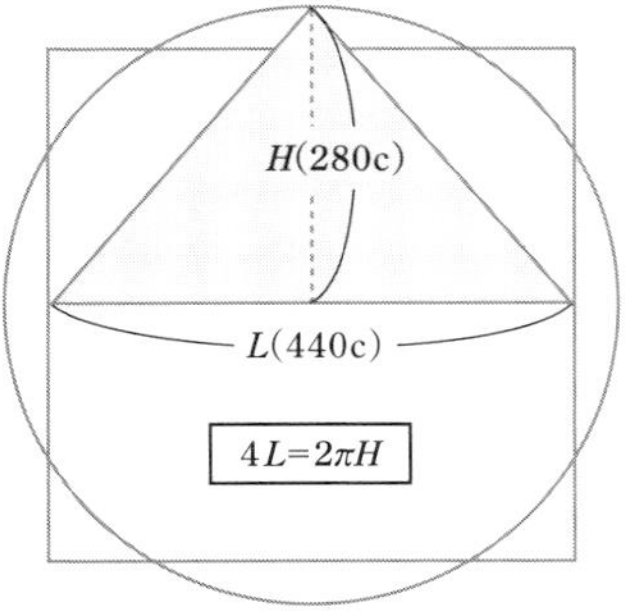

2

ストーンヘンジ
——古代巨石文明の比類なき最高傑作

ピラミッドを凌駕する「科学と技術の塊」／ストーンヘンジの変遷と全容／ストーンヘンジとダーリントン遺跡の対照性／ストーンヘンジ建造で駆使された「木工」技術／巨大な楣石はどう載せられたか／「ほんとうに美しいもの」に共通すること／なぜ「サークル」状なのか／日本のストーンサークル／白亜の大神殿／巨石は「どこから」「どのように」運ばれたか／古代人は「アルキメデスの原理」を知っていた？／ストーンヘンジが示す精密な方位／ストーンヘンジ最大の謎／オーブレー穴の個数の謎／なぜ「方位」にこだわったのか——重要なのは夏至ではなかった！／ストーンヘンジと古代ブリトン人の末路／「史上最悪の種族」とは

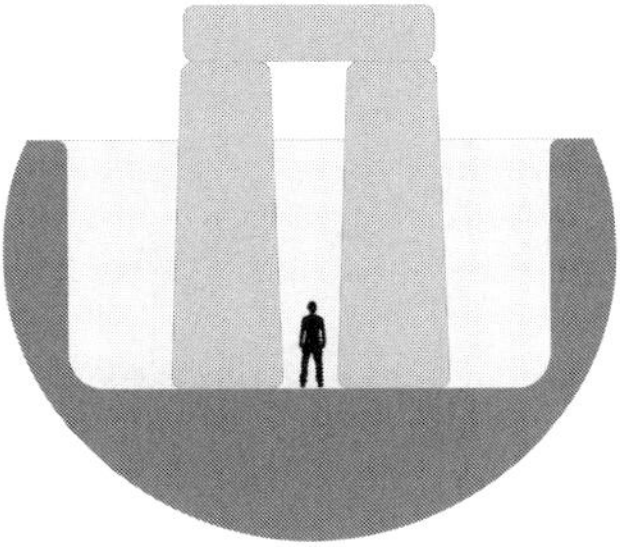

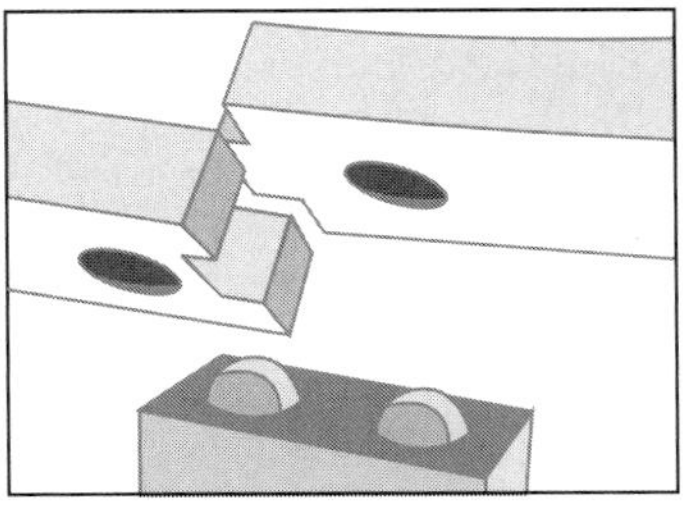

3

古代ギリシャ・ローマ

——現代建築をしのぐ「超」耐久力コンクリートの驚異

127

技術者と科学者——エジプトとギリシャの違い／アレクサンドリアの科学と技術／ファロスの大灯台／パルテノン神殿——美を追究した芸術表現／ウィトゥルウィウス——〝建築界のバイブル〟を著した男／コンクリートと樹木の共通点／耐久性の違いはなぜ生まれるか／ローマン・コンクリートとは何か／大ローマ帝国を築いた画期的なコンクリート工法／ローマ帝国の栄華を伝えるパンテオン／パンテオンを支えた技術と材料／「木の文化・文明」と「石の文化・文明」の違い／「生きている石灰」と「死んだような石灰」／〝驚くべき効果を生じる粉末〟／人もコンクリートも「養生」が大切／歴史から消えたローマン・コンクリート／ジオポリマー・セメント——コンクリート界の温故知新／一〇〇万人の市民を潤した水道／総合レジャーランドだった「共同浴場」／古代ローマの建築思想

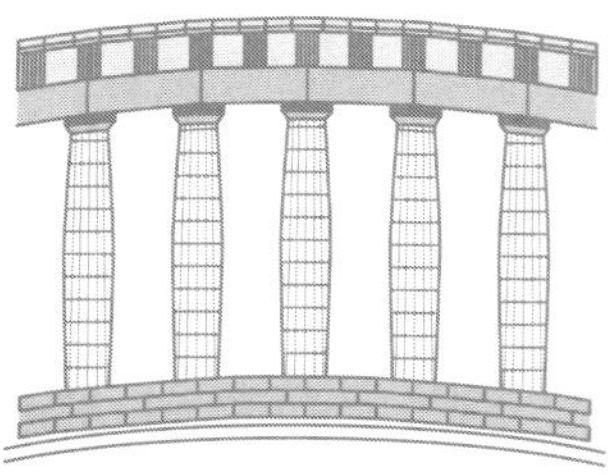

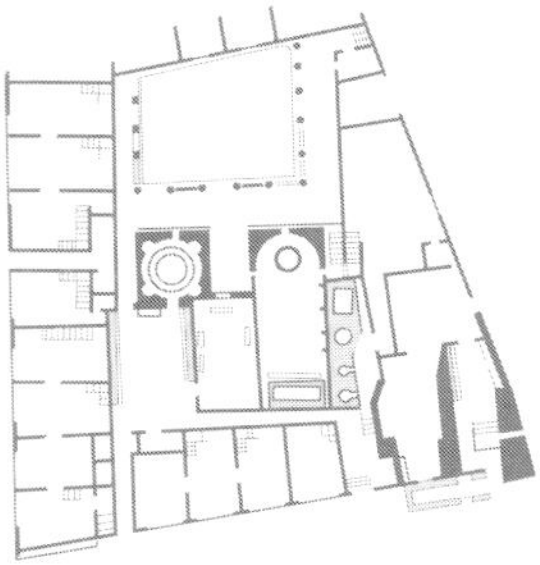

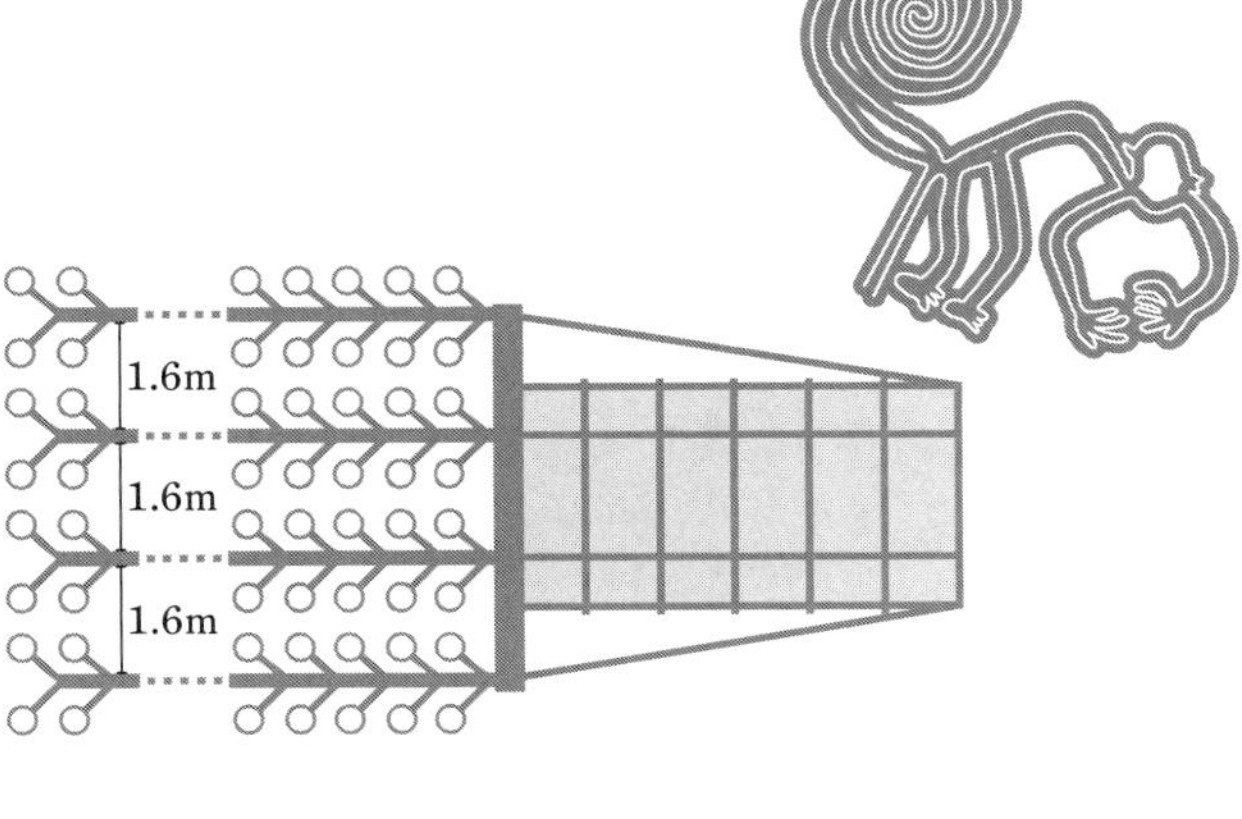

1.6m
1.6m
1.6m

5

古代アジア
——現代文明に直結する「金属文明」の誕生　267

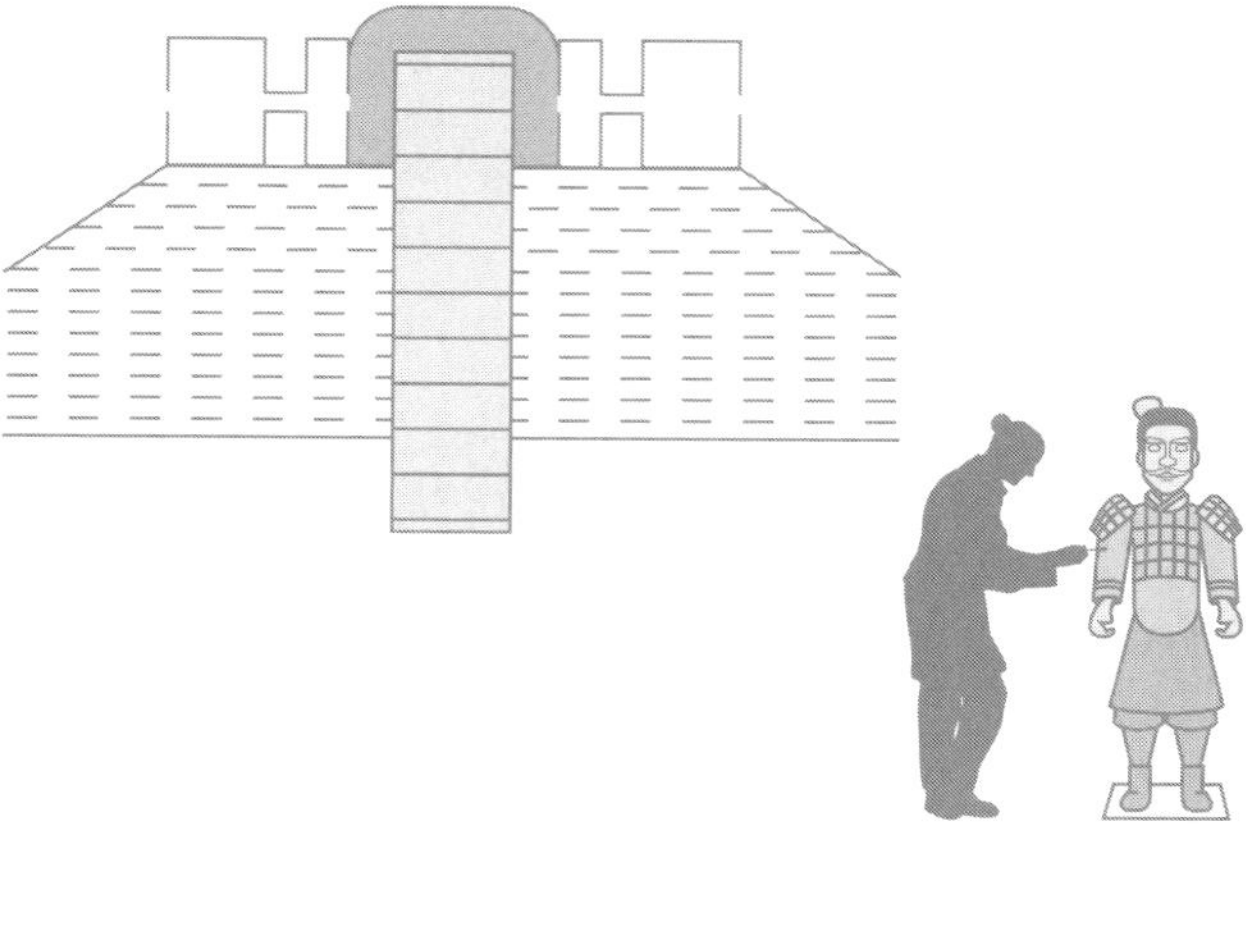

1

ピラミッド

——「強度」と「形」の謎を解く

❖ピラミッドの謎と魅力

私は、小学生の頃に『少年少女世界の歴史 第一巻 古代文明のあけぼの』（あかね書房）という本を読んで以来、古代遺跡に圧倒され、興味をもち続け、「死ぬまでにピラミッド、万里の長城、秦始皇帝陵《しんのしこうてい》、アクロポリス、フォロ・ロマーノ、ポンペイ、ナスカ、クスコ、マチュ・ピチュ、モアイ、ストーンヘンジを見に行きたいなあ」と思っていた。幸い、いままで四十数年間でモアイとストーンヘンジを除いて、実際に現場を訪ね、自分の目で見ることができた。

いずれの史跡にも、私は泪《なみだ》を流すほどに感動したのであるが、群を抜いて圧倒されたのは、やはりエジプト・ギザにある大ピラミッドである。

二〇二二年一月の時点で、エジプトで発見されているピラミッドは一一八基あり（さらに五〇基ほどのピラミッドが砂に埋まっているのではないかといわれている）、後述するように、形状もさまざまなものがあるが、本章の主人公は紀元前二五五〇年頃、つまり四五〇〇年ほど前に建造されたクフ王の大ピラミッドである。それが最大のものであり、さまざまな観点から〝究極のピラミッド〟といえるからである。以下、特に断りのない限り〝ピラミッド〟は〝クフ王の大ピラミッド〟を意味することにする。

一般的なデジタルカメラで国際宇宙ステーション（ＩＳＳ）から撮影した写真で認識できる唯一の建造物であろう「万里の長城」は、総延長が二万キロメートルを超える想像を絶する長大さなのであるが、実際に、万里の長城に行ってみても、その長大さを実感することはできない。万里の長城の長大さを実感するためには、飛行機で飛んで見るほかないだろう。

　ところが、大ピラミッドは違う。そのひたすら圧倒される巨大さを、目の前で実感できるのである。私がピラミッドに魅了される理由は、その圧倒される巨大さであり、ピラミッドは何の目的で造られたのか、そしてそれがいかに造られたのかという〝謎〟なのであるが、それらに加えて、後述するように、いわゆる〝ピラミッド形〟が私が長年付き合ってきた半導体シリコン結晶の形と〝瓜二つ〟であることが挙げられる。

　カイロからナイル川をはさんで西南およそ二〇キロメートルのギザにタクシーで向かい、ナツメと思われる林越しに三大ピラミッドが見えはじめたときの感動は、それから四〇年近く経ったいまでも忘れることができない。先入観に反して、三大ピラミッドは砂漠の真ん中ではなく、ギザの町のすぐそば、オアシスの緑のすぐそばにある。

　それまでに、写真で何度も〝美しい〟ピラミッドを見ていたが、実物を目のあたりにしたときの第一印象はその巨大さとともに荒々しさであった。いわゆるピラミッド形というのは美しい正四角錐であるが、われわれが目にするのは平均二・五トンといわれるゴツゴツした直方体の石が積み重ねられた表面である。第一段の石の横幅はさまざまであるが、高さは一メートルほどである。石は上にいくほど小さくなる傾向があるが、このような石が二百数段積み上げられたのが大ピラミッドである。石の総数は二〇〇万個、総重量は六七〇万トンと推定されている。

とにかく巨大である。

大ピラミッドの大きさは、底辺約二三〇メートル、高さ約一三七メートル（キャップストーン〔笠石〕まで含む本来の高さは一四七メートル）と計測されている。

大ピラミッドを目の前にしたとき、誰もが素朴に、まず単純に思い浮かべる疑問、不思議は、「大型クレーンや大型運搬手段がない時代に、どのようにして平均二・五トンもの石を、あれだけの高さに、二〇〇万個も積み上げることができたのか」ということである。次なる疑問は、学校では「ピラミッドは古代エジプト王（ファラオ）の墓である」と教わったが、本当は何なのか、というものであろう。

これらの疑問に答えるべく、世界中のエジプト学者、考古学者らが長きにわたって、さまざまな努力を重ねてきた。その結果、これまでに刊行されたピラミッドに関する本は数千冊に及ぶといわれている。

結論を先にいえば、それにもかかわらず、二一世紀前半の現時点において「謎は依然として謎のまま」なのである。それだけに、ピラミッドの魅力はいつまでも褪《あ》せることがない。

もちろん、ピラミッドの謎と魅力は「いかに造られたのか」だけではなく、多岐にわたる。たとえば、「ピラミッドは何なのか」については、多くの専門家の調査、研究結果から考えれば〝ファラオの墓〟らしいが、クフ王の父のスネフル王のように一人で複数のピラミッドを建造したファラオがいることを思うと、〝墓〟と断定するのは難しいと思う。もっとも日本では、平将《たいらのまさ》門《かど》の〝首塚〟が全国さまざまな場所にあるが。

いずれにせよ、エジプトあるいはピラミッドの専門家ではない私が本書で扱うのは、主としてピラミッドの形、建造法、ピラミッドに隠された数字の話である。つまり、ピラミッドにまつわる科学と技術である。

❖さまざまなピラミッド

紀元前二七〇〇年頃、エジプトは古王国時代、第三王朝期に入る。二代目のファラオがジョセル王である。クフ王の大ピラミッドにつながる最初のピラミッドを、後世に神格化された天才的宰相・イムホテプに築かせたのは、このジョセル王である。

エジプト最古のピラミッドはサッカラの砂漠の中に建っているが、それは〝ピラミッド形〟、つまり四角錐ではなく六段の階段状である。この〝階段ピラミッド〟は明らかに、それまでの王墓である低い矩形《くけい》の台状マスタバ墳が進化したもので、基底部が一四〇メートル×一二八メートル、高さが六〇メートルという桁違いの大きさになっている。さらに、それまでのマスタバ墳が煉瓦《れんが》造りであったのに対して、ジョセル王の階段ピラミッドは石材のみによる建造という画期的なものであった。

われわれに馴染み深い四角錐のピラミッド建設の「創始者」として名前を遺しているのは紀元前二六〇〇年頃、第四王朝初代のスネフル王である。スネフル王は在位約二四年間に、少なくとも現存する四基のピラミッドを建造したといわれるが、ピラミッド史において特筆すべきは、メイドゥムにある〝崩れピラミッド（スネフル王の第一ピラミッド）〟、ダハシュールにある〝屈折ピラミッド（スネフル王の第二ピラミッド）〟（いずれも、それらの形状からの通称である）と、〝赤ピラミッド（スネフル王の第三ピラミッド）〟（表面の石の色が赤味がかっていることからの通称である）の三基である。

メイドゥムにある〝崩れピラミッド〟はその名のとおり、現在では〝崩れた〟後に遺った三段の姿しか見ることができないが、当初は階段ピラミッドとして建設され、のちに段が石灰岩の化粧石で埋められて、なめらかな真正ピラミッドに〝増築〟されたものである（図1－1）。スネフル王の時代には、高さが九〇メートルを超える正四角錐のピラミッド（真正ピラミッド）だった。巨大で、完全な形のピラミッドを初めて目にしたエジプト人の歓喜の声が聞こえるようであ

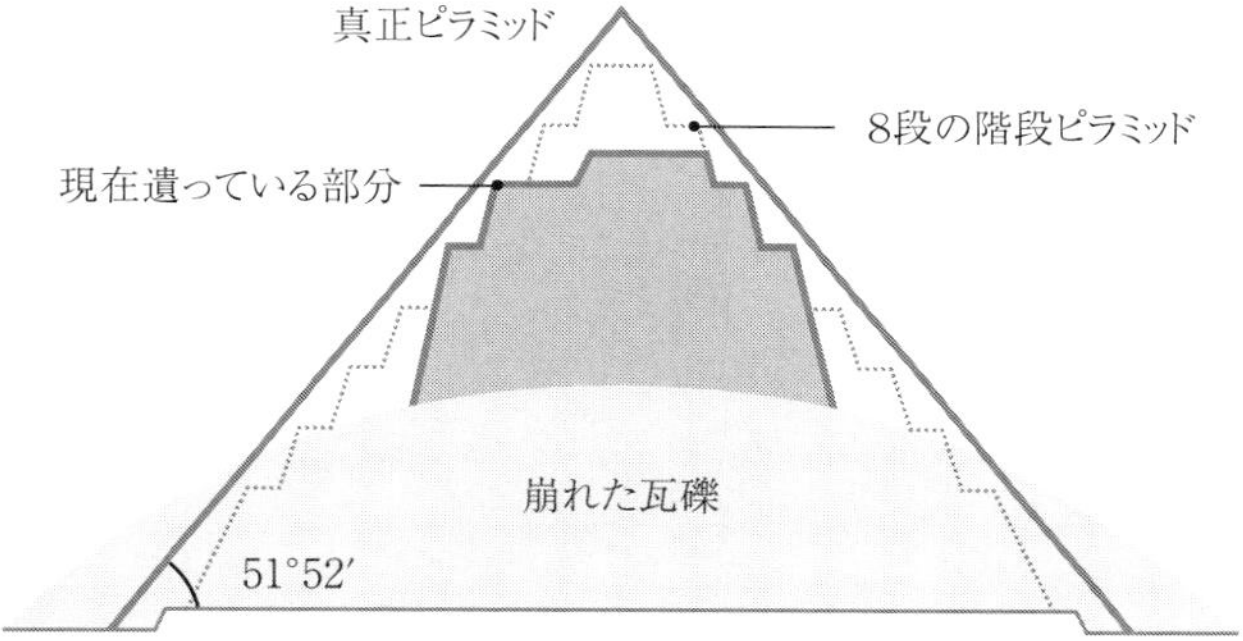

図1－1　“崩れピラミッド”の断面形状

る。

　この初めての真正ピラミッドがいつ崩れたのかについては、エジプト考古学者の間で諸説あり、その中にはおよそ一〇〇〇年後の新王国時代という説もあるようだが、次に述べる〝屈折ピラミッド〟の〝事情〟を考慮すれば、私には屈折ピラミッドの建造中に崩れたと考えるのが妥当と思われる。

　スネフル王に続くクフ、カフラー、メンカウラー王がギザに三大ピラミッドを築き、〝ピラミッド時代〟の頂点を極めた後はピラミッド建設の政治的、経済的、宗教的意義が減退し、ピラミッドに代わる太陽神殿が次々に建設されるようになる。

　いまここで話題にする代表的なピラミッドの断面形状を図1－2に、建設時期と大きさを表1－1にまとめて示す。

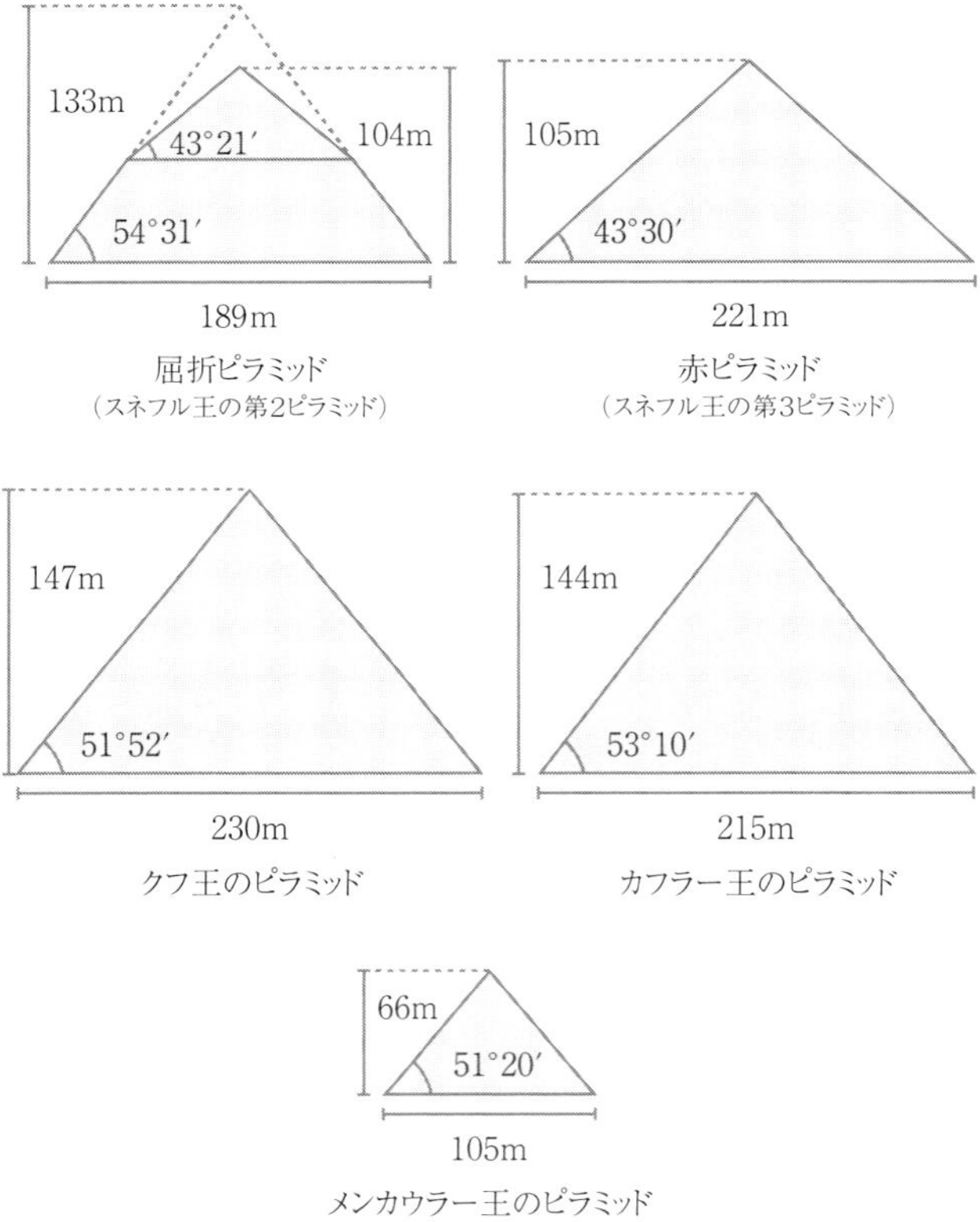

図1−2　代表的なピラミッドの断面形状

	建設時期 王(統治期間)	底辺L[1]	傾斜角θ[1]	高さH[2]
崩れピラミッド (スネフル王 第1ピラミッド)	スネフル (2613BC～2589BC頃)	144m	51°52′	92m
屈折ピラミッド (スネフル王 第2ピラミッド)	同上	189m	43°21′ 54°31′	104m (45m+59m)
赤ピラミッド (スネフル王 第3ピラミッド)	同上	東西221m (南北218m)	43°30′	105m
クフ王のピラミッド	クフ (2589BC～2566BC頃)	230m	51°52′	147m
カフラー王のピラミッド	カフラー (2558BC～2532BC頃)	215m	53°10′	144m
メンカウラー王のピラミッド	メンカウラー (2532BC～2504BC頃)	105m	51°20′	66m

1) 文献値
2) $H=1/2 \cdot L \cdot \tan\theta$で求めた四角錐の高さ(1m以下四捨五入)
実際のピラミッドの高さとは異なる

表1−1　代表的なピラミッドの大きさ

❖ピラミッドの形の変遷

ピラミッド形といえば正四角錐である。

なぜ正四角錐なのかについての科学的考察、あるいはピラミッドが正四角錐であることの科学的意味については後述するが、太陽神信仰の篤《あつ》かった古代エジプト人にとっては、この形こそ最も安定した「天に向かう形」であったろう。

ピラミッドが建造されなくなってから、たくさんの王が一メートルに満たないものから三〇メートルを超える大きなものまで、たくさんの記念碑・オベリスクを建てた。現在、大型で野外に立っているのは三〇本で、エジプトに遺るのはわずか七本である。古代ローマ時代以来、〝戦利品〟や「友好」のしるしとして多くのオベリスクがエジプトから運び出されたためである。ちなみに、ローマには現在、一三本のオベリスクが立っている。

オベリスクは上方にいくにしたがって細くなる一枚岩で造られ、まっすぐに立てられる。エジプト・ルクソールのカルナック神殿には、大きな二本のオベリスクが立っている。一本はハトシェプスト女王のオベリスク（高さ二九・五六メートル）、もう一本はトトメス一世のオベリスク（高さ一九・五〇メートル）である。

古代ローマの百科事典編纂者・大プリニウス（二三〜七九）が「オベリスクは太陽光線を意味するらしい」と書いており、またオベリスクの先端部は尖《とが》ったピラミッド形（ピラミディオン）になっていることから、ピラミッド形が太陽神信仰や太陽光線と深くかかわっていることは間違いないだろう。

メイドウムの〝崩れピラミッド〟も、元は図1－1、表1－1に示すように底辺一四四メートル、高さ九二メートルの正四角錐だった。

ピラミッドの本来の形が正四角錐だとすれば、スネフル王の屈折ピラミッド（図1－2）の形はいささか異色である。およそ四五メートルの高さから傾斜角がそれまでの五四度三一分から四三度二一分に変更され、屈折しているのである。太陽神信仰、ピラミッド崇拝の古代エジプト王にしてみれば、このような屈折は不本意、そして屈辱的ですらあったはずである。この傾斜角の変更は、スネフル王の崩れピラミッドの崩れと無関係ではあるまい。

スネフル王の第二ピラミッドの建造中、高さが四五メートルほどに達したとき、スネフル王の第一ピラミッドの外壁が崩壊したのではないか。なぜ崩壊したのか。

表1－1に示すように、屈折ピラミッドの初期の傾斜角が崩れピラミッドの傾斜角とほぼ同じであること（若干大きいのは、第一ピラミッドをしのぐピラミッドを造ろうとする意気込みではなかったか）、変更後の傾斜角が極端に小さくなっていることを考えれば、崩れピラミッドの崩壊は、当時の建造技術に対して傾斜角が急すぎた結果であろう。

第一ピラミッドの崩壊は、スネフル王をはじめ、設計者や工事関係者にとって、よほどの衝撃と教訓を与えたらしく、以後、五四度三一分を超える傾斜角のピラミッドは一つも造られていない。〝究極のピラミッド〟といわれるクフ王のピラミッドでさえ、傾斜角は五一度五二分、その隣のやや急に見えるカフラー王のピラミッドでも傾斜角は五三度一〇分である。

かくして、スネフル王の第二ピラミッドは、不本意ながらも〝屈折ピラミッド〟となった。

続く、スネフル王の第三ピラミッド（赤ピラミッド）の傾斜角は、第二ピラミッドの〝屈折〟後の傾斜角とほぼ等しい。そして、高さもほとんど同じである。つまり赤ピラミッドは、〝崩れ〟

と〝屈折〟の両ピラミッド建造の経験を活かし、高さが第二ピラミッドと同じになるように底辺の長さを決めて建造されたものと思われる。

ここまでの経験がピラミッド建造技術の飛躍的な向上をもたらして、〝究極のピラミッド〟として結実し、ピラミッド時代の頂点に達するのが次のクフ王の時代である。ギザにクフ王、カフラー王、メンカウラー王の〝三大ピラミッド〟が建造された。メンカウラー王のピラミッドは他のピラミッドと比べると著しく小ぶりであるが（図1－2、表1－1）、〝三大ピラミッド〟の一つとして数えられている。

この小ぶりなピラミッドにかかわり、メンカウラー王には〝美談〟が遺されているが、ここでは割愛する。

❖ピラミッドとダイヤモンド、半導体結晶

〝宝石の王様〟としてのダイヤモンドは、うっとりとするような輝きをもっている。

それは、図1－3に示すような、「ブリリアント・カット」とよばれる特別な研磨加工を施されたものである。天然に産するダイヤモンドの形状は、宝石のダイヤモンドとは大いに異なる。天然ダイヤモンドの〝理想形〟は八枚の正三角形から成る正八面体であるが、実際に産するのは

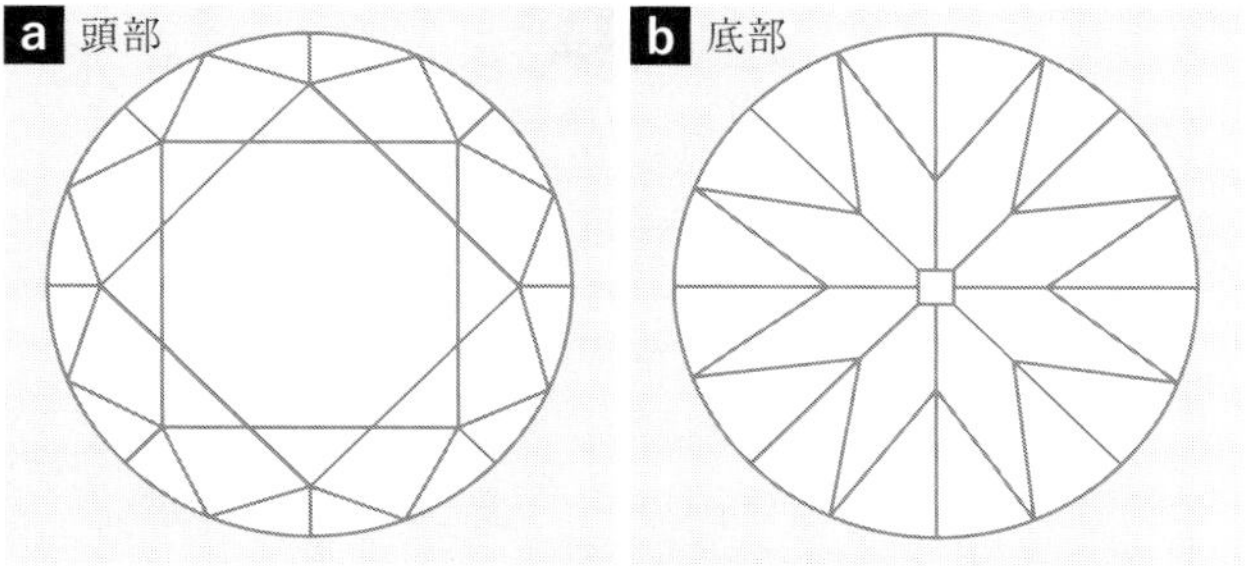

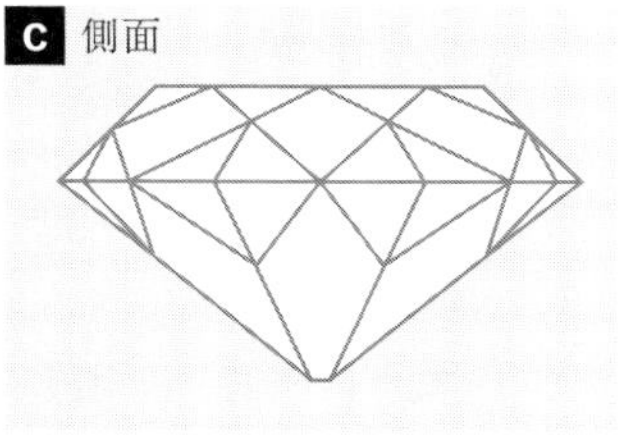

図1−3　さまざまな角度から見たブリリアント・カット

図1−4に示すような形状である。ブリリアント・カットは、まず正八面体形のダイヤモンド結晶を半分に切り、それぞれの半分を一つずつ加工することによって得られる。

この正八面体形はダイヤモンドのみならず、〝半導体の王様〟であるシリコン（Si）など、半導体結晶の〝理想形〟でもある。

図1−5は、半導体シリコン結晶中に析出した正八面体形の二酸化ケイ素（SiO_2）の電子顕微鏡像である。図1−6に示すように、(a)は正八面体の正三角形の真上から見た像、(b)は正八面体の真横から見た像である。

なお、写真に見られる〝縞（フリンジ）〟は電子線の回折効果によるものだが、その説明は割愛する。ここでは、正八面体形状を知っていただくだけで十分である。

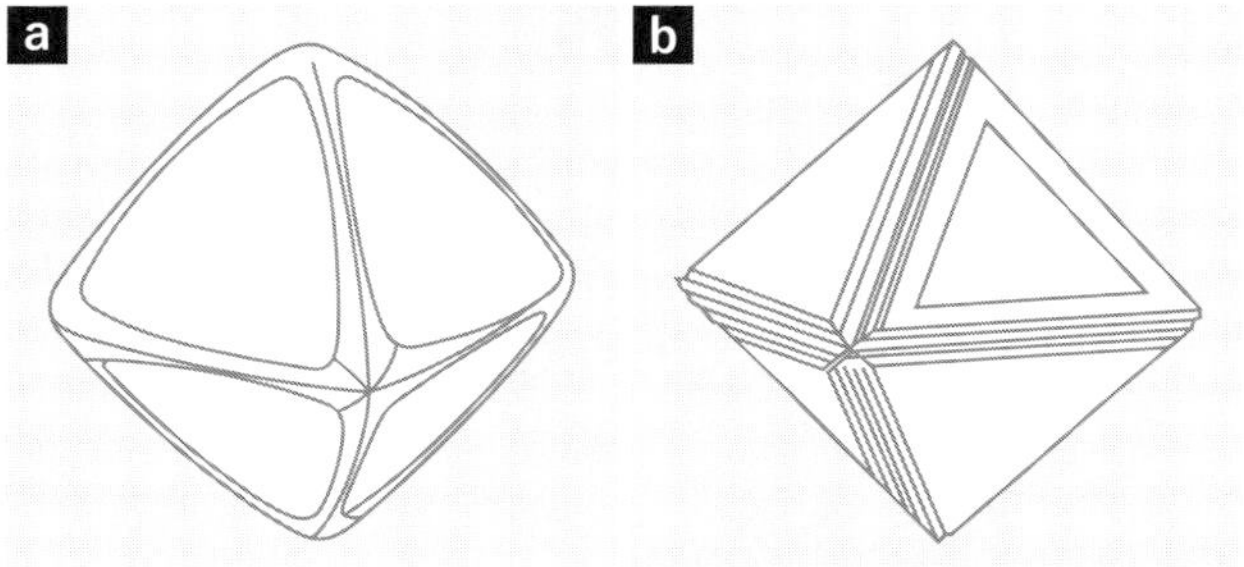

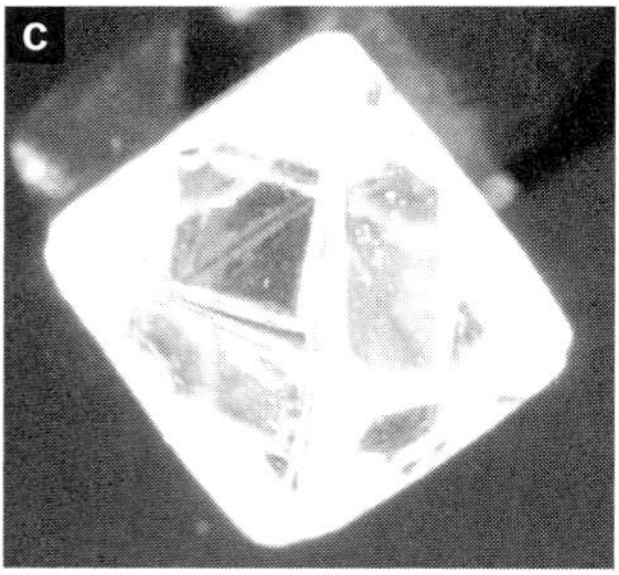

図1–4　天然ダイヤモンドの結晶形態（写真提供：田中貴金属。志村史夫『いやでも物理が面白くなる〈新版〉』講談社ブルーバックスより）

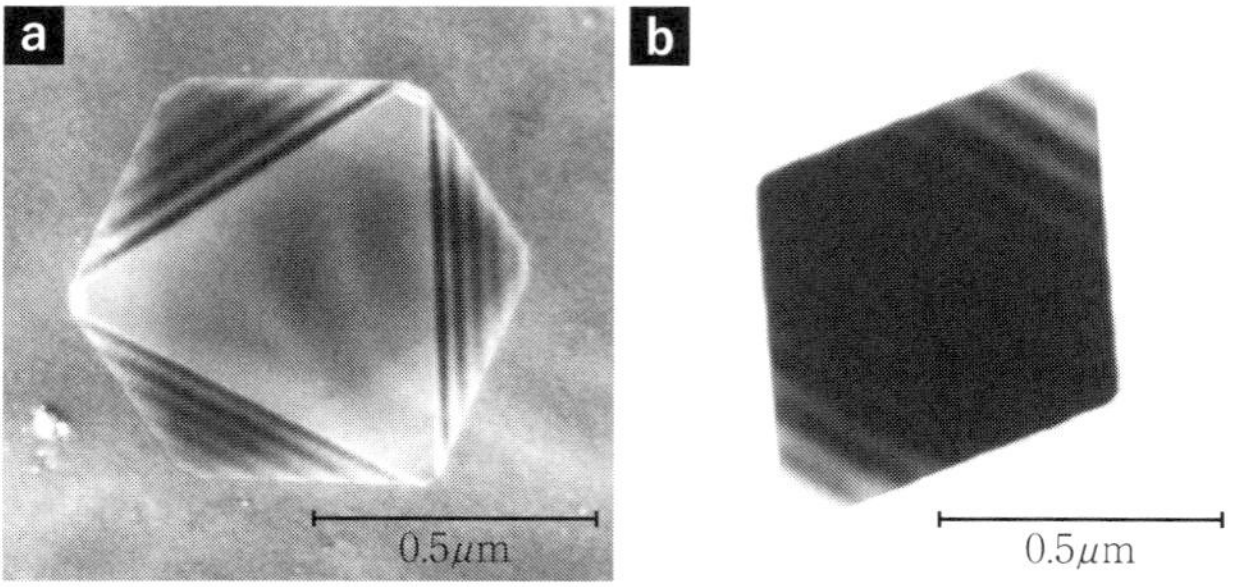

図1–5　シリコン結晶中の正八面体二酸化ケイ素（SiO_2）析出物の透過電子顕微鏡像（F. Shimura, *J. Crystal Growth*, 54, 588, 1981より）

ここまで読まれた読者は、すでに気がつかれたであろう。

図1－4から明らかなように、「正八面体の半分の形」とは、ピラミッド形そのものである！ ダイヤモンドや半導体結晶の理想形を真っ二つにカットしたものが、ピラミッド形なのだ。

長らく〝シリコン結晶のピラミッド〟を電子顕微鏡で観察していた私は、四〇年近く前に現実のピラミッドを初めて目の前にしたとき、両者の相似性に驚いたことをいまでもはっきりと憶《おぼ》えている。後述するように、私はすぐにピラミッドの面を結晶学的に計算し、その結果に改めて驚くことになる。

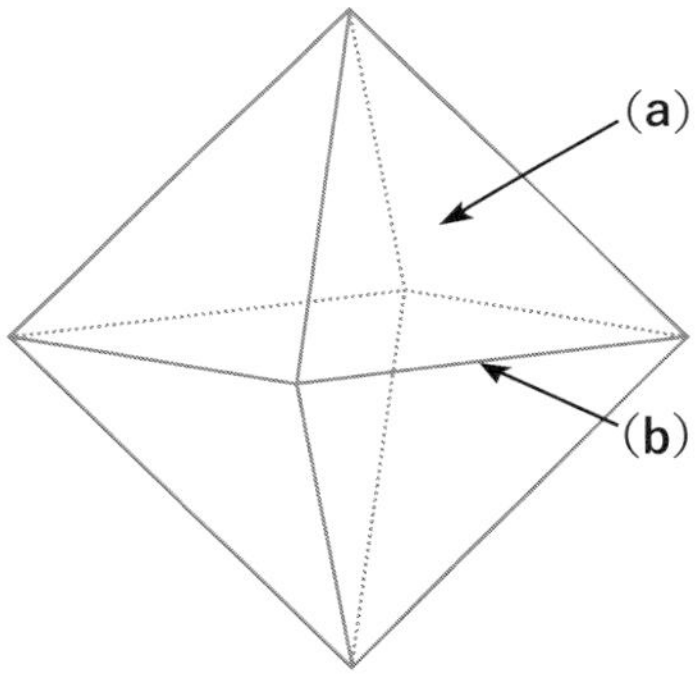

図1－6　正八面体

じつは、ある条件下で半導体結晶を成長させると、ピラミッド形そのものになるのである。

図1－7は、シリコン結晶面上に気相成長させたシリコン－ゲルマニウム（Si－Ge）結晶の走査電子顕微鏡像である。結晶学にかかわる記号や数が書かれているが、それらは無視していただきたい。ここでの要点は形である。図1－8はギザの三大ピラミッドの航空写真であるが、図1－7と見比べると、互いの相似性に驚くのではないだろうか。

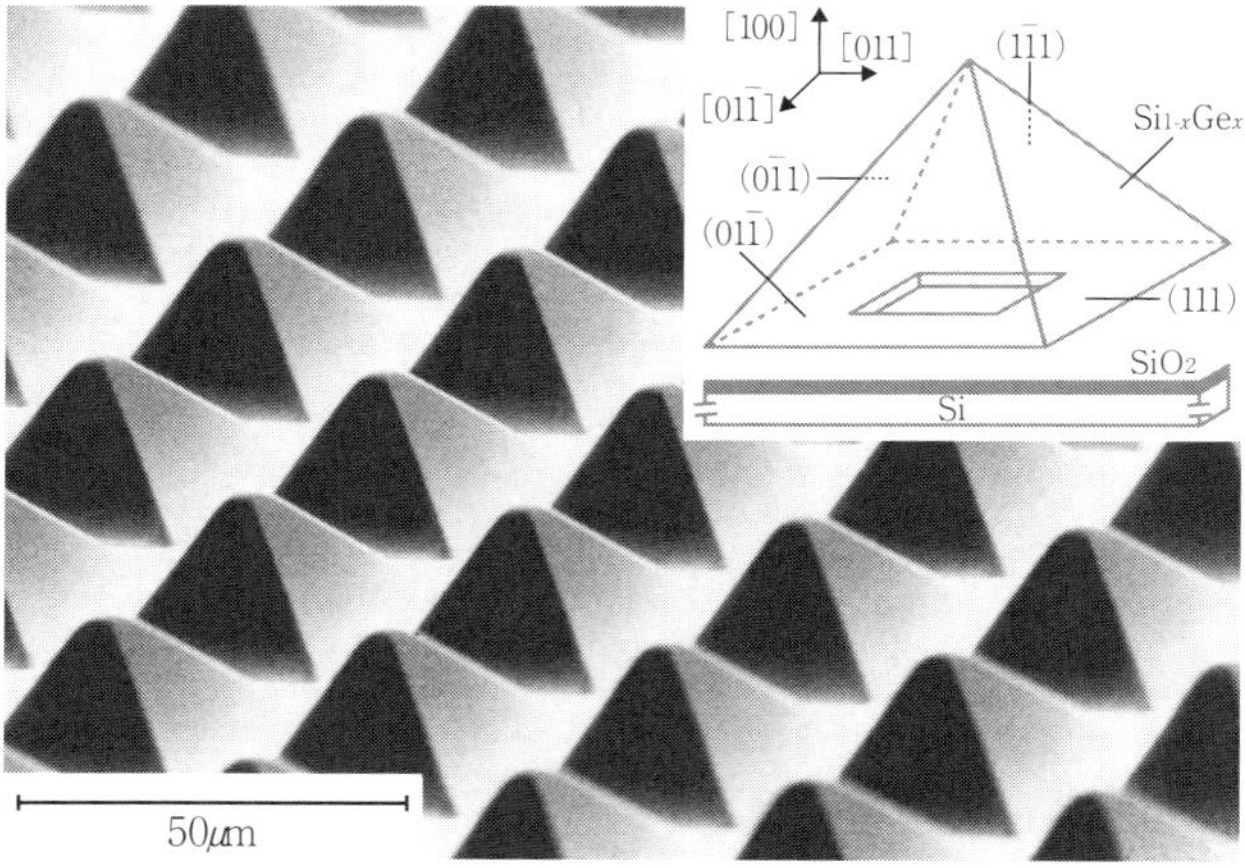

図1−7　シリコン・ピラミッド　シリコン表面に成長させたシリコン結晶の走査電子顕微鏡像(H.P.Trah, *J.Crystal Growth,*102,175,1990より)

図1−9に示すように、結晶ピラミッドと実際のピラミッドの形状は、傾斜角がわずかに異なるだけでほとんど同じなのである。もしピラミッドが結晶ピラミッドと同形、つまり傾斜角が同じであれば、クフ王のピラミッドの高さは計算上、一六三メートルになる。カフラー王のピラミッドの高さは一五二メートルになる計算だ。意気込んで建造しはじめたと思われるスネフル王の第二ピラミッドの傾斜角と結晶ピラミッドの傾斜角がほとんど同じなことに驚いていただきたいのである。

また、ピラミッドの底辺はきわめて正確に東西南北に向いている。

ダイヤモンドやシリコンなどの半導体結晶が、図1−7や図1−9(a)のような形に成長するのは、「その形が物理学的、結晶学的に

図1－8　ギザの三大ピラミッドの航空写真
（写真：ONLY FRANCE／アフロ）

最も安定であるからだ」と科学的に説明できる。だが、古代エジプト人が、そのような結晶ピラミッドとほとんど同じ形のピラミッドを四五〇〇年も前に建造したことを、どのように説明すればよいのだろうか。

本質的に〝美しいもの〟は〝安定したもの〟でもあるのであろう。

ピラミッド形は、最先端の太陽電池にも応用されている。図1－7に示した結晶ピラミッドは〝突起〟であり、そのスケッチが右上に描かれているが、このピラミッドを上下逆さまにした図を思い浮かべていただきたい。このピラミッドの中が空洞だとすれば、その空洞の形は逆ピラミッド形になる。つまり、半導体結晶（この場合はシリコン）には、逆ピラミッド形の〝穴〟ができやすいのである。

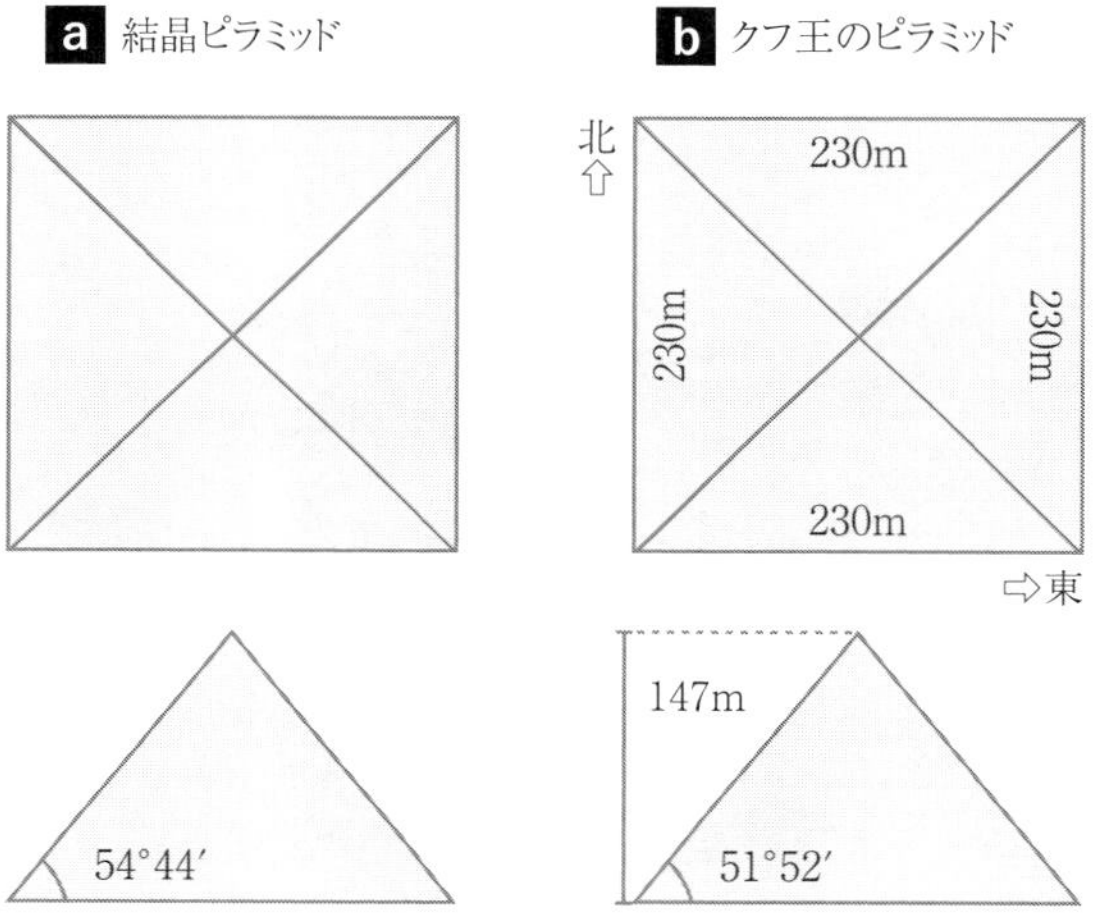

図1−9　結晶ピラミッドとクフ王のピラミッドの外形（志村史夫『したしむ固体構造論』朝倉書店より）

この逆ピラミッド形の〝穴〟が、最先端の太陽電池に使われている。

地球に到達する太陽光のエネルギーは膨大なものであるが、地表の単位面積あたりに換算すると、最大（晴天時）でせいぜい一キロワット／平方メートルであり、決して大きいとはいいがたい。太陽電池の変換効率（入射する光のエネルギーを電気エネルギーに変換する割合）は、材料によって異なるものの一〇〜三〇パーセント程度なので、一平方メートルあたり一〇〇〜三〇〇ワットしか電力が得られないことになる。つまり、実用的な数キロワットの電力を得ようとすると、それなりに広い面積の太陽電池が必要になる。

そこで、単位面積あたりの受光面積をな

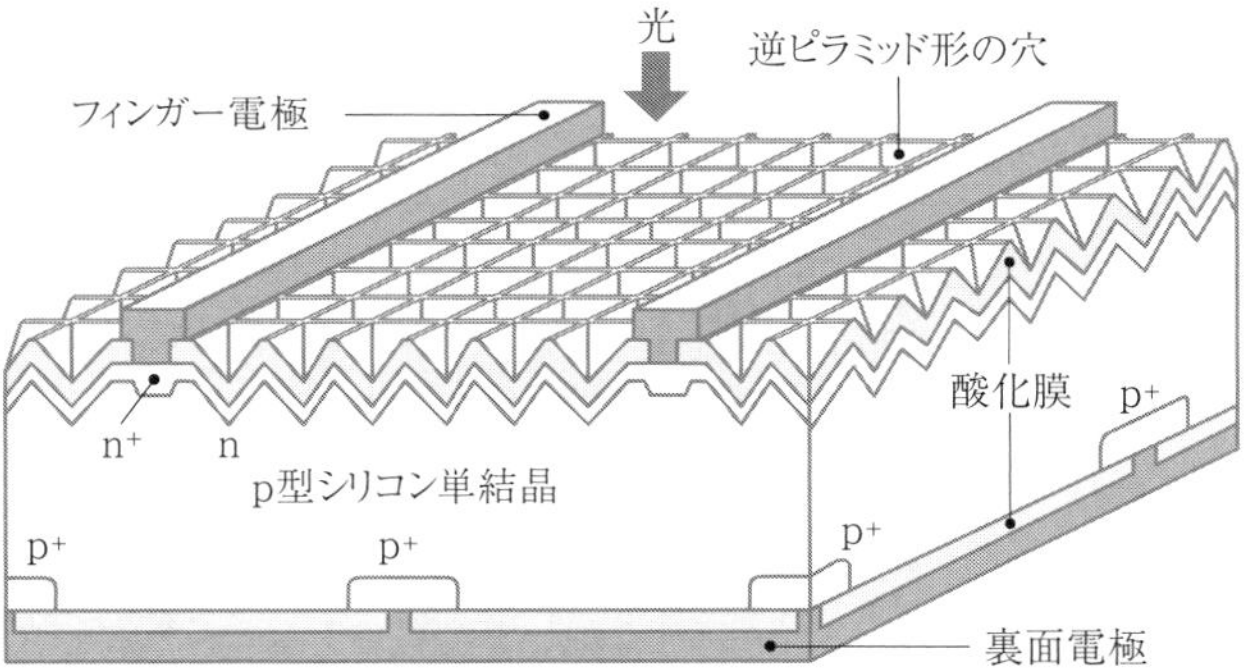

図1−10　最先端の太陽電池表面のピラミッド　n^+、p^+はそれぞれドナー、アクセプターを高濃度にドープした領域（A. Wang, J. Zhao, M. A. Green, *Appl. Phys. Lett.*, 57, 602, 1990より）

るべく大きくしようとして、さまざまな表面形状の太陽電池が工夫されている。この場合の究極的な表面形状が、逆ピラミッド形の〝穴〟で表面を埋め尽くしたものなのである。シリコンの結晶学的性質を考えれば、この形状の〝穴〟を形成するのは難しいことではない。

実際に応用されている太陽電池の構造を図1−10に示す。

❖クフ王のピラミッドの形に遺された謎

ここまではピラミッド形を、正方形を底面とし四枚の二等辺三角形から成る正四角錐として記述してきた。事実、そのことは〝世界の常識〟でもあった。

ところが私は、二〇一二年に衛星放送のＷＯＷＯ

Wで放映されたドキュメンタリー映画「ピラミッド5000年の嘘（原作 Jacques Grimault, *The Revelation of the Pyramids*）」を見て衝撃を受けた。

ピラミッドの底面の各辺は、直線ではなく中央部で若干くびれており、したがって、ピラミッドの各面を構成するのは、一つの二等辺三角形ではなく二つの直角三角形であるというのである。すなわち、ピラミッドは正四角錐ではなく、八枚の直角三角形から成る〝変則八角錐〟ということになる。そして、一年に二回、春分の日と秋分の日にのみ数秒間、北斜面の半分に光が当たり半分は影になるという映像を見せられ、ピラミッドの面が二等辺三角形ではなく、まさしく二つの直角三角形であることを知った。

クフ王のピラミッドは、図1－11に示すような〝変則八角錐〟になっているのである（この図は、わかりやすくするために〝くびれ〟を強調して描かれている）。

私はそれ以前にも、ピラミッドに関する本をたくさん読んできたが、このような〝八角錐〟の記述に出合ったことがなかった。そこで私は、改めて、たくさんのピラミッドの写真を見直した。そして、章末に記載した参考図書(8)に掲載された衛星写真中に、一枚の写真を発見した（同書の100ページ参照）。諸事情から、ここに転載することができないのが残念だが、ピラミッド面の中央にはっきりと垂線が映っている。

しかし、不思議なことに、このようにはっきりした写真が掲載されている参考図書(8)に〝変則八角錐〟の記述は一切ない。

さらに、私は参考図書(3)に、

「『ピラミッドが暦と日時計の役割を果たしていた』という説はコッツワースによって唱えられた。最初の六ヵ月は北側の斜面がまったく影になってしまい、残りは北斜面にも光があたる。また年二回北斜面の半分に光があたり、半分が影になるときがある。これは春分、秋分を表わしているという。その他、その影によって冬至や夏至もわかるといっている」

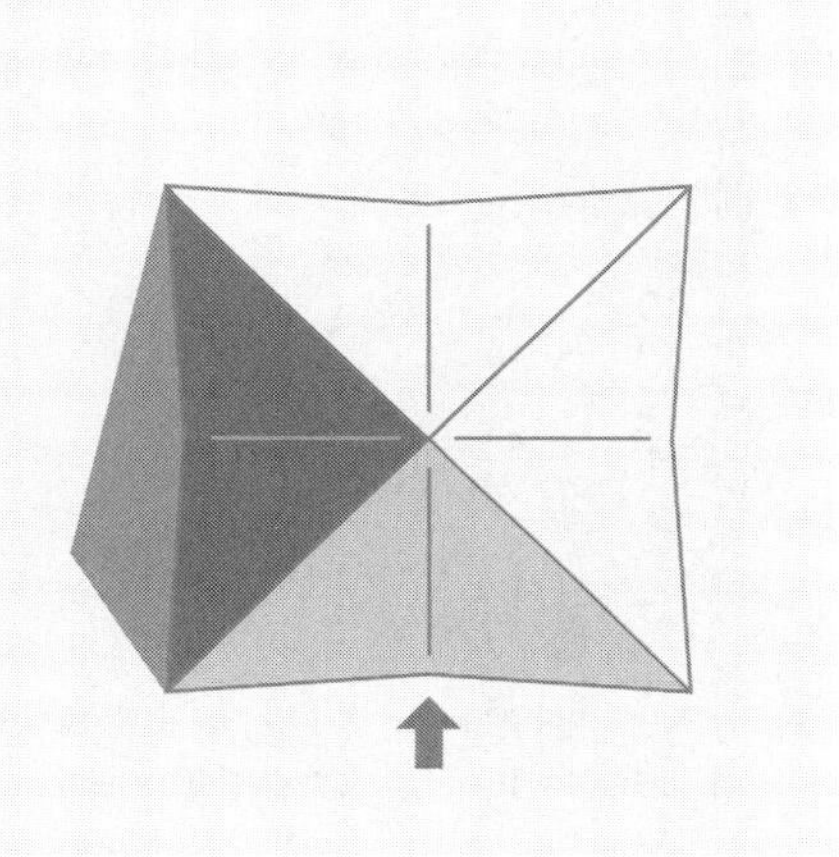

図1−11　クフ王のピラミッド（八角錐であることを強調したもの）

という記述を見つけた。しかし、このような現象を生むための立体幾何学、つまりピラミッドが正四角錐ではなく〝変則八角錐〟であることについての説明は一切なされていないのである。

無数のピラミッド研究家がいたにもかかわらず、私が知る限り、いままで誰一人として〝変則八角錐〟について触れていないのは不思議である。

ともあれ、ピラミッド形と結晶ピラミッド形との相似性を述べる私にとって、〝変則八角錐〟は新たなる大きな謎になってしまっただけでなく、厄介な〝困りもの〟になってしまった。

❖ピラミッドに隠されたさまざまな数値

ピラミッドは非常に美しい幾何学的形状をしているので、ある意味では当然ともいえるのであるが、ピラミッドにはさまざまな興味深い数値が隠されている。

ピラミッドの興味深い数と数式が話題になった発端は、イギリスのジョン・テイラーが一八五九年に書いた『なぜ大ピラミッドは建てられたか、誰がそれを建てたか』であろうと思われる参考図書(7)。テイラーは、「エジプト人は円周率πの数値を知っていた」と書いた最初の人物とされている。つまり、21ページ表1－1の記号を用いれば、

$4L = 2\pi H$

であるというのである。表1－1のクフ王のピラミッドの数値を実際に代入してみると、

$4L = 920$メートル

$2\pi H = 923$メートル

となる。確かに、$4L = 2\pi H$がほぼ成り立っている。これらの数値から"π"を求めると、$\pi = 4L/2H = 2L/H = 2 \times 230/147 = 3.12925\cdots$が得られ、「ピラミッドの数値の中にπが隠されている」といえそうである。テイラーは「ヘロドトスの記述」として「大ピラミッドの底辺と高さの関係は、高さを一辺とする正方形が三角形の斜面の一つに等しい面積になる」と、紹介しているが、私が読んだヘロドトスの『歴史』（参考図書⑴）のどこを捜してもそのような記述は見つからない。ピラミッドの寸法に関する記述は、第二巻124の最後の部分だけである。

いずれにせよ、一般に円周率πというものが知られるようになるのは紀元前二〇〇〇年頃、古代バビロニアにおいてと考えられているから、その五〇〇年前の古代エジプト人がすでに円周率πを知っていたとすれば驚異的である。

しかし、古代エジプトの数学の教科書といえる"リンド数学パピルス"や"モスクワ数学パピルス"に円周率πに関する記述が皆無であることや、古代エジプト人が計測輪（図1－12）を使っていたことを考慮すると、古代エジプト人は円周率πを知っていたのではなく、知らず知らずのうちにピラミッドの数値の中に円周率πが入り込んでしまったと考えるのが妥当であろう。

表1－1には「傾斜角」を示してあるが、じつは、古代エジプトでは"傾斜度"を表すのに角度が使われたわけではない。たとえばピラミッドの場合、斜面の"傾斜度"は斜面の稜線・底辺の半分・高さが作る直角三角形の、「〈底辺の半分〉/〈高さ〉」の比、すなわち"セケド"で定義

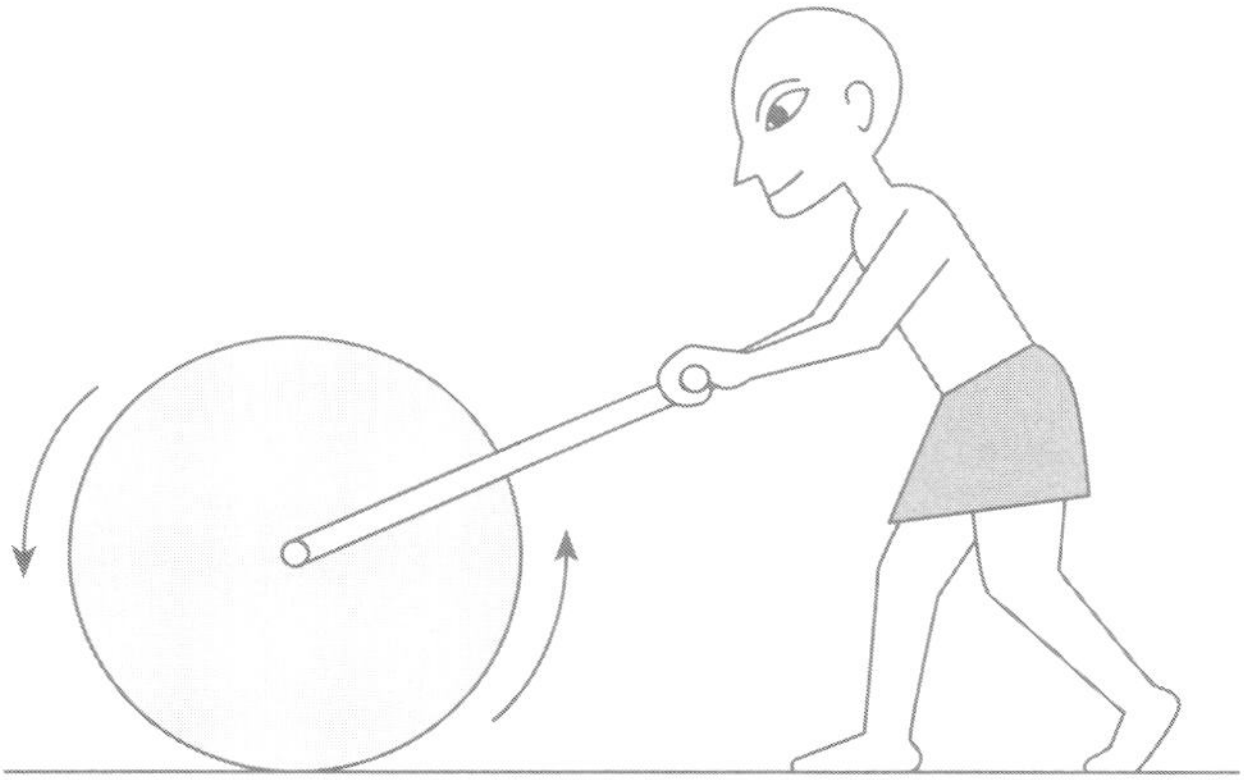

図1－12　計測輪

された。ピラミッドのセケドは、値「11／14」に等しい。

ピラミッドの底面の一辺は、二三〇メートルもある。これだけの長さを、ものさしやパピルスの紐《ひも》で作った巻き尺で正確に測るのは困難である。現代のスチール製の巻き尺を使ったとしても、気温や風の影響を考えれば二三〇メートルもの長さは正確には測れないだろう。

そこで登場するのが、図1－12に示す計測輪である。計測輪は現在でも、たとえばマラソンや駅伝の距離を測定する場合などに普通に使われているし、自動車の距離計にも同じ原理が使われている。

古代エジプトの長さの単位は〝キュービット〟で、一キュービットは〇・五二四メートルである。直径一キュービットの計測輪を一回転すれば、円周は一×πキュービットだから「πキュービット」の長さが測れる。ピラミッドの底辺二三〇メートルは四四〇キュービットにあたるので、計測輪を一四〇回転することになる。また、高さ一四七メートルは二八〇キュービットである。そして、セケド（傾斜度）は「220／280＝11／14」になる。

つまり、計測輪を使った結果、底辺（L）も高さ（H）もπの倍数になっているのだから、「$4L／2H=\pi$」となるのは当然なのである。古代エジプト人が円周率πを知っ̀て̀い̀る必要はないのだ。

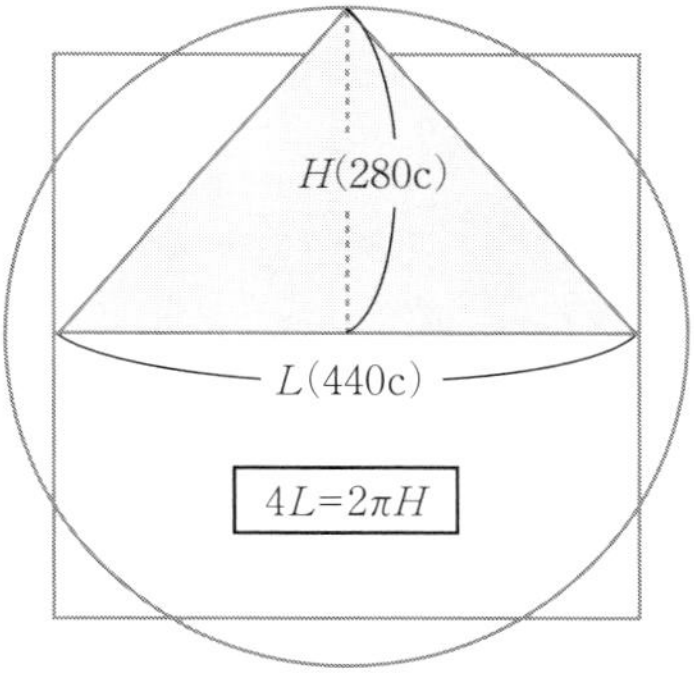

図1−13　クフ王のピラミッドに見られる正方形と円の相関（c：キュービット）

ピラミッドに見られる四角と円（π）の相関を、図1−13にまとめて示す。

円周率のほかにも、ピラミッドの中にはとても〝偶然〟では片づけられないさまざまな数値が見出される。

たとえば、地球と太陽との最短距離である一四七×一〇の六乗キロメートルに対してピラミッドの高さは一四七メートル、地球の全質量六・〇×一〇の二一乗トンに対してピラミッドの全質量五・八×一〇の六乗トン（一〇〇〇兆分の一）などである。また、ギザの三大ピラミッドとオリオン座の三ツ星（ベルト）の配置と明るさ（大きさ）とがぴったりと対応している。

さらに、ピラミッドの断面の斜辺（図1－13参照）の長さは「115（メートル）$/\cos 51°52' =$ 186（メートル）」と求められるが、この斜辺の長さを底辺の半分の長さで割ると、

$$186 \div 115 = 1.6173913\cdots$$

となり、この値は「黄金数（黄金比）」（$\phi = (\sqrt{5}+1)/2 = 1.6180\cdots$）とほぼ等しい。また、ピラミッド内部の〝王の間（玄室）〟に置かれている花崗岩《かこうがん》製の棺の大きさに、「$2\phi^2$、$3\phi^2$、$4\phi^2$、$5\phi^2$」の数値を見出すことができるのである。

また、数学の世界には、

$$F_0 = 0,\ F_1 = 1,\ F_{n+2} = F_n + F_{n+1}\ (n \geq 0)$$

で定義される「フィボナッチ数列」$\{F_n\}$ というものがある。

一辺が一キュービット（〇・五二四メートル）の正方形の周の長さは、

$$0.524 \times 4 = 2.096 \text{メートル}$$

になる。上記の黄金数を導き出した一一五メートルと一八六メートルを、それぞれ二・〇九六メートルで割ると、

$$115 \div 2.096 = 54.866\cdots \fallingdotseq 55$$

186 ÷ 2.096 = 88.740… ≒ 89

が得られるが、この「55」と「89」はそれぞれ、フィボナッチ数列のF_{10}とF_{11}にほかならない。

これらの数値が単なる偶然なのか、ピラミッド製作者が意図したものなのか、私にはわからない。上述のように円周率は結果的なものであり、決して不思議ではないが、これらの数値については、長年、さまざまな科学的、技術的数値と付き合ってきた私としては、とても単なる偶然とは思えないのである。

❖ヘロドトスが見たピラミッド

いよいよ本章のクライマックス、「ピラミッドはどのようにして造られたのか」という考察に入りたいと思うのであるが、その前に〝歴史の父〟と称せられる古代ギリシャのヘロドトスが見たピラミッドに触れておきたい。

ヘロドトスがエジプトを訪れたのは、ピラミッド建造後二〇〇〇年ほど経った紀元前四五〇年頃のことである。彼が「エジプトはナイルの賜物《たまもの》である」という有名な言葉が含まれる『歴史』という大著を遺して以来、現在にいたるまで多くの学者がさまざまな視点から検討しているにもかかわらず、ピラミッドについての多くが〝謎〟のままである。

私は、エジプト学あるいはピラミッド学の専門家ではないが、〝古代技術〟に対する興味から、少なからずの〝ピラミッド本〟を読んできている。いずれの本の結論も〝謎〟、特に「ピラミッドはどのようにして造られたのか」については謎のままであるし、「～らしい」という推論に終わっている。

ヘロドトスは自分が見たピラミッドについて、巻二124に「ピラミッドは（基底が）方形を成し、各辺の長さは237メートル、高さもそれと同じで、磨いた石をピッチリと継ぎ合せて造ってあり、どの石も9メートル以下のものはない」（参考図書⑴）と書いている（原文ではギリシャの長さの単位〔プレトロン〕や、フィートが使われているが、引用にあたり、便宜的にそれをメートル単位に直した）。

ところで、不思議なことに、ヘロドトスの『歴史』にはいま大ピラミッドの前に鎮座するスフィンクス（大スフィンクス）の記述がまったくない。その理由については、ヘロドトスがエジプトを旅行したときには、スフィンクスは砂に埋まっていて見えなかったというのが定説である。

確かに、一七九八年にナポレオンがエジプト遠征をした際の記録である『エジプト誌』に挿入された絵に肩まで埋まったスフィンクスが描かれているのを見ると、ヘロドトスがエジプトを旅行した頃には、スフィンクスは砂に埋まっていて見えなかったということも理解にかたくない。

事実、このスフィンクスは砂に埋まっては掘り起こされるということを何度も繰り返してきたという記録がある。

もし、実際にスフィンクスが砂に埋まって見えなかったのであれば、ピラミッドの低段部、スフィンクスの首の高さくらいまでは砂に埋まっていたと考えるのが妥当であろう。だとすれば、ヘロドトスが見たピラミッドは、われわれが現在、スフィンクスとともに見るピラミッドよりもずっと小さかったはずである。

ところが、ヘロドトスは「ピラミッドの各辺の長さは237メートル」と『歴史』に書いている。この「237メートル」は現在、われわれがスフィンクスとともに見るピラミッドの大きさとほとんど同じである。

どういうことか。

もし、『歴史』に記述されたとおり、ヘロドトスが現在と同じピラミッドをほんとうに見たとするならば、ヘロドトスがエジプトを旅行した紀元前四五〇年頃には、スフィンクスはまだ建造されていなかったのではないか。そうであれば、ヘロドトスはスフィンクスのことを書きようがないし、当時のエジプト人もヘロドトスにスフィンクスのことを話しようがない。

スフィンクスは三大ピラミッド以前に建てられたという説（参考図書⑶、⑸）もあるが、ピラミッドと同時期に建造されたというのが定説である。私自身、実際に、ギザのピラミッドとスフィンクスを目の前にして、きわめて常識的に、ピラミッドとスフィンクスの建造は同時期と思った。だから、ヘロドトスの『歴史』にスフィンクスの記述がまったくないことに大いなる疑問をもったのである。

一般的に〝スフィンクス〟といえば、大ピラミッドの前に鎮座する大スフィンクスを思い浮かべるのであるが、私はルクソール神殿の〝スフィンクス参道〟の両側に並ぶ四〇体のスフィンクス列（図1－14）を見たときに、その数に圧倒された。

それらのスフィンクスは、ちょうど日本の神社の狛犬のように配置されているのであるが、その数は二〇組である。その二〇組のスフィンクス列からすぐに思い浮かんだのは伏見稲荷大社に見られるような鳥居の列だった。このような点からも、ルクソール神殿の参道は日本の神社の参道によく似ている。事実、古代エジプト人は、このスフィンクス参道を通って神殿に行き、礼拝したという。

前述のように、古代エジプトにおけるピラミッドの造営はクフ王の大ピラミッドを頂点として、その後、急速に衰微する。一方で、葬祭殿、神殿の充実が進むのであるが、それはエジプト人の価値観、宗教観の変化の結果である。ちなみに、ルクソール神殿は紀元前一五〇〇年頃にはじまった第一八王朝期の建造物である。

現在、大スフィンクスが〝ピラミッド・コンプレックス〟の一翼を担う大モニュメントになっていることは事実であるが、私には、スフィンクスは本来、葬祭殿、神殿に附属するものであり、ピラミッドと対《つい》を成すようなものではないと思われる。つまり、スフィンクスがピラミッドと同時期に建造されたという〝定説〟は理解しがたいのである。スフィンクスとピラミッドは別の時期に建造されたのだと思う。

それなら、どちらが先か。

図1−14　ルクソール神殿のスフィンクス参道
（写真：片平孝／アフロ）

ルクソール神殿のスフィンクス参道はヘロドトスの時代から一〇〇〇年ほども前に造られたものだから、もちろん、ヘロドトスの時代にスフィンクスそのものは存在していた。しかし、ヘロドトスの『歴史』に大スフィンクスの記述がまったくないのだから、それは、そこになかったのだと考えざるを得ない。大スフィンクスはまだ建造されていなかったのである。ピラミッドの前に大スフィンクスが建造されたのは、三大ピラミッドに関わる王たちが〝神格化〟された後なのではないだろうか。

放射性炭素法を使って年代測定すれば、どれだけ大きく見積もっても数百年以下の誤差で、大スフィンク

基底部の四辺	長さ(m)	四辺の向き (基本方位からの偏向角)
東辺	230.39	真北より西へ5′30″偏向
西辺	230.35	真北より西へ2′30″偏向
南辺	230.45	真西より南へ1′57″偏向
北辺	230.25	真西より南へ2′28″偏向

表1－2　クフ王のピラミッドの基底部の測量値

スの建造時期を明らかにできると思うのであるが、いままでに、考古学者の誰もがそのような年代測定を行っていないとすれば、それも不思議なことである。

❖ピラミッド建造の精度

いよいよ、話の焦点を「ピラミッドはどのように建造されたか」に移すが、まず第一歩として、ピラミッド建造の精度について述べておきたい。

クフ王のピラミッド建造の精度については、イギリスのピトリーが一八八〇～八二年に行った計測結果がよく知られている。このピトリーの結果は、一九二五年にエジプト政府測量庁が最新機器を使用して行った再調査によって、信頼できる数値であることが確認されている。その数値を表1－2にまとめるが、ピラミッド建造の精度の高さに驚くほかはない。

長さの正確な計測には、36ページ図1－12に示した計測輪が使われたことをすでに述べた。

基本方位からの偏向が数分以内の東西南北は、どのように決定されたのだろうか。

正確な南北の方向は、地球の自転軸の方向である。真北の方向を知るには、いくつかの方法が考えられる。太陽や星を利用する方法である。古代エジプト人は、以下のように星を利用して真北を精度よく決定したと考えられている。

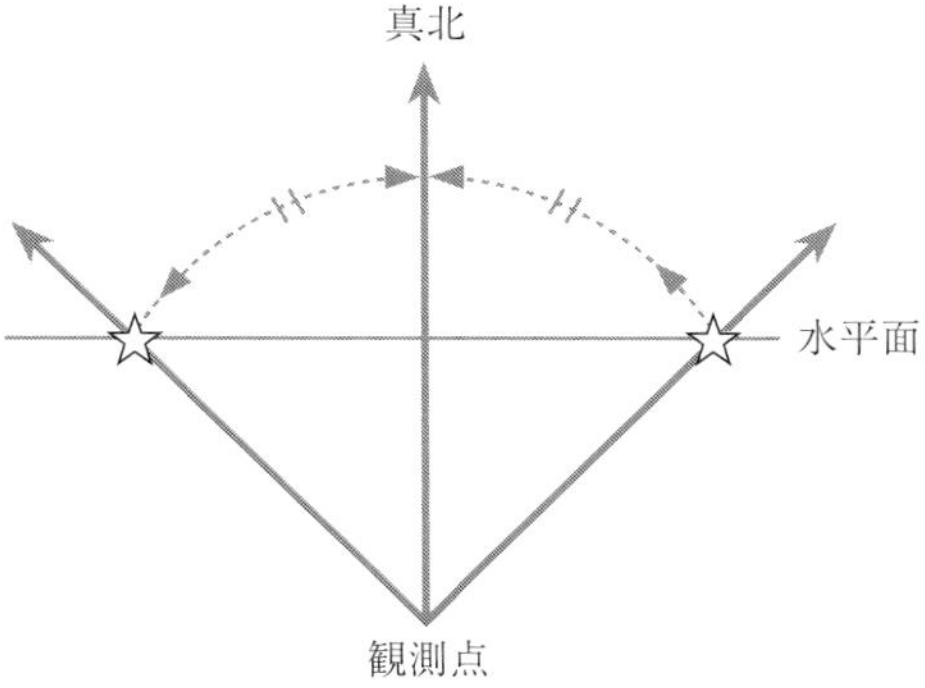

図1－15　真北の決定

現場に身長ほどの高さの壁を建てて、完璧な水平面（人工的な水平線）を作る。日が暮れてから、観測者（天文学者を兼ねた神官であろう）が北極星から知ることができるほぼ北の方角を向いて夜空を動く星を観測する。図1－15に示すように、所定の星が現れる位置と隠れる位置を正確に記録すれば、その二点の中間点が地軸の方向、すなわち真北になる。

このような測定をさまざまな星について行えば、より正確な真北を定めることができる。

測定の基準になる〝完璧な水平面〟は、どのように求めるのか。

古代エジプト人が水を使って水平面（水平線）を得ていたことが知られている。現代の大工が使う、液体の中に泡を入れた水準器と同じ原理である。

ピラミッドの基底部は各辺の長さが二三〇メートルにも及ぶが、どこも水平から三センチメートルとずれていない。ピラミッド外辺部の周囲に細い溝を掘り、その中に水を入れて、その水がつくる水平線を基準線としたのである。こうして、ピラミッド基底部の完璧な水平面が得られた。

❖石の切り出しと加工

平均二・五トン、二〇〇万個といわれる数の石をどこから、どのように切り出し、どのように運搬したのか、ということも、〝ピラミッドの謎〟の一つであるが、これらについてはほぼ明らかにされている。
ピラミッドに使われた石は、目的に応じて、次のように四つの採石場から供給された（参考図書⑼）。
内部用石灰岩：ギザ台地、ギザ台地南側の採石場（ギザ台地の石灰岩より質が劣る）
外装化粧用石灰岩：トウラ採石場（上質のなめらかな石灰岩、ギザから数キロメートル南下

したナイル川対岸）

内室、棺用花崗岩：ギザから八〇〇キロメートル南方のアスワン採石場

ピラミッドの基底部の面積は二三〇メートル×二三〇メートル＝五万二九〇〇平方メートルである。サッカー・フィールドの大きさはだいたい一〇〇メートル×七〇メートル＝七〇〇〇平方メートルほどなので、八面弱の広さにあたる。これだけの広さの初段から石を積み上げるのは大変なことであるが、さすがに古代エジプト人はきちんと考えていて、最初の六・四メートルほどは基盤の石灰岩露出部がそのまま使われている。

ピラミッド・ブロックの中には長さが九メートルほどのものもあるが、それは石工が外面彫刻し、見せかけだけブロック状にしたものである。このような岩床露出部がピラミッドの全体積の一〇パーセントほどを占めており、労働力の大いなる節約になっている（参考図書⑧）。基本的に、ピラミッドは採石場の中に造られたのである。

建造当時のピラミッドは表面に上質の石灰岩の〝化粧石〟が施され、現在のように階段状ではなく、傾斜のあるなめらかな面でできた文字どおりの〝正四角錐〟（図1-11に示したように、正確には変則八角錐）だった。いつの頃か明らかではないが、その化粧石が剝《は》がされたか落下したかしてカイロ市街地の舗装や建物に使われてしまい、現在は、基底部に転がるわずかに遺された化粧石のブロックを見るのみである。なお、クフ王のピラミッドに隣接するカフラー王のピラ

ミッドには、化粧石で外装されたキャップストーンが遺っている。

石灰岩の巨石から石塊を切り出すには、金属製のノミであけた溝（263ページ図4－23参照）に金属製の楔《くさび》を打ち込み、木製のハンマーで叩いて石目に沿って割った（109ページ図2－17参照）。石灰岩は石目に沿って直線状に割れる。石工にとって石目の方向を見つけるのは簡単である。溝に木製の楔を埋め込み、そこに水を注いで木の膨張力で石を割ったという説もあるが、それが不可能であることは実験によって確かめられている（参考図書(3)）。

ところで、この場合の〝金属〟は何であろうか。

工具としては、硬くて強い鉄が最も好ましいのであるが、第5章（293ページ）で述べるように、鉄製の武器、道具を初めて作ったのは、紀元前一五世紀、小アジアのアナトリア半島に王国を築いたヒッタイト人ということになっている。この説が正しければ、それより一〇〇〇年ほど前の、ピラミッドが造られた時代のエジプトには鉄製品の道具が存在しなかったことになる。

ところが、先ほど引用したヘロドトスの『歴史』巻二125の中に「工事用の鉄製品」という言葉が見られることを考えると、ピラミッドの建造に「工事用の鉄製品」が用いられたことを簡単に否定するわけにもいくまい。メソポタミアでは、紀元前三〇〇〇年頃のウルク遺跡や、ほぼ同時期のエジプトのゲルゼー遺跡から鉄片が見つかっているのも事実である。地上に存在する鉄鉱石を製錬して鉄を得る技術が確立するのは紀元前一五世紀頃だとしても、宇宙から地上に飛来した「隕鉄《いんてつ》」を利用した「鉄製品」があったことは想像にかたくない。

いずれにせよ、ピラミッドの時代に銅と錫《すず》の合金である青銅があったことは間違いない。青銅は銅より硬いうえに、銅に比べて融点が低いので、非常に加工しやすい有用な金属である。また、当時のエジプトの銅にはビスマスが一パーセントほど含まれていたといわれるから、その不純物効果のために銅、さらにその合金である青銅をかなり硬くしたと考えられ、「工事用の青銅製品」が活躍したであろうことは間違いない。

内室の床や天井、石棺に用いられた花崗岩の平均的硬度は六・五で、石灰岩の平均的硬度である三の二倍以上、また〝強さ〟の指標となる花崗岩の一般的密度は一・七四〜二・八〇グラム／立方センチメートル、平均二・七五グラム／立方センチメートルで石灰岩の一般的密度二・五五グラム／立方センチメートルより八パーセントほど大きい（強い）ので、花崗岩には石灰岩と同様の切り出し、加工方法は使えないかもしれない。

花崗岩の切り出し方については、アスワンの採石場に放置された未完成のオベリスク（図1－16）が大きなヒントを与えてくれる。参考図書(4)では、有名なエジプト学者・エンゲルバッハの「このオベリスクには、くさびやのみの跡が一つも無い。（中略）このオベリスクの側面には浅くカーブを描いた溝が、たてにいくつも並んでいるだけである。（中略）この断面には角ばってい る所が無く、すべての角は丸味を帯びているのである。どんな道具を使ったらこんな奇妙な跡が

図1−16　アスワンの採石場に遺された未完成オベリスク　(b)は先端ピラミディオン部(望月威男イシフク会長提供)

残るのだろうか……。その答えは唯一つ、つまりドールライト製の石の球なのである。したがって、オベリスクに残るこの溝の列や、試験用立坑の様子から、当時は岩を切るのではなく、堅い石の球をぶつけて切断したい箇所や穴を開けたい部分の岩を砕いたといった方がよいだろう」(傍点引用者）という説明が紹介されている。

エンゲルバッハがいう〝ドールライト製の石の球〟というのは図1－17に示すようなものであって、重さ七・二キログラムほどの硬い粗粒玄武岩（ドレライト）の岩塊である。ちょうど砲丸投げのボールのようなものであろうか（この球も、同じ玄武岩で叩きながら、徐々に球状にしたものと思われる)。このような岩塊を手にもって花崗岩表面を少しずつ打ち壊して切り出したといわれる。このような岩塊自体の存在は明らかで、四五〇〇年後のいま、古代の採石場には図1－17に示すようなボール状の岩塊が何百となく転がっているそうである。

しかし、エンゲルバッハの説を繰り返し読んでも、私には花崗岩が切り出される具体的なイメージをもつことができないのである。

図1－17のボール状の岩塊で花崗岩表面を叩いて切断した（岩を砕いた）という断面に、図1－16(a)に示すようなパターンが現れることが理解できない。

エンゲルバッハの説は、いわば「学者」の説であり、現場の技術者、職人がいっていることではない。本書の姉妹編『古代日本の超技術〈新装改訂版〉』で繰り返し述べたように、私が究極的

図1－17　花崗岩を切り出すのに使ったといわれるドレライト石塊（©Jon Bodsworth）

に信頼・尊重するのは実際に物を作った職人の経験と言葉であり、学者の机上の研究の成果ではない。私は石職人の〝生《なま》の声〟を聴くべく、日本有数の採石場である福島県川内《かわうち》村にある石材業・イシフクグループの花崗岩（御影石《みかげいし》）採石場（図1－18）を訪ねた。

巨大な採石場で十数トンといわれるいくつもの石塊を目の前にして、石職人、特にアスワンの採石場で放置された未完成のオベリスクを実際に見ている望月威男イシフク会長の話を聴けたことはまことに貴重であった。

望月氏は、花崗岩表面の切断箇所で火を焚《た》いたのだという。花崗岩には、火で熱せられた部分が冷える過程でパリパリと音を立てて剥がれる性質があるそうで、実際に花崗岩を道路の敷石や建造物の壁などに使う場合、バーナー処理で凹凸があるザラザラした面を得ているという。

私はバーナー処理された花崗岩の実物をいただいたが、表面の凹凸が剥がれた結果であることに得心した。確かに、一般に花崗岩は結晶粒子が大きく、主成分である石英や長石、そして一〇

図1−18　福島県川内村の花崗岩採石場
（望月威男イシフク会長提供）

パーセントほどの黒雲母《くろうんも》など、有色鉱物の熱膨張率が互いに大きく異なるので、冷却過程で機械的応力が生じて割れる（表面であれば剝がれる）のはよく理解できる。

図1－16(b)を見ると、切断箇所は一メートルほどの幅の溝になっているが、望月氏によれば、そこは作業者が入って火を焚くのに必要なスペースだったに違いないとのことである。また、図1－16(b)のピラミディオン表面に見られる凹凸も、図1－17のボール状の岩塊で叩いた跡というよりも火を焚いて剝がした跡というほうが私には理解しやすい。図1－17のボール状岩塊は、火で剝がした表面の凹凸を平滑にする際に使われたのではないか。

次は、底の部分を岩盤から切り離さなければならないが、前述の「工事用の鉄製品」あるいは「工事用の青銅製品」、具体的にはハンマーやノミ、鋸が用いられたのではないだろうか。切り開くにつれて梃子《てこ》を使って持ち上げ、木製の楔、あるいは現在のフォークリフト運搬に使われる荷物の下のパレットのようなものが挿入されて、全体を浮かせたのであろう。

❖どうやって運んだのか

古代エジプト人にとって、採石場からピラミッド建設の現場まで石を運ぶのは大変な作業だった。平均二・五トンの石が二〇〇万個というのも想像を絶する量であるが、内室の梁《はり》に使われている三〇トンから六〇トン以上の花崗岩四三本をどのように運搬したのか。

二〇〇〇年後に建てられるオベリスク用の花崗岩は、一〇〇〇トン以上もの重さがある。クレーンも大型トラックもない時代に、古代エジプト人はこれらの石材を採石場から建設現場まで、どのように運搬したのか。現代人の想像をはるかに超える難題である。

しかし、幸いにもこの大きな謎は、遺された壁画などによってほぼ解明されている。

内室や石棺に用いられた花崗岩は、ギザの八〇〇キロメートル南方に位置するアスワン採石場からナイル川を船で運ばれた。全長六〇メートルほどの荷船に載せられた巨石を九隻の船で編成された三列の船隊（合計二七隻）でナイル川を運ぶようすがハトシェプスト女王のデイール・エル＝バハリ祭殿の壁画に描かれている。

陸上輸送には、木製の橇《そり》（修羅《しゅら》）が使われた。

中王国時代（紀元前一九世紀）のアシュムネイン遺跡のジェフティヘテプの墓の壁面に、重さ六〇トンと推定される巨像を橇に載《の》せ、一七二人の男たちが引っ張るようすが描かれているのである。橇の前方に立った一人の男が、滑りやすくするためと思われる液体（何かの油であろう）を注いでいる。

当時のエジプトでは、車輪つきの台車は使われていなかったというのが通説であるが、いずれにせよ、砂の上で車輪つき台車を使うのは不適当であるし、車輪が地面に接するのは〝点〟（厳密には〝線〟）であるので、単位接触面積あたりの荷重が膨大な値になる数十トンの重さの物を運ぶには適さなかったであろう。

事実、上記の壁画には車輪やコロは描かれていない。計測輪（図1－12）を使っていた古代エジプト人が車輪を知らないわけがないし、車輪つき台車を思いつかなかったわけがない。彼らは車輪つき台車を使わなかったのである。

しかし、数トンの重さの石を煉瓦などで固められた地面上を運ぶ際には、橇と木製（おそらく、近隣にたくさんあり、また比較的硬いアカシアの木が使われたであろう）のコロが併用されたと思われる。現在までコロが発見されていないという理由で「コロは使われなかった」とする文献もあるが、磨耗したり割れたりして使えなくなったコロは薪《たきぎ》として燃やされたと考えるのが妥当ではないか。

いずれにせよ、エジプトでは木材は貴重品だったから、使用ずみの木製コロは他の物に転用されもしたであろう。

❖どうやって積み上げたのか

いよいよ、「大型クレーンや大型運搬手段がない時代に、どのようにして平均二・五トンの石を、あれだけの高さに、二〇〇万個も積み上げることができたのか」というピラミッド最大の謎に話を進めたい。

ヘロドトスは『歴史』（巻二124、125）に、以下のように記している（参考図書⑴）。

「石材を曳くための道路を建設するのに、国民の苦役は実に十年にわたって続いたという。この道路というのが、全長4440メートル、幅18メートル、高さはその最も高い地点で14メートルあり、さまざまの動物の模様を彫り込んだ磨いた石で構築したもので、私の思うには、これはピラミッドにもあまり劣らぬ大変な仕事であったに相違ない。なお右の十年間には道路のほかに、ピラミッドの立つ丘の中腹をえぐって地下室も造られた。これは王が自分の葬室として造らせたもので、ナイルから掘割を通して水をひき、さながら島のように孤立させてある。

ピラミッド自体の建造には二十年を要したという。（中略）

さてこのピラミッド建造に用いられた方法は階段式の構築法で（中略）ある。はじめに……『階段』を作ってから、寸の短い材木で作った起重装置で残りの石を揚げるのであるが、まず地上から階段の第一段に揚げる。石がここに揚ってくると、第一段に備えつけてある別の起重機に積んで二段目に引き上げられる。階段の段の数だけ起重機が備えてあったと考えられるからであるが、あるいはしかし、起重機は移動し易いものが一基しかないのを、石をおろしては順々に上の段へ移していったのかも知れない。（中略）

さて最初にピラミッドの最高部が仕上げられ、つづいてそれに接続する部分という風にして、最下段の地面に接する部分が最後に完成されたのである」（ギリシャの単位をメートルに直した）

ヘロドトスの記述には、ピラミッドの底辺の長さと高さが同じというような明らかな誤りがあるものの、私には、概して荒唐無稽なものとは思えない。

しかし、最終段階の外側を被《おお》う化粧石の装着について述べていると思われる最後の部分、つまり、上部から下部へ向かって仕上げられたという点は信じがたい。重力は上から下へ向かうのであるから、下部から上部へ向かって接続しながら仕上げていくのが自然なのではないか。

ピラミッドの謎が本格的に〝世界の話題〟になりはじめたのは、一七九八年のナポレオンのエジプト遠征後に、『エジプト誌』が出された以降のことと思われるが、現在まで「ピラミッドはどのように建造されたのか」は依然として謎のままである。

しかし、ヘロドトス以来、ピラミッドの謎に取り組み、その謎の解明に努めてきた人たち、少なくとも、その謎を書き遺している人たちはいずれも、いわば「学者」であり、現場の技術者、職人ではない。前述のように、実際に物を作っている職人の経験と言葉をいちばんに信頼する私は、石職人の〝ピラミッドの謎〟についての感想を聴いてみるべきだと考えた。

結論をいえば、広大な福島の採石場で十数トンといわれるたくさんの石塊を目の前にして、私には〝二・五トン〟というピラミッド・ブロックがそれほど大きな、また重い塊とは思えなくなったし、石職人である望月氏の話を聴くうちに、これまで多くのピラミッド学者を悩ませてきた「ピラミッドはどのように建造されたのか」という謎がそれほどの謎には思えなくなったのである。石材業の三代目として長年、石材に直《じか》に接してきた望月氏は「それなりの時間と労働力をもらえれば、ピラミッドの建造はそれほど難しいことではない」と断言するのである。

❖「ピラミッド建造法」私論

以下、文献や壁画などの資料と、望月氏をはじめとする石材の現場で働く石工から聴いた話を総合して、私が考える「ピラミッドはどのように建造されたのか」説を述べてみたい。

現代のように大型クレーンがない時代に、平均二・五トンという石材を最終的に一四七メートルの高さにまで積み上げるには、傾斜路を利用するほかはない。墳墓の壁画に煉瓦でできた建築用傾斜路が描かれているし、そのような傾斜路の現物がいくつかの遺跡に見られる。また、広大な斜面のことが記されたパピルスも遺されている。

ピラミッド建設に造られた傾斜路（斜面）については従来、二つの説が存在した。

一つは、図1－19(a)に示すようなピラミッド基底部に対して直角に配された直線型傾斜路（斜面）が築かれたというものである。他方は、同図(b)に示すようなピラミッドの各面に傾斜路を造

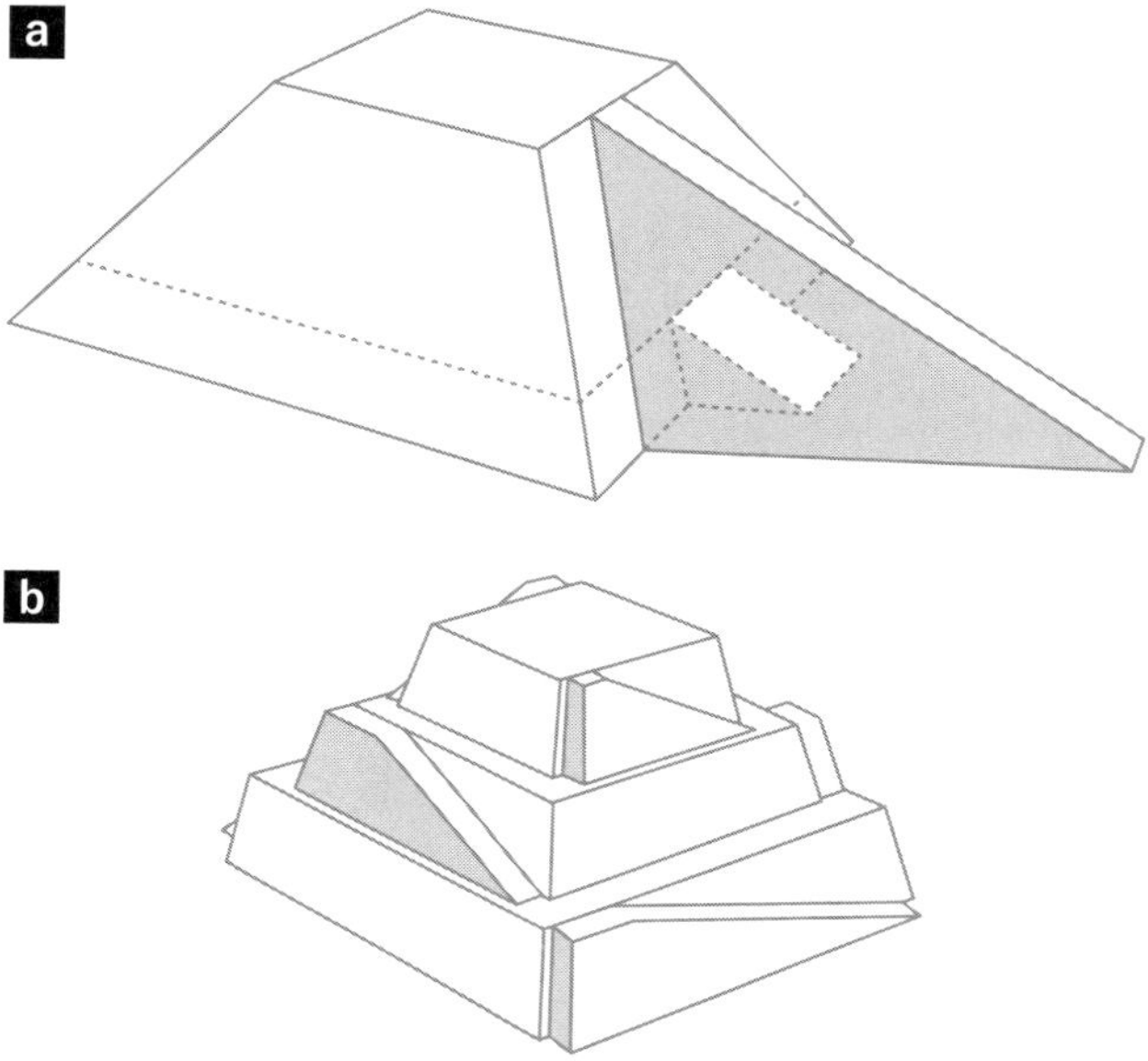

図1−19　直線型傾斜路(a)と斜面包囲型傾斜路(b)（参考図書(6)より）

る斜面包囲型傾斜路である。いずれの傾斜路にも、長所と短所がある。

運動会などで行われる綱引きのことを思い浮かべればわかりやすいが、物を引っ張る場合、直線方向に引っ張るのが最も効率がよいが、(b)では各傾斜路の上端に近づくにしたがって、引っ張る作業者は直角方向に曲がらざるを得ない。上端の角では引っ張り方向に引っ張れる作業者は一人もいなくなってしまう。これは致命的な欠点である。

この欠点を克服するためには、水平面に置かれた大きな滑車を利用して力の方向を九〇度変えなければならない。この時代に滑車は使われていないというのが定説である。私は計測輪を使っていた古代エジプト人が車輪を知らないわけがないのと同様に、滑車の効用を知らなかったわけはないと考えているが、いずれにせよ、二・五トンの石塊を載せた橇を傾斜路を利用して引き上げるには数十人の作業者が必要であり、それだけの作業に必要なスペースを(b)の方法で確保するのは困難ではないかと推測される。

一方、図1-19(a)の欠点は、傾斜度を、一般に人力で石塊を引き上げられる上限と考えられている一〇パーセント以内にするためには、一四七メートルの高さに到達するための傾斜路の長さが一・五キロメートルにもなってしまうことである。ピラミッド周囲の地形を考えれば、南側であれば一・五キロメートルの直線傾斜路の建造は可能である。

一〇パーセントという傾斜度の〝上限〟は、種々の条件次第で超えることができたのではないかと考えられ、そのぶん傾斜路の長さを短くできた可能性がある。さらに私は、望月氏が私に語った「学者のみなさんは石塊を引っ張り上げることしか考えていないが、転がすことによってかなりの斜面を運び上げることができる。転がすというのは石職人が当たり前に行っていることだ」という言葉も傾聴したいと思う。

長さが一・五キロメートルもある傾斜路を築くための材料や人力、年月が膨大であることから、この説を訝《いぶか》る学者も少なくないが、そもそもピラミッドの建造自体、膨大な量の材料や人

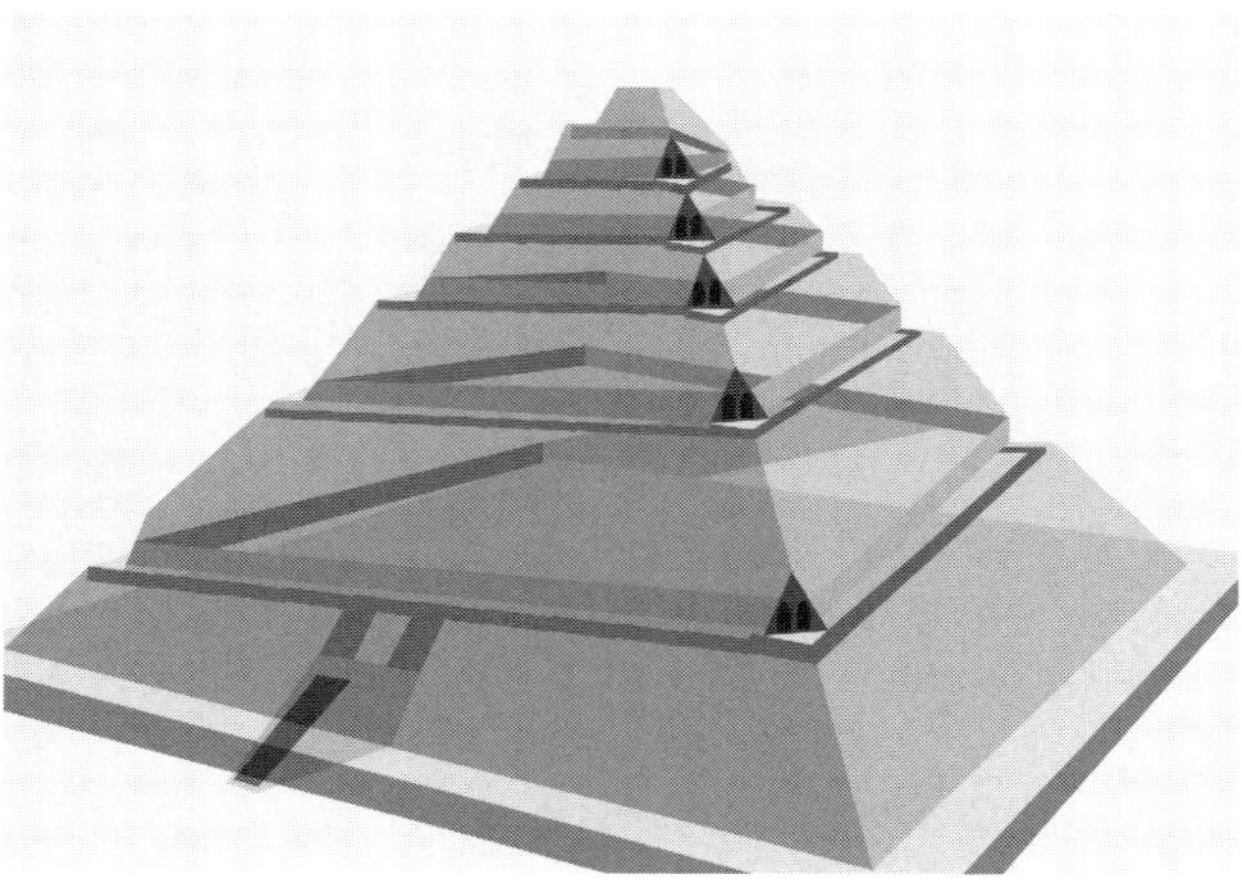

図1－20　内部傾斜路の模式図

力、年月を要したものなのである。

最近、上記の二つの傾斜路説に加え、新たな〝内部傾斜路説〟（参考図書⑼）が出されて話題となっている。

図1－20に示すように、ピラミッドの内部に造られた螺旋《らせん》状の傾斜路を使って石塊を積み上げていくというものである。この方法は、傾斜路建造に要する石材がそのままピラミッド本体に使われている点など、とても魅力的かつ斬新なアイデアに思われるが、最大の欠点は図1－19(b)同様、角部分での方向転換にある。

ピラミッド内にこの内部傾斜路を発見しようとする試みがなされたが、まだ実際に発見するにはいたっていない。しかし、一九八六年にフランスの会社によって行われたピラミッドの精密重力測定調査によって、図1－21に示す驚くべき密度分布画像が得られた。図中、螺旋状のパターンが見られるが、これは密度が低い部分に相当し、螺旋状の内部傾斜路（この部分は空洞になっているから密度が低い）の存在を裏づけるようなデータである。

今後、さらなる科学的調査によってピラミッドの実態が明らかにされ、謎が一つひとつ解かれていくであろう。

図1－21　ピラミッド内部の密度偏差分布
（*Archaeology*, Vol.60, No.3, 1986より）

❖石の積み上げに〝クレーン〟は使われたか

古代エジプトでは荷役用の家畜はいなかったようであり、ピラミッドの建造は基本的に人力のみで行われた。

石を運び、傾斜路を引き上げるために橇とコロが使われたことはすでに述べた。

石を積み上げる方法については古代から諸説があり、問題は起重装置（クレーン）が使われたか否かである。前掲のヘロドトスの『歴史』には、ピラミッドの石を積み上げるのに起重装置が使われたと記されており、そのようすを図示したのが図1－22である。

定説では、ピラミッド建造当時に起重装置は存在せず、起重装置が登場するのは紀元前四五〇年頃のギリシャということになっている。紀元前四五〇年頃はちょうどヘロドトスの時代であり、ギリシャ人であるヘロドトスは図1－22のような起重装置を実際に見たことがあったであろう。また、ヘロドトスがピラミッドを訪れた当時のエジプトにも、同様の起重装置が実在していたはずである。

ピラミッド建造時に起重装置が実在していたことを示す明白な証拠は存在しないが、「この国には驚嘆すべき事物がきわめて多く、筆舌に絶した建造物が他のいかなる国よりも多数に存する」（『歴史』）と記すほどエジプトを畏敬していたヘロドトスは、常識的に起重装置の存在を疑わなかったものと思われる。

一般に、文献や遺物（現物）を重視する歴史学者は〝文献に書かれていないもの〟や〝いま存在しないもの〟の存在を認めようとしない傾向にあるが、古代エジプト人の卓越した能力と、現にあれだけの建造物を遺しているという事実を考えれば、私にはピラミッド建造時に起重装置が存在していたことを否定する気持ちにはなれない。

吉村作治早稲田大学名誉教授の実験結果を含めた結論は、木の強度は二・五トンの石を持ち上

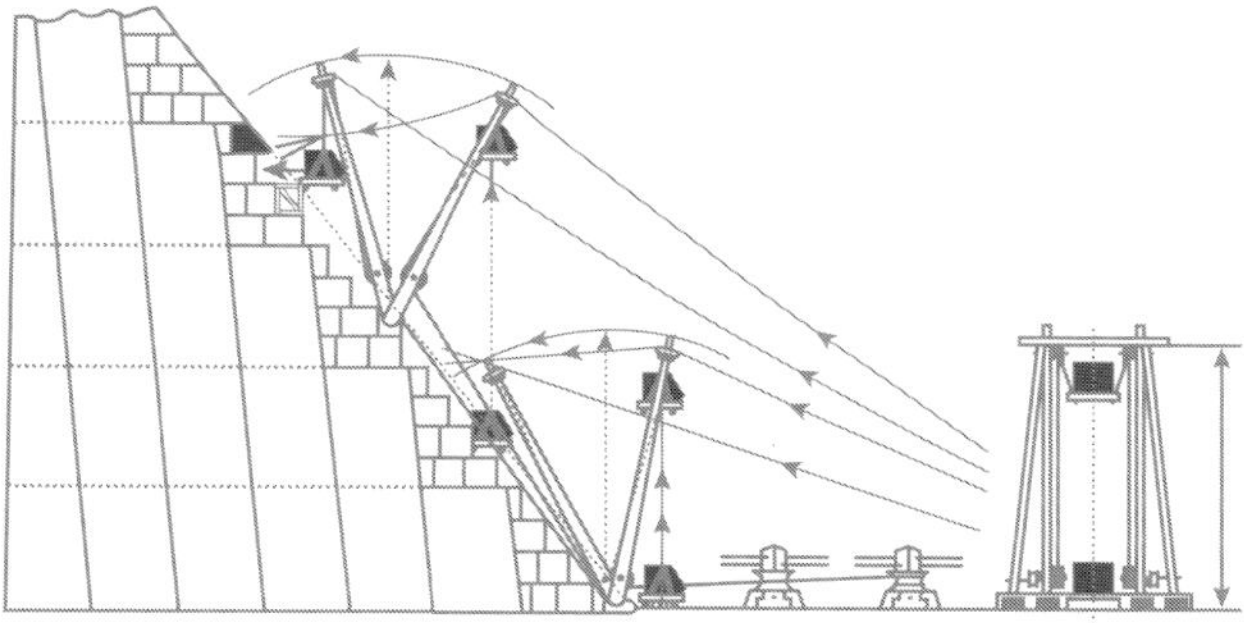

図1－22　ヘロドトスの『歴史』に記述されている起重装置（参考図書(6)より）

げるには不十分で「古代の石造建築の際に木製起重機が使用されたという説を否定」（参考図書(3)）であるが、望月氏は「自分たちは、似たような形状の〝二股《ふたまた》〟という道具を使って数トンの石を動かすことがある。木材は横方向の荷重には弱いが、縦方向の荷重にはかなり強い。滑車を併用することによって、図1－22に示されるような作業は十分可能なのではないか」と証言する。

また、木の専門家である林知行秋田県立大学名誉教授は「結論からいえば、まったく問題ない。弱いスギでも一平方センチメートルあたり、三〇〇キログラム程度の圧縮力には耐えられる。普通の三寸五分の柱でも二〇トンくらいは問題ないから、図1－22に示されるような構造であれば、相当重いものでも木材が破壊することはないと思う。問題は、滑車やロープの強度ではないだろうか」と指摘した。

私は、石と木の専門家の証言とヘロドトスの記述とから、図1－22に示されるような作業は十分に可能だったと結論する。

❖滑車は？

次に考えられる有効な道具は滑車である。

滑車についても、歴史学上の定説では紀元前一〇〇〇年頃、帆船の帆を張るためのスナッチブロックに使われたのが初めてということになっている。つまり、ピラミッド建造時に滑車は存在しなかったことになっている（参考図書(3)など）。

しかし、すでに述べたように、計測輪を使っていた古代エジプト人が滑車の効用に気づかなかったはずはないと思うし、十分に知っていて実際に活用したと考えるのが妥当だと思う。滑車にはいくつかの種類があるが、古代エジプト人はロープにかかる力の方向を変える「定滑車」だけでなく、荷重を二分の一にできる「動滑車」（図1－23(a)）も使用していたのではないかと推測する。

図1－23(b)に示すように、動滑車を一個使うごとに、引っ張る重さを二分の一にできる。二個組み合わせれば、引っ張る重さを四分の一にできる。このような動滑車を使えば、石塊の引き上げや積み上げは飛躍的に楽になる。

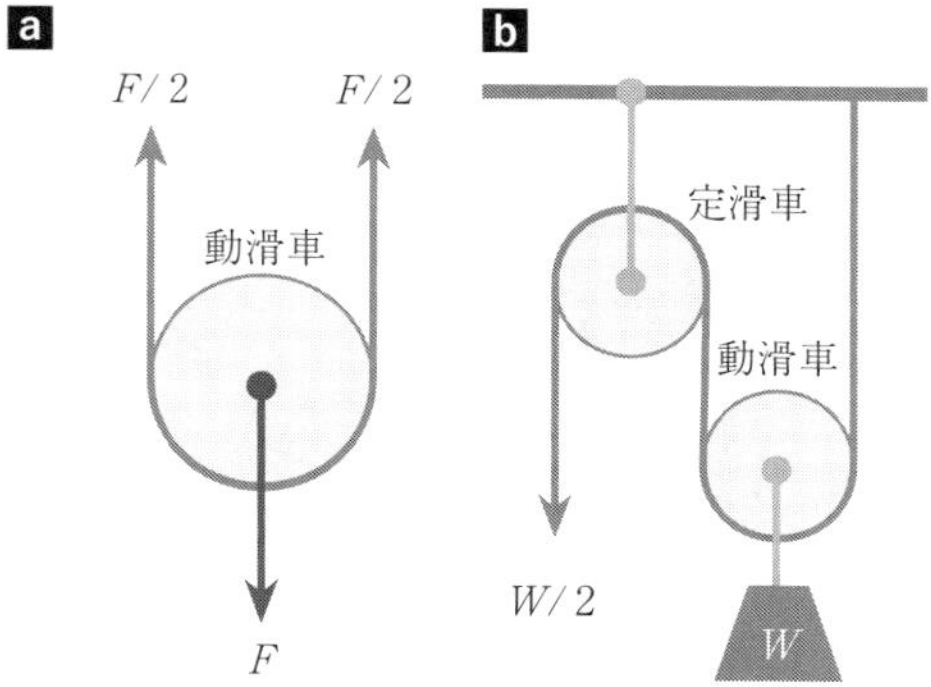

図1−23　滑車

ところで、一九七八年に日本テレビが開局二五周年を記念し、早稲田大学との共同で「ピラミッド再現計画」を実施し、一四分の一のサイズのミニ・ピラミッドをギザに建てた。その貴重な記録が『ザ・ピラミッド』（日本テレビ放送網編、吉村作治監修、読売新聞社、一九七八）にまとめられている。一四分の一サイズのミニ・ピラミッドとはいえ、建造には想像し得る古代エジプトと同じ手法、手段が使われた点で非常に貴重な試みであった。

ところが、私にはその理由がまったく理解できないのであるが、まことに残念なことに、仕上げのキャップストーンの据え付けに現代のクレーンを使ってしまったのである。せっかく人力で積み上げてきたのに、最後の最後で現代のクレーンを使ってしまうとは！

まさに「画竜点睛《がりょうてんせい》を欠く」の典型ではないか。

私は、キャップストーンの据え付けにこそ、図1−22に示されるような起重装置が使われたであろうと思う。

さて、この項の最後に、石職人たちがこぞって口にする「ピラミッドの建造よりも、むしろ高さ三〇メートル、重さが一〇〇〇トンを超すような一枚岩のオベリスクを垂直に立てるほうがはるかに難しい」という言葉を紹介しておきたい。オベリスクがどのように立てられたか、ということにも興味が尽きないのであるが、紙幅の都合上、ここでは割愛する。第2章（93ページ）に示す図2−9が参考になるだろう。いずれにせよ、古代エジプト人がそのようなオベリスクを垂直に立てたのは事実なのである。

オベリスクに興味がある読者には、章末に掲げる参考図書(4)をお勧めしたい。

❖ピラミッドの〝成長面〟と結晶成長面

私事ながら、私は学生時代からおよそ四〇年間、半導体を主としたさまざまな物質の結晶に関する研究に従事した。ピラミッドに石塊が運び上げられ、積み上げられて徐々に高くなっていくようすを想像しているとき、ふと思い出されたのが結晶の二次元成長モデルである。

結晶とは、物質（一般に固体）の中で、構成する原子あるいは分子が三次元的に規則正しく配列されたものの呼び名であるが、一般的に平面上の二次元成長モデルとして図1−24に示すような三つのパターンが考えられている。自然界のほとんどの物質の結晶成長は、このようなパターンで行われる。

図中のFは平坦面、Sはステップ、Kはキンク、Hは孔、Aは吸着原子（分子）、矢印は成長の方向を意味する。ステップは文字どおり〝段差〟であり、平坦面がもつ接触面が一つなのに対し、平坦面のほかに段差の面の二つをもつ。キンクは〝角〟で、接触面を三つもつ。接触面が多い場所ほど、吸着原子（分子）が選択的に安定して吸着できることは想像にかたくないだろう。

この平坦面（F）をピラミッドの積み上げ面（〝成長面〟）、Aを石塊と考えると、ピラミッドが徐々に〝成長〟していくようすとぴたりと重なるのである。ピラミッドは、図中の(a)、あるいは(b)のどちらのパターンで成長していったのであろうか。内部構造に応じて成長パターンを変えたと推測されるが、いずれにせよ、キンク（K）からステップ（S）へと成長していったに違いない。

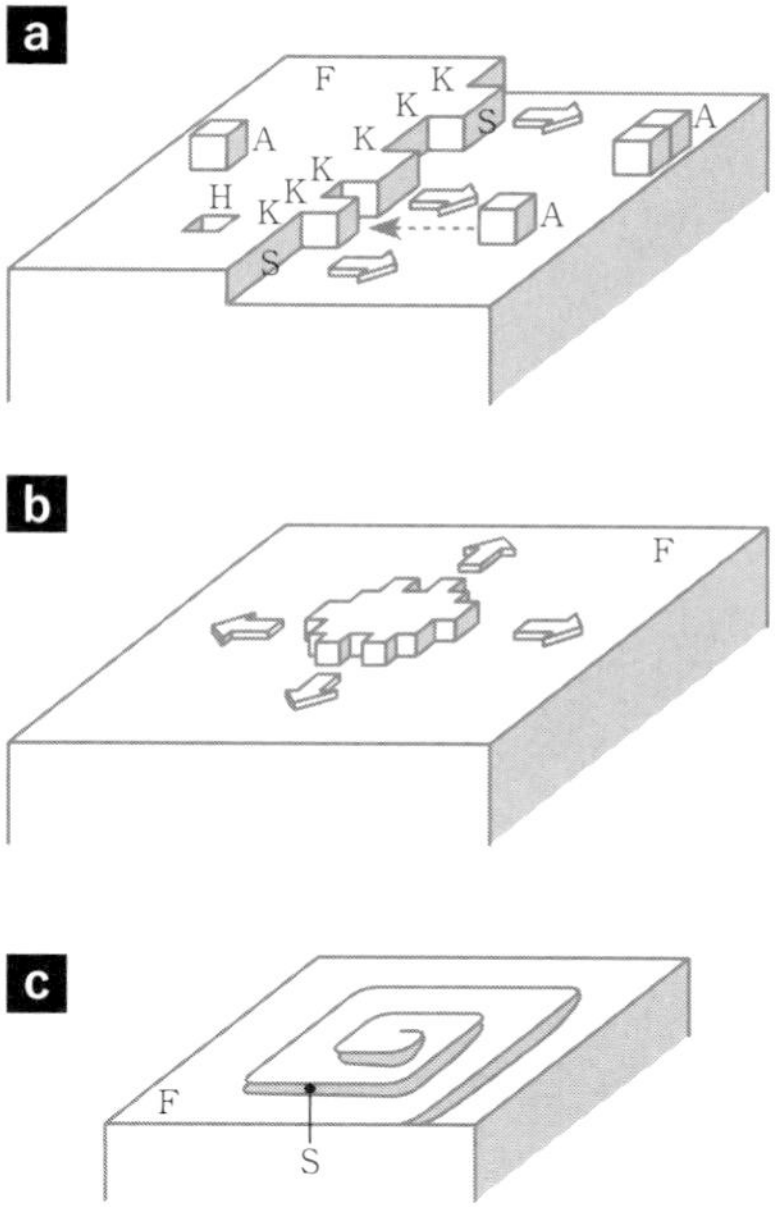

図1−24　2次元結晶成長の3つのパターン
（『結晶成長ハンドブック』共立出版より）

図1－24(c)は渦巻き成長モデルのパターンで、最も効率がよく、省エネで成長できるので自然界の多くの物質に見られるパターンとなっている。前述のように、〝内部傾斜路説〟は最近発表された魅力的な説であるが、私が62ページ図1－20を見てすぐに思いついたのは、この渦巻き成長モデルのパターンであった。

❖ピラミッドはなぜ潰れないか

ピラミッドの謎、興味は尽きないが、紙幅の都合で、本章最後の謎に取り組むことにする。積み上げられた石は上にいくほど小さくなる傾向にあるが、平均二・五トンといわれる石塊が二百数段にわたって計二〇〇万個も積み上げられ、総重量は六七〇万トンと推定されているピラミッドが「なぜ自重で潰れないのか」という謎である。

たとえば、豆腐を思い浮かべてほしい。いくらでも大きな豆腐を作れるわけではなく、種類(木綿、絹ごしなど)によって異なるが、一辺が三〇センチメートルほどの大きさの立方体になると自重で潰れてしまうことを、私は学生時代のアルバイト先の豆腐屋で実際に実験して確かめている。

軟らかい豆腐の例は極端にしても、推定される六七〇万トンという重さは確かに想像を絶する

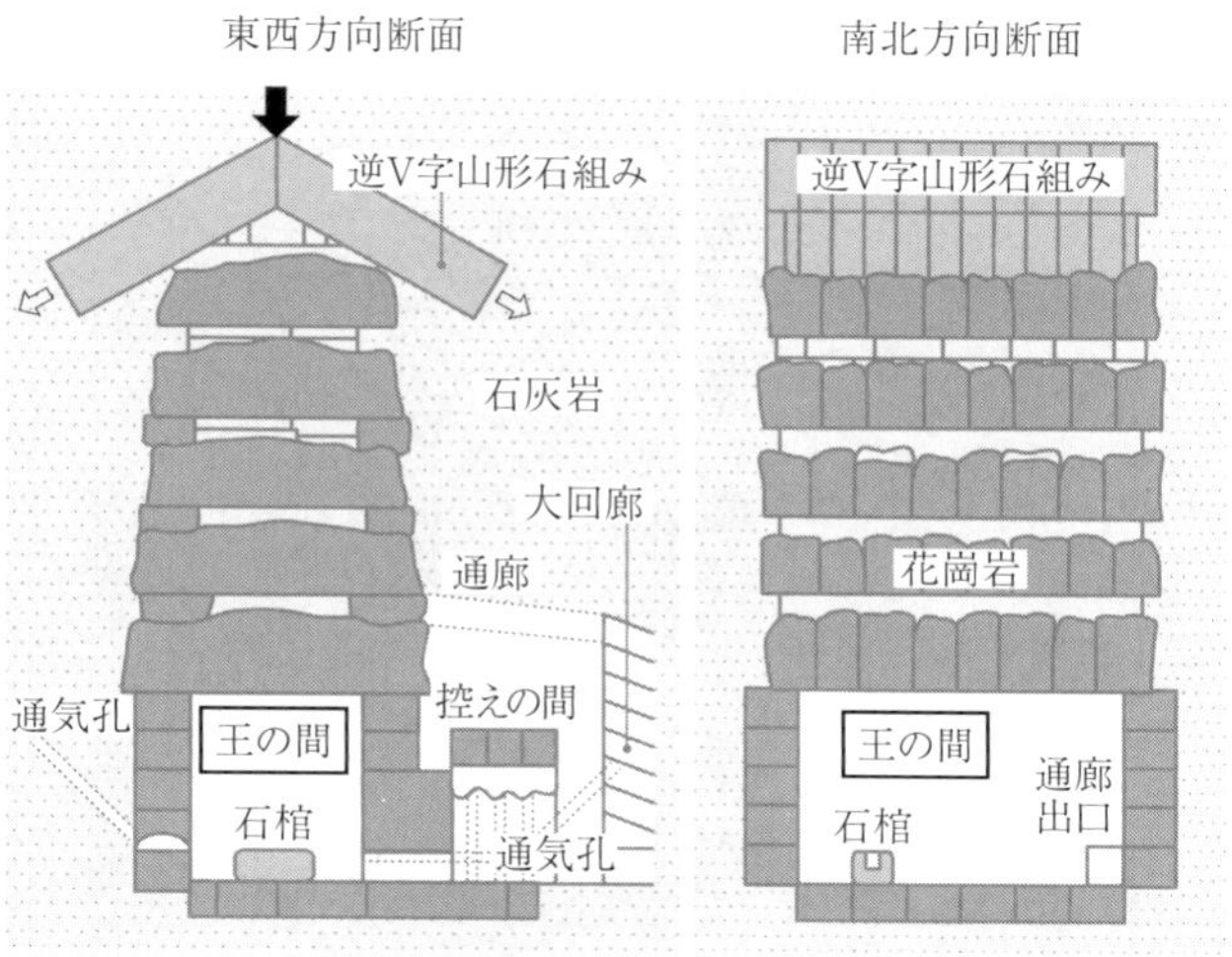

図1－25　「王の間」の“重量拡散”構造（参考図書⑶より一部改変）

値である。四五〇〇年もの間、ピラミッドはどのようにしてこの重さに耐えてきたのか、まさに謎であった。

古来、この謎の説明に使われてきたのが、図1－25に示す「王の間」の〝重量拡散〟構造（〝重量軽減の間〟、〝重力軽減の間〟とする書が多いが、この名称は不適切だと思う）である。この構造を構成するのは、いずれも五〇トンを超える巨大な花崗岩であり、このような巨大石塊をどのように引き上げたかについては章末の参考図書⑼で興味深い考察がなされているので、それに譲る。

図1－25の〝重量拡散〟構造で重要な役割を果たすのは、上端の逆V字山形石組みであり、その上部の膨大な重量が真下（重

力方向）にかかるのを防いで、山形の斜め下方に〃拡散〃しているというのが定説である。この逆V字山形石組みは、ちょうど、五重塔など日本の木造建築に上部構造の重量を拡散するのに使われる垂木《たるき》（地垂木、尾垂木）に相当する。

『古代日本の超技術〈新装改訂版〉』でも言及したように、法隆寺の五重塔の総重量はおよそ一二〇万キログラムといわれ、それを四本の四天柱と一二本の側柱《かわばしら》で支えているのだが、これら一六本の柱の底部の総面積は六・四二平方メートルなので、柱の一平方センチメートルあたりにかかる荷重はおよそ一八・七キログラムになる。ちなみに、体重二〇〇キログラムの力士のような超重量級の人間の場合で、両足の一平方センチメートルあたりにかかる荷重は〇・四キログラム以下程度なので、五重塔の柱にかかる荷重は桁違いに大きい。

ピラミッドの単位面積あたりの重量はどのくらいになるのであろうか。

仮に一辺が一メートルの立方体の石塊が最高点の一四七メートルまで、つまり一四七個積まれた場合のことを考えてみよう。前述の花崗岩の密度は産地や品種によって異なり一・七四～二・八〇グラム／立方センチメートルほどであるが、平均的密度の二・七五グラム／立方センチメートルから、また石灰岩についても平均的密度の二・五五グラム／立方センチメートルから総重量を求めると、それぞれおよそ四〇〇トン、三七五トンになる。つまり、ピラミッドを空隙がまったくない立体であると考えた場合、ピラミッドの底部には一平方メートルあたり最大四〇〇トンの荷重がかかることになる。確かに、膨大な荷重であるように思われる。

ところが私は、「花崗岩は一平方センチメートルあたり、一トンくらいの荷重なら十分に耐えられますよ」という石職人・望月氏の話を聴いてびっくりした。四〇〇トン／平方メートルは〇・〇四トン／平方センチメートルである！　一平方センチメートルあたり、わずか四〇キログラム！

私自身、いささか信じがたい数値であるが、常日頃、石材に接している石職人の言葉に間違いはないだろう。

私は、念のために大学の圧縮荷重測定装置を使って、実際に花崗岩、大理石の圧縮強度を測定してみた。

厚さ一センチメートル、四センチメートル×四センチメートルの試料に対して、花崗岩、大理石はそれぞれ一平方センチメートルあたり五・三キロニュートン、四・五キロニュートンの荷重に耐えた。ニュートンは〝力〟の単位で、これらの値はそれぞれ、およそ五四〇キログラム（正確には五四〇kgf）、四六〇キログラム（正確には四六〇kgf）の荷重に相当する。つまり、ピラミッドの底部にかかる荷重の一〇倍以上の荷重に耐えるということなのである。これは、厚さが一センチメートルの試料についての実験結果なので、実際の〝石塊〟では、望月氏がいうように「花崗岩は一平方センチメートルあたり、一トンくらいの荷重なら十分に耐える」であろう。

確かに〝重量軽減の間〟上部の逆V字山形石組みによって、垂直方向の重量（図1－25の「⬇」参照）を斜め下方向に〝拡散〟することはできる。しかし、石の〝強さ〟を知ったいま、そのこと自体にどれだけ大きな、あるいは決定的な意味があるのか、私には疑問である。エジプト学の素人ながら、私は「重量軽減の間」の目的は〝重量軽減〟、正確には〝重量拡散〟以外にあったのではないかと確信する。

私はエジプト学者、ピラミッド学者がこのことに触れたのを寡聞《かぶん》にして知らない。不思議なことである。

望月氏の「だいたい、学者の先生は、石屋の話なんか聴きませんからねえ」という言葉が痛烈であった。

私は、望月氏に「石というと、みなさん〝重たいもの〟という印象を強くもたれていますが、そんなに重いものじゃあないんですよ。たとえば、アルミニウムというと、第一感では〝軽い〟と思うのではないですか？　しかし、アルミニウムの比重は二・七二で、石灰岩よりも、一般的な花崗岩よりも重いのですよ」といわれ、まさに「目から鱗《うろこ》」であった。

ピラミッドはなぜ自重で潰れないのか。——潰れないのが当然なのであった。

主な参考図書（発行年順）

(1) ヘロドトス著、松平千秋訳『歴史（上）』（岩波文庫、一九七一）
(2) M・C・ツシャール著、酒井伝六訳『ピラミッドの秘密』（社会思想社 現代教養文庫、一九七九）
(3) 吉村作治著『ピラミッドの謎』（講談社現代新書、一九七九）
(4) ラビブ・ハバシュ著、吉村作治訳『エジプトのオベリスク』（六興出版、一九八五）
(5) 吉村作治、栗本薫著『ピラミッド・ミステリーを語る』（朝日出版社、一九八七）
(6) 吉村作治著『ピラミッド・新たなる謎』（光文社文庫、一九九二）
(7) 印牧尚次著『数学で推理するピラミッドの謎』（講談社、二〇〇五）
(8) ジャン＝ピエール・コルテジアーニ著、吉村作治監修、山田美明訳『ギザの大ピラミッド 5000年の謎を解く』（創元社「知の再発見」双書、二〇〇八）
(9) ボブ・ブライアー、ジャン＝ピエール・ウーダン著、日暮雅通訳『大ピラミッドの秘密』（ソフトバンククリエイティブ、二〇〇九）
(10) 吉村作治著『世界一面白い 古代エジプトの謎』（中経出版 中経の文庫、二〇一〇）

2

ストーンヘンジ

——古代巨石文明の比類なき最高傑作

❖ピラミッドを凌駕する「科学と技術の塊」

世界にある一四座の八〇〇〇メートル峰（八〇〇〇メートルを超える山）の中で、やはり特別なのは八八四九メートルの最高峰エヴェレスト（チョモランマ）である。一九五三年五月のヒラリーとテンジンによる初登頂のときは、世界中が「エヴェレスト・フィーバー」に盛り上がった。私は当時五歳だったが、この「エヴェレスト・フィーバー」は憶えているし、「シェルパ」という言葉を初めて知ったのもこのときである。

以来、登頂者は二〇二三年一月の時点で六三三八人を数えている。近年は商業登山や公募隊が盛んになり、登山者数はますます増加する傾向にあるので、チョモランマ（「大地の母神」「世界の母神」の意）の威光も神秘性も消え失せつつあるが、やはり、エヴェレストが登山家マロリーに"The Mountain"といわしめた別格の山であることは間違いない。

私がいまここで「エヴェレスト」のことを思い浮かべているのは、古代文明の遺跡におけるピラミッドと世界最高峰のエヴェレストとが重なるからである。

本書で縷々《るる》述べるように（ピラミッドについてはすでに述べたように）、現代人があっと驚かされる古代巨大遺跡は少なくない。そのような遺跡の中で、やはりエジプトの大ピラミッドには、世界の数々の名立たる名峰の中で誰にも知られ、燦然《さんぜん》と輝くエヴェレストのような風格がある。大ピラミッドの前に立てば、誰もがその圧倒的な大きさと美しさに身震いする。大ピラミッドは「古代文明のエヴェレスト」である。

しかし、そのエヴェレストに三度登頂し、しかもそのうちの一回は無酸素、他の一回は単独で登頂した「超人」登山家メスナー自身が認めているように、彼をエヴェレスト以上に苦しめた山がほかにあるのだ（『ラインホルト・メスナー自伝』TBSブリタニカ、一九九二）。私にはどうしても、そのような山がイギリスのストーンヘンジに重なってしまうのである。

大ピラミッドは圧倒的な大きさの巨石建造物であり、前章で述べたように、そこには数々の超技術や不思議が含まれているが、あえて「エヴェレスト」たる大ピラミッドに対して失礼を承知でいえば、それは巨石ではあっても、直方体の石を単純に積み上げた建造物である。四角形や三角形、つまり直線を基調にした建造物である。私は、古代エジプト人が完成させたピラミッド形の美しさに惚れ惚れするのであるが、その原型は自然界、ダイヤモンドや半導体シリコン結晶の中にあった。

一方、本章で述べるストーンヘンジは、円を基調にした複雑精緻な幾何学・天文学、建造技術がびっしりと詰まった、イギリス先史時代の古代ブリトン人が造った巨大構造遺跡である。円を基調にした建造物には、直線を基調にした建造物と比べてはるかに高度な技術が求められることは容易に想像できるだろう。

私はストーンヘンジのことを知れば知るほど、ストーンヘンジがわれわれ現代人に示す計り知れない知性と技術が凝縮された全容にひたすら驚き、そのような巨大構造建設を実現した古代ブリトン人に畏敬の念を抱かざるを得ないのである。ちょっと大げさにいえば、ストーンヘンジは「古代文明」のあらゆる要素において破格の、まさに驚嘆すべき巨大構造遺跡なのである。

❖ストーンヘンジの変遷と全容

ストーンヘンジは、ロンドンから西に約一四〇キロメートル離れた、いまも農村地帯であるソールズベリー平原にある巨大遺跡である。紀元前三〇〇〇〜紀元前二〇〇〇年頃にかけて、数回の段階を経て建造されたと推定されている。エジプトでピラミッドの建造がはじまるのは紀元前二七〇〇年頃だから、イギリスはエジプトから遠く離れてはいるものの、ストーンヘンジはピラミッドとほぼ同時代の遺跡である。

ストーンヘンジの発掘は一八世紀中頃から現在にいたるまで断続的に続けられ、これまでの発掘成果からその変遷をまとめると、図2－1のようになる。個々の構成建造物については後述するので、ここでは、ストーンヘンジが紀元前のおよそ一〇〇〇年間にわたって数回の段階を経て

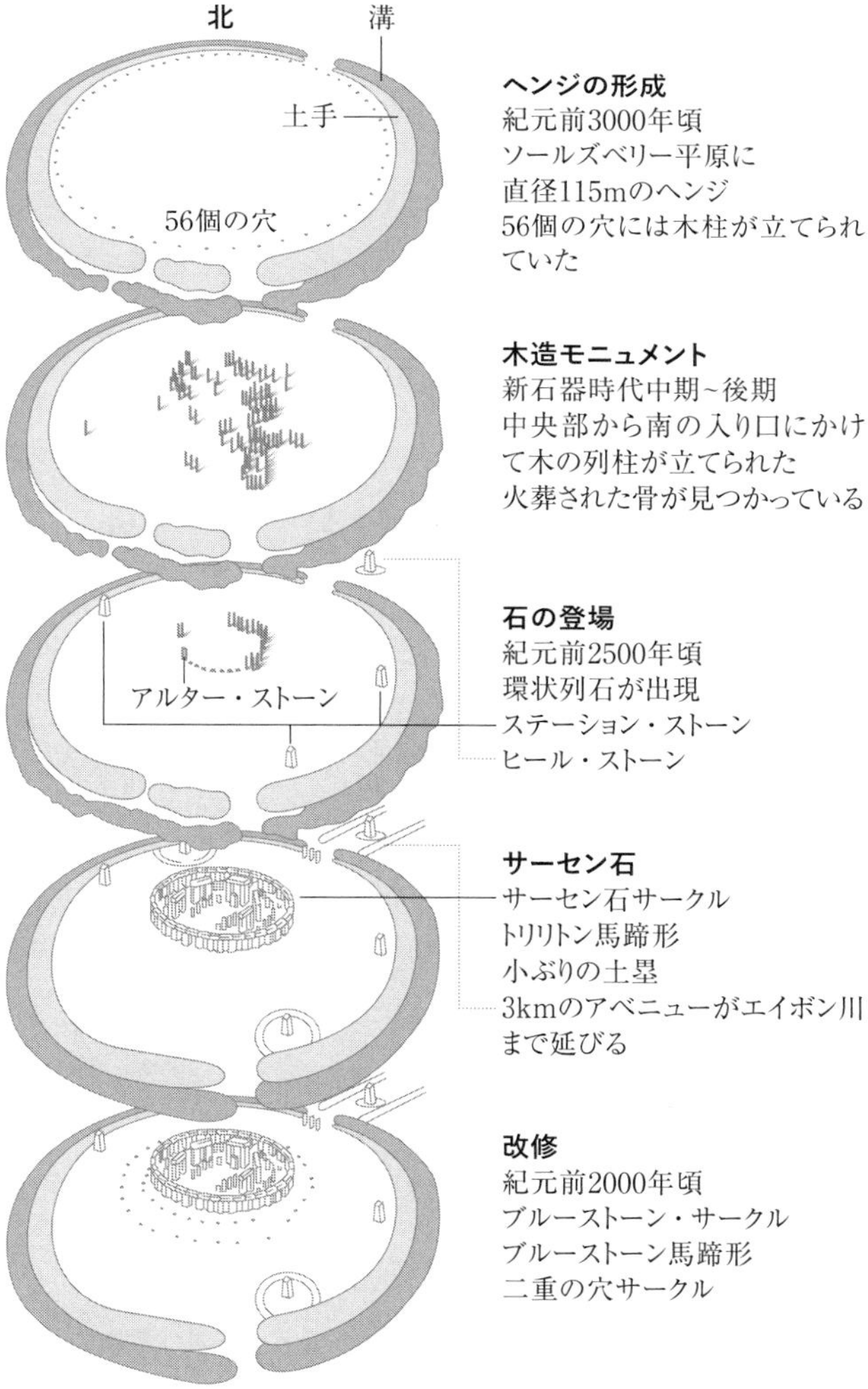

図2−1　ストーンヘンジの変遷（参考図書(4)より一部改変）

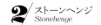

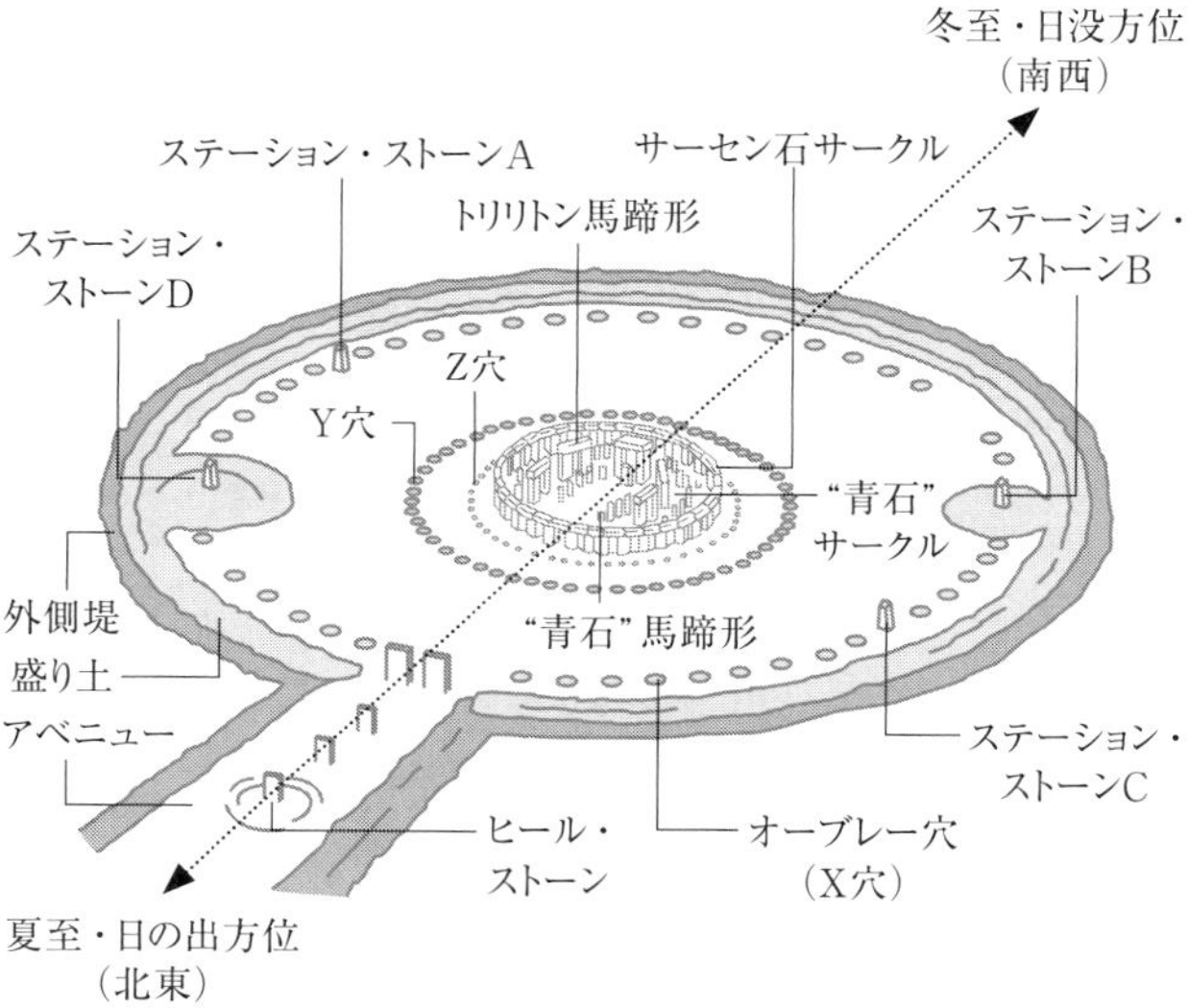

図2−2　ストーンヘンジの全容

建造された巨大遺跡であることを知っておいていただきたい。

「ヘンジ（henge）」とは、じつは考古学的には「内側に溝を掘った円形の土塁」を意味するので、本章で述べるストーンヘンジは、厳密には「ヘンジ」ではない。木を使った環状構造物、一本石の柱、円形や馬蹄形に石を並べた構造物は、新石器時代のヨーロッパ大陸やブリテン諸島の一部では多く造られており、ストーンヘンジはこれらの伝統の多くを反映した巨大建造物と考えればよいだろう。

改修完成当時の全容を描いたのが図2−2で、直径約一一六メートルの外側の堤から円中心部に向かって同心円状にオ

図2−3　夏至のヒール・ストーン越しの日の出（写真：AP／アフロ）

ーブレー穴（X穴）、Y穴、Z穴、直立するサーセン石サークル、〝青石（ブルーストーン）〟サークル、トリリトン（三石塔）馬蹄形立石、〝青石〟馬蹄形立石、そして、オーブレー穴円周上の四個のステーション・ストーンで構成されている。

直立するサーセン石サークルは、四個のステーション・ストーンA、B、C、Dが作る長方形に内接し、対角線ACとBDの交点はすべての円状構成物の中心と一致する。なお、〝青石〟の〝〟の意味についてはのちほど述べる（104ページ参照）。

後述するように、このストーンヘンジを構成する立石と穴には、じつにたくさんの天文学的方位が隠されているのだが、いまここでは、毎年多くの観光客が殺到する夏至の日の出方位についてだけ述べておこう。

夏至の日、太陽は中心点から見てヒール・ストー

図2－4　ストーンヘンジ中心部の巨大立石遺跡
（図2－2参照）（写真：栗原秀夫／アフロ）

ン上に昇る（図2－3）。この方向は、ステーション・ストーンAB、CDに直角であり、ステーション・ストーンAD、BCと平行である。

日本人であれば誰でも「初日の出」が好きであるし、私自身、正月に伊勢神宮・宇治橋越しの日の出を何回か見に行ったことがあるが、誰でも「特別な日」の日の出には感動を覚えるものである。農耕生活を送っていた古代ブリトン人にとっては、太陽の動きや位置を正確に知ることは現代人には想像できないほど重要であったろうから、彼らにとっての「夏至の日の出」は、現代の観光客の感動とは質的に異なるものだったはずである。

この「夏至の日の出」の方向は「冬至の日の入り」の方向と正反対であることが、古代ブリトン人にとっては重要な意味をもち、それが後述する「ストーンヘンジとは何か」を解く決定的なカギになる

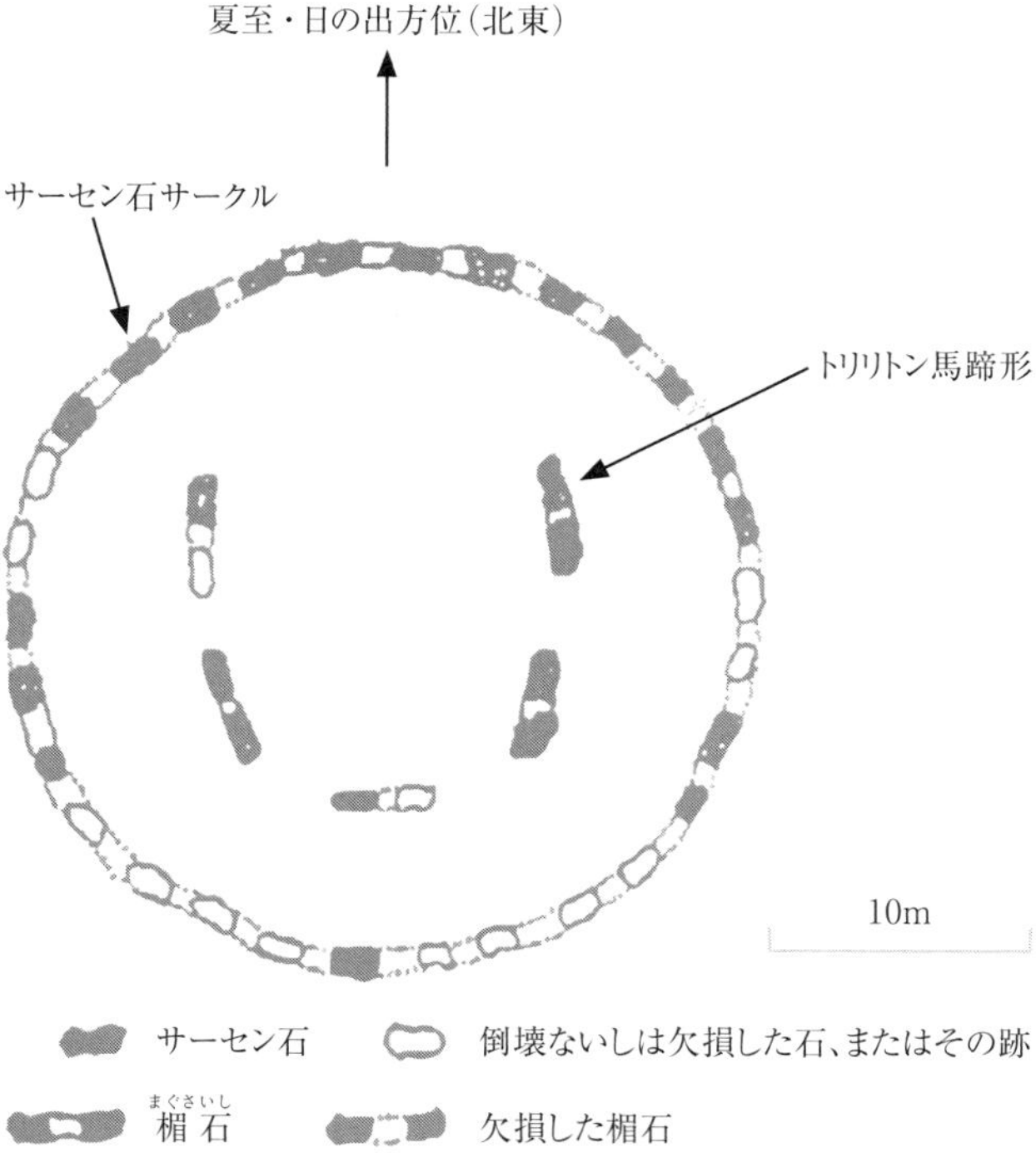

図2−5　ストーンヘンジ中心部の平面図（参考図書(2)より一部改変）

のである。

一般に「ストーンヘンジ」として知られ、いま、年間数百万人といわれる観光客がお目当てにしているのは、図2－2の中心部に位置する巨大立石遺跡である（図2－4）。その平面図を図2－5に示す。

トリリトン馬蹄形（図2－4では左下方向に、図2－5では上方向に開いている）に配置された高さ六～八メートルの巨大な組石トリリトン（三石塔）五組（真ん中と左上の組石の一個は倒れている）を中心として、直径約三〇メートルの円形（サーセン石サークル）に高さ四～五メートルの直立石（原型は一つの円をなす三〇個の直立石であるが、現在直立しているのは一六個）が配置されている。この巨石群を目のあたりにする誰もが、その大きさと異様な形に圧倒されるだろう。

巨石と聞いて、われわれの頭にすぐ思い浮かぶのは大ピラミッドの石であるが、それは平均二・五トン、最も重いもので一六トンの重さである。また、巨大石像として知られるイースター島のモアイ像は、高さ三・五メートルで重さ二〇トン程度のものが多い。それらに対し、ストーンヘンジの最も重い巨石は、なんと五〇トンである！

ストーンヘンジは、謎に満ちた遺跡群である。

イギリスのストーンヘンジもイースター島のモアイ像（210～211ページ参照）も、実際に見に行くのは大変だが、北海道の真駒内《まこまない》滝《たき》野《の》霊園《れいえん》へ行けば、実物そっくりのストーンヘンジとモアイ像のレプリカを見ることができる。実際の大きさがどのようなものであるかを体感するためだけでも、訪ねてみる価値があるだろう。

❖ストーンヘンジとダーリントン遺跡の対照性

二〇〇三年からはじまったイギリス・シェフィールド大学の発掘調査によって、ストーンヘンジから北東三・二キロメートルのダーリントンで、紀元前二八〇〇〜紀元前二一〇〇年に建造されたと考えられる直径五〇〇メートルの巨大なヘンジ（木柱サークル跡）のダーリントン・ウォールズが発見された。巨大なヘンジの内側には柱穴の跡が残るノーザン・サークルとサザン・サークルがあり、外側にはのちの時代に造られたウッドヘンジがある。また、ヘンジの外側にある土手からは七軒の住居跡が見つかり、住居間の距離や住居地域全体の広さから、一〇〇〇家族、四〇〇〇人ほどが住んでいたと推測されている。

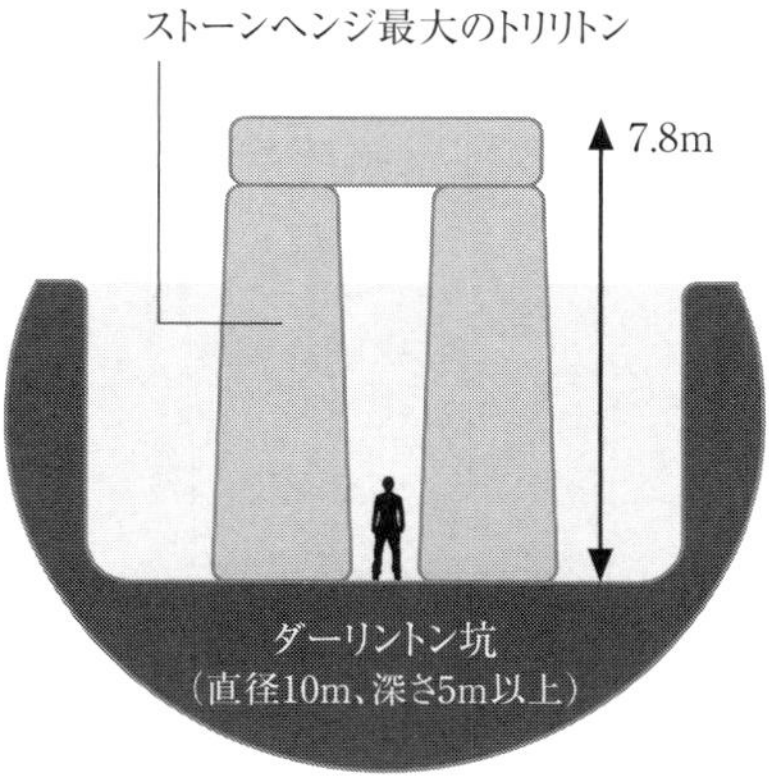

図2−6　ダーリントン坑

さらに、二〇二〇年には、ダーリントン・ウォールズと同心円をなす直径約二キロメートルの円周上に、直径一〇メートル、深さ五メートル以上の巨大な坑（shaft）が二〇個点在するサークル（ダーリントン坑サークル）が発見された。

この坑がいかに巨大なものであるかは、図2−6に示すストーンヘンジ最大のトリリトンとの比較でよくわかるだろう。

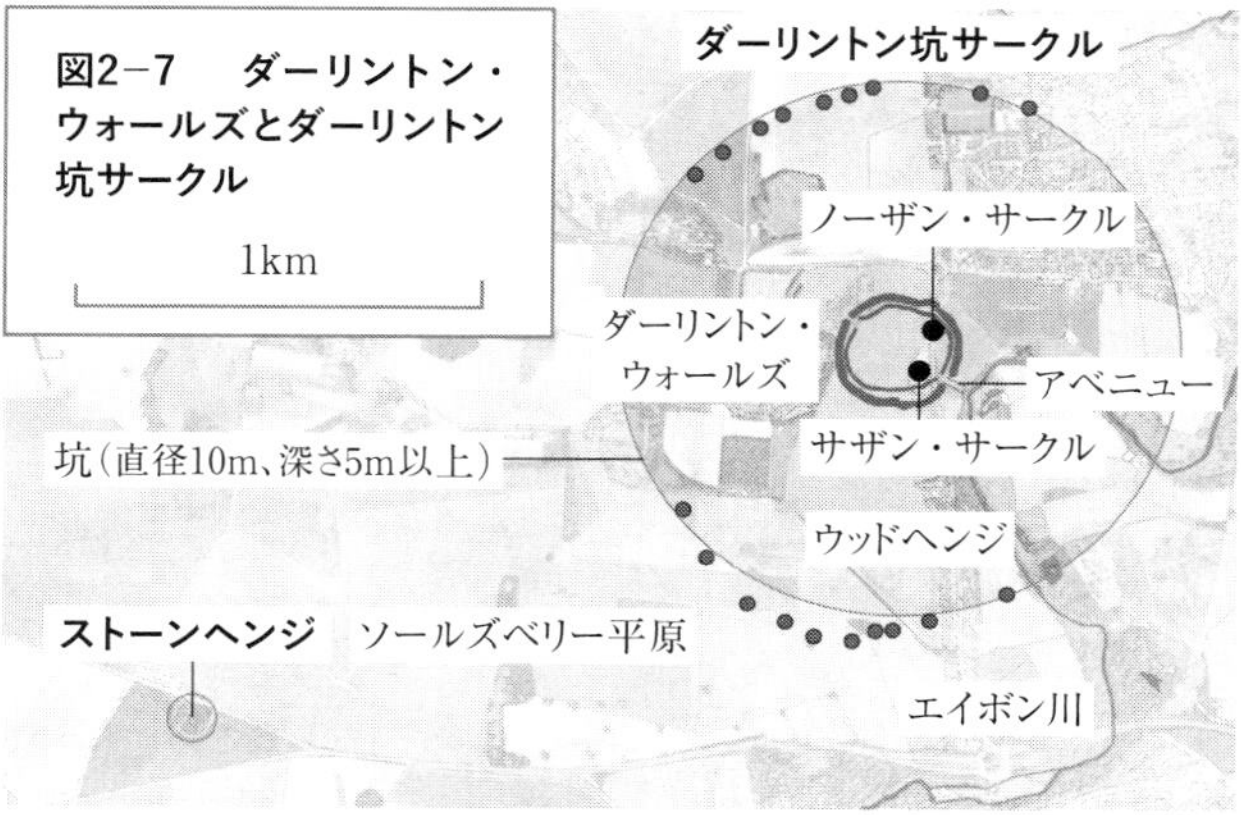

図2－7　ダーリントン・ウォールズとダーリントン坑サークル

ダーリントン坑サークルとダーリントン・ウォールズは、互いに同心円を成すサークルであることから、文字通りの「一心同体」の建造物であることは間違いない。

最近のストーンヘンジ発掘調査に主要な役割を果たしているシェフィールド大学のマイク・ピアソン（参考図書(4)）やナショナル・トラストのニック・スナシャル（参考図書(5)）らのストーンヘンジ考古学者は、ダーリントン・ウォールズとダーリントン坑サークル、そしてストーンヘンジは互いに密接に関係し、対照的な意味をもつ建造物、あるいは地域であると考えている（図2－7参照）。

ストーンヘンジでは土器類だけがわずかに見つかっているのに対して、ダーリントン・ウォールズでは土器のほかに少なくとも一〇〇〇頭の家畜の骨など、当時の人々が居住生活をしていたことを示す出土物が少なくない。さらに、ストーンヘンジでは五二体の火葬人骨をはじめ、二四〇人の遺骨が埋葬されていたが、ダーリントン・ウォールズからは人骨はほとんど出土していない。

ダーリントン・ウォールズ、ダーリントン坑サークルを構成する「木」には生命としての限界があるの対して、ストーンヘンジの「石」は永遠のものである。

つまり、ダーリントン・ウォールズは生者の居住地、ストーンヘンジは死者の場所、亡くなった祖先を祀《まつ》る聖地であり、人々は季節ごとにダーリントン・ウォールズのアベニュー、エイボン川、ストーンヘンジのアベニューをたどって二つの地を行き来していたのだろう。両者間の距離三・二キロメートルというのは、現代人のわれわれにとっても古代人にとっても行き来に楽な、いわば「散歩の距離」である。

ニック・スナシャルによれば、紀元前三〇〇〇年から紀元前二五〇〇年頃、太陽の力が衰えて寒冷化が進み、農業が大不振に陥《おちい》った。太陽の力を取り戻す解決策としてストーンヘンジを建設するため、イギリス各地からダーリントンへ人々が集まったのだという。ストーンヘンジを建設することがなぜ太陽の力を取り戻す解決策になるのかについては、それが古代ブリトン人の信仰であったとしかいいようがない。また、なぜその場所がダーリントンなのかについては「その道」の専門家に訊《たず》ねなければならない。

ダーリントン・ウォールズに見出せる住居には、特別に大きな家や豪華な家はなく、ここの住人が全員対等、平等であったことを窺わせる。古今東西、王などの権力者の住居や城、宮殿は例外なく大きく、立派なものである。もちろん、大切に保存されもするが、それらは後世に「歴史」として遺るのである。ところが、ダーリントンには城や宮殿を思わせる跡がない。住居のほかにも、ダーリントンに権力者がいたことを示す痕跡はまったく見られない。

私が感動を覚えるのは、ストーンヘンジという巨大なモニュメント建設が、王ら権力者の命令によって、彼ら権力者のためにやらされたのではなく、ダーリントンに集結した古代ブリトン人が自らのために自主的に行ったらしいということである。これが、ピラミッドをはじめとする「古代文明」の「主役たち」と大いに異なる点である。大ピラミッドは一人の王のために造られたが、ストーンヘンジは従事者全員のものだったのである。

もちろん、巨大なモニュメントをきわめて長期間にわたって建設し続けるためには、統率者や技術的なリーダーが必要不可欠である。しかし、彼らは「権力者—使役人」の主従関係ではなかった。彼らは、自分たち自身のために数世紀の長期間にわたる重労働に耐えることができたのである。少々大げさにいえば、彼らは充実感に浸《ひた》りながら重労働に喜びを覚えていたのではないだろうか。

いまここで、私の脳裏に思い浮かぶのは、日本古代史の中で特異な存在である前方後円墳のことである。充実感に浸りながら長期間の重労働に喜びを覚えていたのではないかと思われる点で、ストーンヘンジ建造と大いなる共通点を見出せるのである。詳細については、本書の姉妹編『古代日本の超技術〈新装改訂版〉』をお読みいただきたい。

❖ストーンヘンジ建造で駆使された「木工」技術

ストーンヘンジには、現代人の想像を絶する驚異の技術が少なくないのであるが、まず、他の巨石建造物と同様に、現代のようなクレーンがない時代に最大五〇トンもの巨石を組み立てた古代人の智慧と技術に驚かされる。いったいどのようにして組み上げられたのか。

前述のように、サーセン石サークルは直径約三〇メートルの円周上に高さ約四メートル、幅約二メートル、重さ約二五トンの直立石と、それらの上に載せられた重さ約七トンの横石（楣石《まぐさいし》）で構成されている。現存するそれらの一部を図2－8に示す。

この巨石をどのように立てるのかについて、図2－9(1)~(4)で説明する。

まず、設置すべき位置にあけられた穴の斜面上に立石を半分ほど浮かせ置き、その左端に重石《おもし》を載せる。次に、ロープを使って重石を右端まで引き寄せ、その重さを利用して斜面上に載った立石を引っ張って立てる。第1章（68ページ）で述べたオベリスクも、同様の方法で立てたものと思われる。

図2−8　サーセン石サークルの直立石と楣石
（写真：mauritius images／アフロ）

続いて立石の下端を地中に埋めるが、その深さは平均して一・二メートルほどと考えられている。巨石の高さや重量を考えると、この一・二メートルという深さはいかにも不安定に思われるが、巨石の底部には大きな突起がつけられ、地中においてそれが錨《いかり》の役割を果たした。

一個の直立石は二個の楣石の端を支えることになるのだが（図2－8）、これら縦横三個の巨石が安定して立ち続けることができるように、接合部には絶妙な工夫が施されている（図2－10）。

隣り合う楣石Aの接合部には畔《あぜ》の突起が、楣石Bの接合面には溝が作られており（図2－10⑴）、これらが噛み合うことによって一体化される。直立石の上に楣石が載せられる際には、図2－10⑵に示されるように、楣石の下面に施された枘穴《ほぞあな》に直立石の上面に施された枘が嵌《は》まることによって両者は固定される。

　さらに、両者の接触面での滑りを防ぐために、直立石の上端と楣石の下端は粗く加工されている。ちなみに、馬蹄形を形成する五組のトリリトンの直立石と楣石にも同様の加工がなされているが、トリリトン直立石の柄は約二三センチメートルの高さがある。

　こうした柄と柄穴の組み合わせは、石工の技術というよりも木工の技術そのものである。石の加工は木の加工と比べ、必要とする道具のことを考えてみても、一段と難しいだろうから、スト

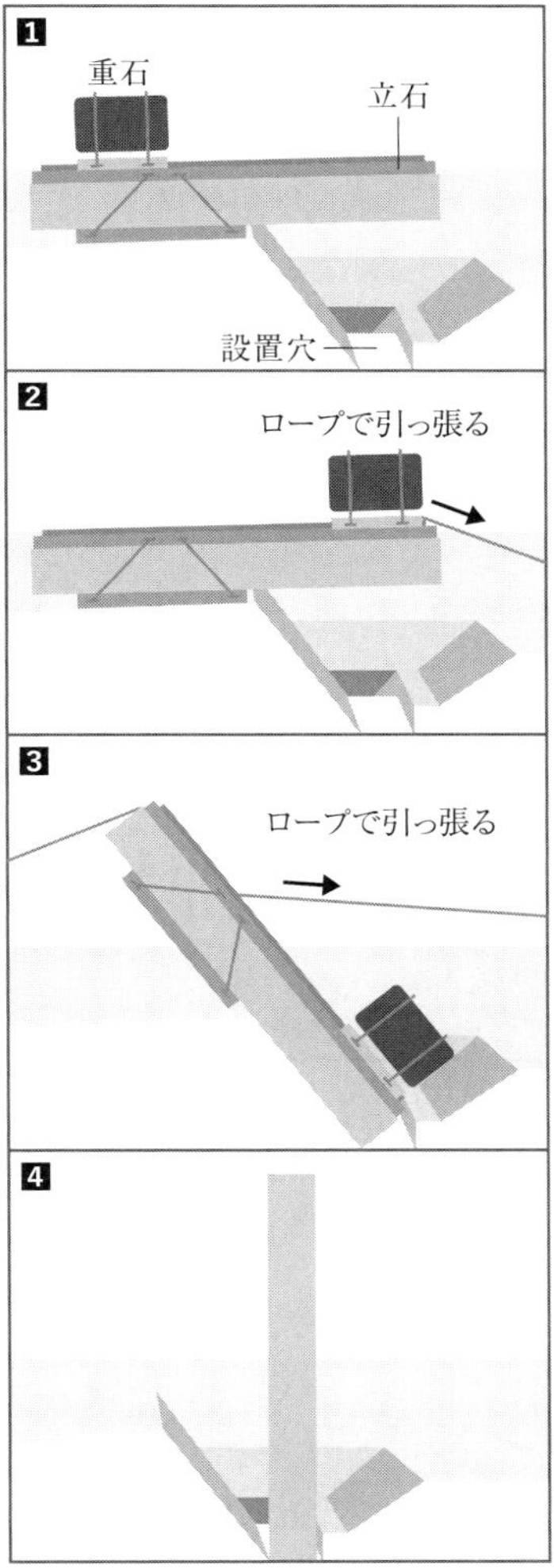

図2−9　巨石の立て方

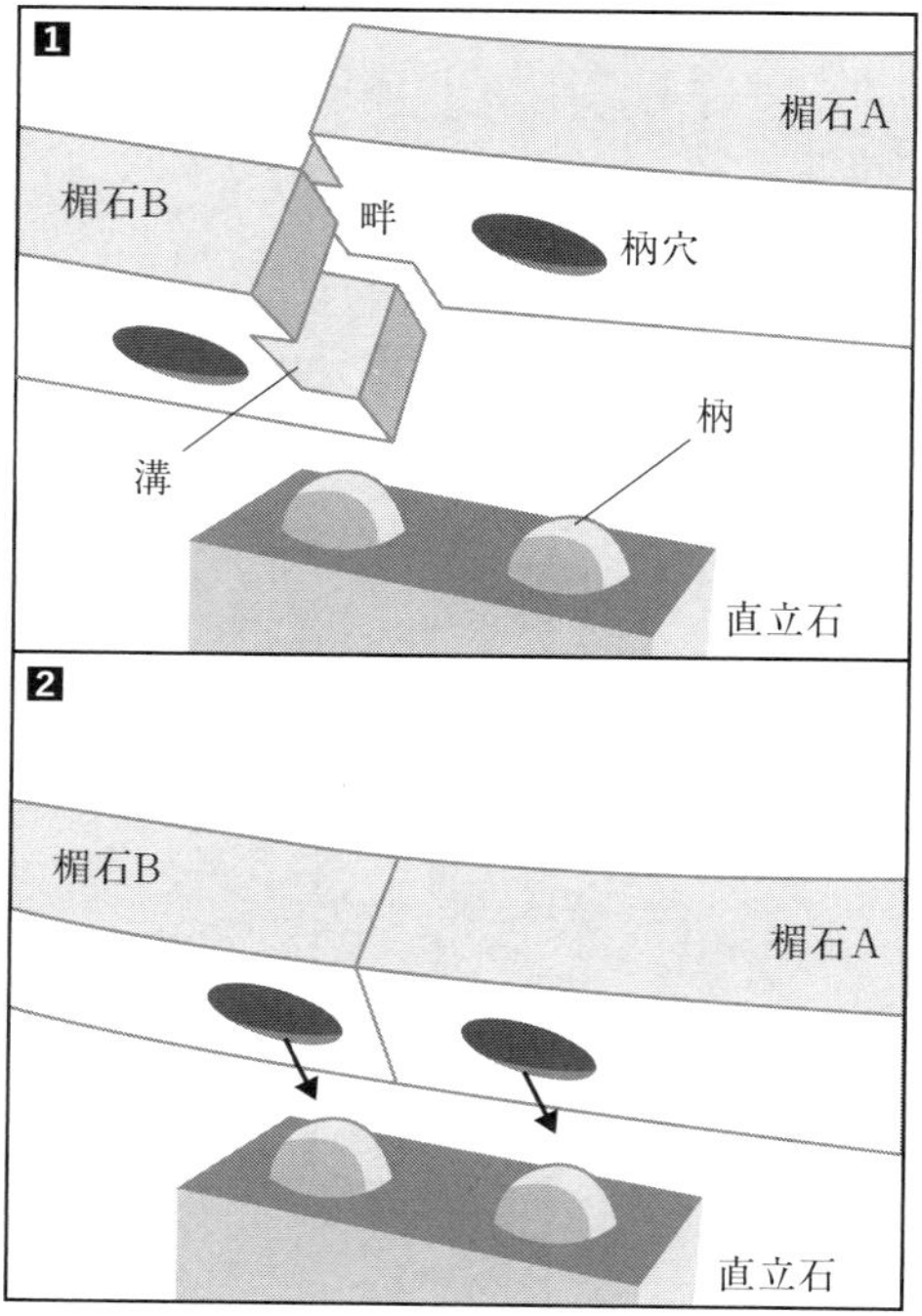

図2−10　サーセン石・直立石と楣石との接合

ーンヘンジを建造した古代ブリトン人は、石の加工以前に木の加工に長《た》けた技術者集団であったことが窺える。

このように、直立石と楣石には、木工技術を発展させた最先端の石工技術が駆使されていた。そのうえで用意周到に組み立てられ、安定したサーセン石サークルやトリリトン馬蹄形が実現したのである。

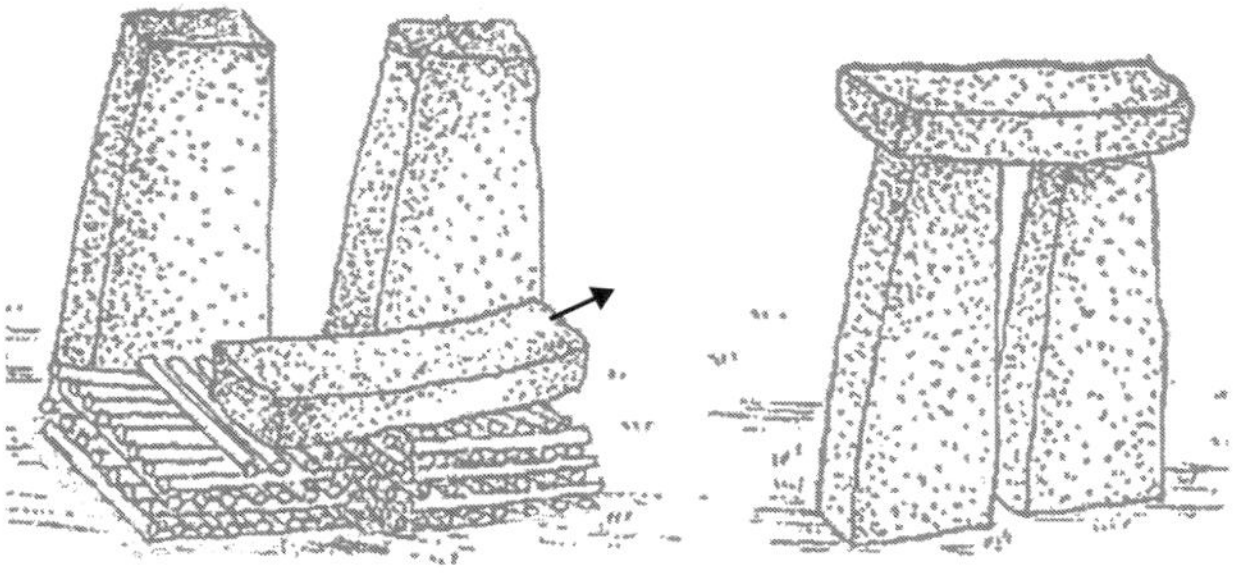

図2−11　楣石の載せ方（参考図書(2)より一部改変）

❖巨大な楣石はどう載せられたか

続く疑問は、クレーンなどない時代に、人力だけで、高さ四～七メートルほどの直立石の上に七トンもの楣石をどのようにして載せ、渡した（〝楣〟の意味である）のかということである。

図2−11を用いて、枘や枘穴などがない一般的な楣石を二個の直立石の上に渡す方法について考えてみよう。

ストーンヘンジを建造した古代ブリトン人は、木材を格子状に積み上げ、楣石を徐々に高く上げていったようである。

楣石を載せる二個の直立石の下に、木材を直角方向に並べたプラットホームAの第一段上に楣石を引っ張り上げる。この作業は、木材の直径の高さまで引っ張り上げるだけだから簡単にできるだろう。次に、格子状に木材を並べたプラットホームBの第二段に、梃子を使って引っ張り上げる。この作業も、木材の直径の高さまで引っ張り上げるだけだから簡単にできる。

次も同様に、プラットホームBの第二段からプラットホームAの第三段へ。この作業をプラットホームの高さが直立石の上端に達するまで繰り返し、最後は直立石二個の上にずらせて載せればよい。

もちろん、前章で述べたピラミッドと同様の建造法（56〜70ページ参照）も考えられるし、実際に過去、そのような説が数人の研究者によって唱えられてもいる。

しかし、ストーンヘンジを構成するサーセン石サークルの三〇個とトリリトン馬蹄形の五個、計三五個の楣石を傾斜路を用いて直立石の上に渡すのに要する工事・作業は膨大になったはずであり、図2－11で示される方法のほうがはるかに簡単に思える。事実、ストーンヘンジの周囲に、ピラミッド建造に用いられたような傾斜路を造った痕跡はまったく認められていない。

また、前述のウッドヘンジの存在や、図2－10に示される柄や柄穴の石工技術に木工技術の基礎が窺えることから、木工にも長けていた古代ブリトン人が楣石を直立石に渡す際に、図2－11に示される木の櫓《やぐら》を用いた方法を思いついたのはきわめて自然な成り行きだっただろう。

なお、図2－10では楣石と直立石の接合をわかりやすくするために、畔と溝で接合した二個の楣石を直立石に載せて接合するようすを描いたが、実際には、まず楣石Bを直立石の上に載せてから楣石Aを直立石の上に載せ、楣石Bと接合したと考えられる。いずれにせよ、複数の楣石を接合したのちに直立石の上に載せるのは厄介な作業である。

❖「ほんとうに美しいもの」に共通すること

ここで改めて、図2－4や図2－8に示した直立石の形状をじっくり見ていただきたい。直立石は、下から上に向かって先細りになっている。中には先がとがったような形のものや、中央部をわずかに膨らませてエンタシスをもたせたものもある。エンタシスは、現代では「錯視補正（リファインメント）」とよばれる建築技法である。建築寸法に完全な直線や長方形を用いると、実際の建造物が撓《たわ》んだり歪《ゆが》んだりしているように見えてしまうので、これを防ぐために、意識的に曲線を加えるなどして〝錯視（錯覚）〟を補う（補正する）技法である（142ページ参照）。

エンタシスといえば、われわれの頭にすぐ浮かぶのは次章で述べるギリシャのパルテノン神殿や、日本の法隆寺、唐招提寺の柱であるが、ストーンヘンジはパルテノン神殿より二〇〇〇年も前の建造物である。

日本の古刹《こさつ》に見られる柱のエンタシスについては「古代ギリシャからシルクロードを経て伝わ

った」というようなことがしばしばいわれる。では、パルテノン神殿の柱のエンタシスはストーンヘンジから伝わったのだろうか。

場所も時代も遠くかけ離れているストーンヘンジやパルテノン神殿、日本の古刹に共通して見られるエンタシスは、互いに影響を与えた、あるいは受けたものではないだろう。一流の美意識をもった職人が、ほんとうに美しいものを知識ではなく感性によって作ろうとすれば、その「ほんとうに美しいもの」は場所や時代を超えて、自然に「同じようなもの」になるに違いないのである。

❖なぜ「サークル」状なのか

図2－1や図2－2に示されるように、ストーンヘンジは円を基調にした建造物である。円を基調にした建造物には、直線を基調にした建造物と比べ、はるかに高度な技術が求められる。巨石を正確な円周上に並べること自体、その前提として円がどのような図形であるのかを理解する必要があるし、円を描くコンパスの原理も知らなければならない。さらに、建造物を構成する一個一個の石を円周に合わせた形に加工しなければならない。

図2－4、図2－8に示される楣石の外周・内周は、サーセン石サークルの直径に合わせた曲

図2−12 北極星を中心にした星の運行
（写真：Science Photo Library／アフロ）

率の円弧状に加工されている。そのような円弧がどのように算出され、あるいは描かれ、実際に加工されたのか、まことに興味深い。紀元前後から紀元六〇〇年頃にかけて、巨大なナスカの地上絵を上空から眺めて確認することなく、精確に描いたアンデス文明人と同様の方法（246ページ参照）が、すでにストーンヘンジの時代に用いられていたと思われる。

そもそも、ストーンヘンジはなぜ円を基調にした建造物なのか。古代ブリトン人はなぜ、高度な建造技術を要するサークルにこだわったのだろうか。

農耕を営んだ古代ブリトン人にとって、太陽の動静は日常生活に大きな影響を及ぼすものであったし、それだけに太陽信仰は自然な感情であった。もちろん、太陽信仰は古代ブリトン人に限られるものではなく、古今東西、多くの民族に共通に見られる。

太陽、月、星の動きはいずれも円運動であり、カメラなどの映像を記録する道具をもたなかった古代人でも、図2－12に示すような北極星を中心にした夜空の星の運行を注意深く観察すれば、円運動がいかなるものかを容易に理解し、「円」を発見し得たに違いない。彼らがどのような手段で「円」を記録にとどめたのかはわからないが、日々過剰なまでの情報に囲まれ、感性が衰え、考えることをほとんどしなくなった現代文明人とは異なる豊かな感性をもつ古代人は、「円」を頭あるいは心の中にしっかりと収めたに違いない。「円」は季節、人間の生と死、森羅万象のサイクルである。ストーンヘンジは、一義的には古代ブリトン人の世界観の象徴であった。しかし、ストーンヘンジが「世界観の象徴」であったばかりでなく、日常生活における、きわめて実用的な役割を果たしていたことをわれわれはほどなく知ることになる。

❖日本のストーンサークル

ストーンヘンジほどのスケールではないにしても、石を環状に配置したストーンサークルは、イギリス国内だけでも一〇〇〇ヵ所以上あるといわれ、世界各地にも散在する。

日本にもストーンサークルはいくつかあるが、最大のものは秋田県鹿角《かづの》市十和田大湯《とわだおおゆ》にある大湯環状列石である。日本では「ストーンサークル」よりも、日本考古学界の訳語である「環状列

図2−13　大湯環状列石の全景　万座環状列石(左)と野中堂環状列石(右)（©JOMON ARCHIVES ／縄文遺跡群世界遺産保存活用協議会・鹿角市教育委員会）

石」とよばれることが多い。

　大湯環状列石は、米代《よねしろ》川支流・大湯川沿岸の標高約一八〇メートルの台地にあり、約一三〇メートルの距離を置いた野中堂《のなかどう》環状列石（最大径四四メートル）と、万座《まんざ》環状列石（最大径五二メートル）から成る遺跡である（図2−13）。

　どちらの列石も、外帯と内帯の二重の同心円状（環状）に配置されている。外帯と内帯の間には日時計状組石が置かれ、環状列石中心から日時計中心を見た方向が夏至の日没方向と一致している。

　この大湯環状列石は縄文時代後期（約四〇〇〇年前）の遺跡で、時代的にはストーンヘンジと同時期であり、前述の「エンタシス」と同様、遠く離れた場所の古代人が同様の太陽信仰に基づく世界観をそれぞれ独立にもっていたことを示すものであろう。サークルに対するこだわりも、互いに共通のものだったのである。

ところで、「北海道・北東北の縄文遺跡群」が世界文化遺産に登録されたように、縄文遺跡、ストーンサークルといえば、関東以北の地域という印象が強い。しかし、最近、私は「縄文人の〝マツリ〟の場」としてのストーンサークルが三重県松阪市の天白《てんぱく》遺跡にあることを知った。

❖白亜の大神殿

ストーンヘンジに主として使われたのは、主要な構成鉱物が石英と長石の「サーセン石」とよばれる砂岩である。

いまわれわれが見る数千年の時を経たサーセン石は、灰色~茶褐色に変色しているが、このサーセン石の表面をハンマーなどで削り取ると真っ白な石英層が現れ、光を浴びるとキラキラと白く輝く。つまり、完成直後のストーンヘンジは白亜の大神殿であり、巨大モニュメントであった。それを目の前にした古代ブリトン人の驚きと、ストーンヘンジに抱いた畏敬の念はいかばかりであったろうか。建立当初の黄金色に輝く奈良の大仏を見た日本人と同様であったろうと容易に想像できよう。

余談ながら、サーセン石の表面に現れた白く輝く石英は、現代のエレクトロニクス文明の根底を支える半導体シリコン結晶の原料である「白砂青松《はくしゃせいしょう》」の白砂と同じ物質である。その白砂から出発し、現代の最先端の科学・技術を駆使して現代文明生活に不可欠のあまたのエレクトロザウルス（「すべての電子機器」を意味する筆者の造語、拙著『砂からエレクトロザウルスへ』東明社、一九八六参照）の頭脳が製造されるのである。エレクトロニクスがもたらす便利さにも、スマートフォンの驚異的な機能にも馴れっこになっている現代文明人は、そのおおもとの白砂などには感動してくれるはずもないが、古代ブリトン人は白く輝く石英に身体を震わせるほどの感動を覚えたに違いない。

❖巨石は「どこから」「どのように」運ばれたか

二〇二〇年、ストーンヘンジに使われたサーセン石の原産地が、化学分析によってストーンヘンジから三〇キロメートルほど北にあるマールバラ丘陵であることが明らかにされた。

84ページ図2－4に示されるサークル中の、サーセン石の一個の平均重量は三〇トン、最大のトリリトン直立石の重量は五〇トンである。これらの巨石を、どのようにしてストーンヘンジまで運んだのか。

大変な作業ではあるが、基本的には、前章で述べたピラミッドの石と同様な方法（54〜56ページ参照）で運んだものと思われる。ピラミッドの石と比べ、ストーンヘンジのサーセン石は一〇倍以上の重量ではあるが、次に述べる〝青石（ブルーストーン）〟の採石場までの距離（約四〇〇キロメートル）と比べれば、それほど困難なことではなかったろう。

さて、続いてはその〝青石〟の話である。

この〝青石〟には少し説明が必要である。ここで使われる〝　〟は、〝いわゆる〟の意味である。ストーンヘンジ特有の〝青石〟には五種類の異なった岩石が含まれているが、それらのいずれもが火成岩であり、切り出されたばかりの表面が雨に濡れると青みを帯びる性質が共通することから、ひとまとめにして〝青石（ブルーストーン）〟とよばれている。

これ以降は〝　〟を外して、単に青石と記述することにする。図2－2に示されるストーンヘンジに使われている青石の大部分は、玄武岩、流紋岩、凝灰岩《ぎょうかいがん》の三種で、その中で粒が粗い青緑色の粗粒玄武岩が主である。

ストーンヘンジに使われた青石は、ストーンヘンジから北東方向に四〇〇キロメートルほどの距離にあるウェールズのプレセリー山地（図2－14）から運ばれた。

このプレセリー山地は、地元では山々から湧く泉に癒しの効果があると伝えられており、古代ブリトン人が遠路、ストーンヘンジまで青石を運んだ理由はそこにあるのではないかと考えられ

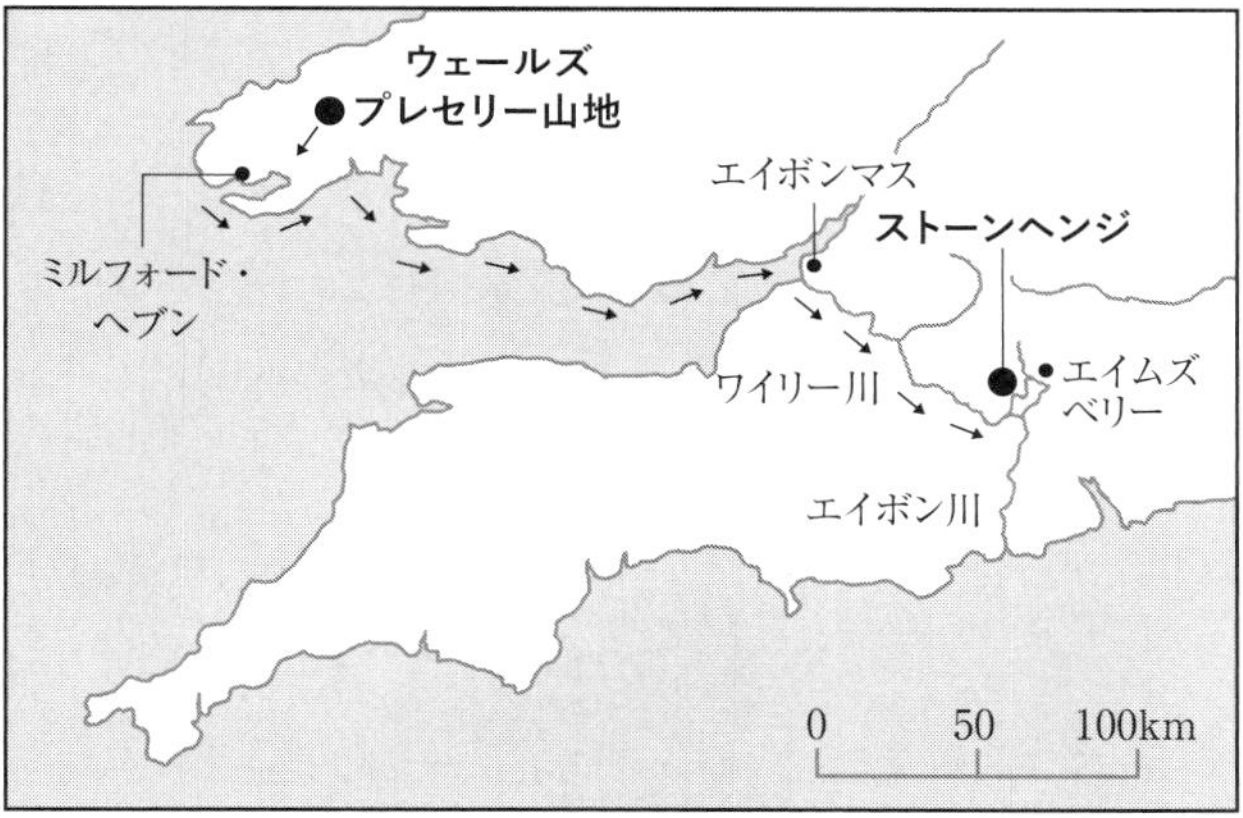

図2−14　青石の産地と推定運搬経路
（参考図書(2)より一部改変）

図2−15　プレセリー山地の“青石”柱（写真：Alamy ／アフロ）

ている。古代ブリトン人がストーンヘンジに期待するものの中に、病人や怪我人の治癒が含まれていたのかもしれない。

プレセリー山地の採石場には、図2－15に示すような岩柱が無秩序に並んでおり、これを見た古代ブリトン人は、独特かつ異様な雰囲気に満ちたこの地に聖なるものを感じたのかもしれない。その〝聖なるもの〟を、〝聖地〟であるストーンヘンジまで運びたいと思う古代ブリトン人の気持ちはごく自然である。

石造建造物に使われる石は、一般に切り出されなければならない（53ページ図1－18参照）。しかし、図2－15に見られるような岩柱であれば、青石材を得るのに適当な岩柱を選び出すだけで済み、切り出す必要がなかったことも、プレセリーの青石が好まれた理由の一つかもしれない。ともかく、高さ二メートル、重さ五トン以上の一〇〇個ほどの青石が、はるばるストーンヘンジまで運ばれた。

プレセリー山地からストーンヘンジまで、巨石はどのように運ばれたのか。

かつては氷河が巨石を押し流したとする説もあったが、それだけで説明するには無理があり、やはり、古代ブリトン人が自らの智慧と技術を駆使して運んだと考えるべきである。

図2－14に矢印で示されるように、青石はまず、プレセリー山地から南西方向の海岸にあるミルフォード・ヘブンまで運ばれた。そこから海岸沿いの海路でエイボンマスへ運搬され、次に陸

路でワイリー川まで、さらに川路でエイムズベリーに達し、陸揚げされてストーンヘンジに到達する。

この経路における水路の総距離は約三五〇キロメートル、一方の陸路の総距離は約四〇キロメートルで、圧倒的に水路が長い。それは、ストーンヘンジの建造者がプレセリー山地からストーンヘンジまで青石を運ぶに際し、陸路を使うよりも水路を使ったほうがより安全で、容易かつ速いことを経験的に知っていたからであろう。

一九五四年、イギリスのBBCテレビが考古学者たちの想像をもとに、古代ブリトン人がどうやって石を運んだかを、コンクリートで作った模造「青石」を用いて再現する番組を制作した。陸路に関しては、ピラミッドの石やサーセン石を運んだのと同様の方法が再現された。

水路については、木製の三艘《そう》のカヌーを作り、それらを並べて四本の横木（楣木）でつないだ筏《いかだ》の上に模造「青石」を載せた。その重さによって筏は二〇センチメートルほど沈んだが、数人の乗組員が容易に棹《さお》で漕《こ》ぐことができたという。棹の長さよりも深い水面ではどうかという実験は行われなかったが、帆とオールを使えば、筏を推進し、舵をとることはさほど難しいことではないだろう。

いずれにせよ、巨石を運ぶには陸路を使うよりも水路を使ったほうがより安全で、容易かつ速いことは想像にかたくないし、古代人はそのことを経験的に知っていた。

❖古代人は「アルキメデスの原理」を知っていた？

大坂夏の陣で灰燼《かいじん》に帰した大坂城修復の際、石垣に用いられた総数約一〇〇万個の巨石は、瀬戸内海の島々から大坂まで直線距離にして約一一〇キロメートルの海路で運ばれた。

図2−16　**大坂城残石（大坂城残石記念公園、小豆島・土庄）**（筆者撮影）

香川県・小豆島《しょうどしま》全体には一八ヵ所の石切り場（石丁場）が現存し、北岸の大坂城残石記念公園には、近隣の石切り場から切り出されて修羅（木製の橇）とコロ（図2－16ⓐ）で港まで運搬されたのちに放置された平均一・二トンほどの四〇個の残石（図2－16ⓑ）が置かれている。

国指定史跡の石切り場六ヵ所には、一六〇〇個以上といわれる加工途中の巨石がゴロゴロという感じで

図2−17　石切り場に残る加工途中の大坂城残石　a豆腐岩、b種石と調整石（筆者撮影）

むなしく放置されている。たとえば、図2−17(a)は矢穴が明瞭に見られる見事な直方体の「豆腐岩」である。図2−17(b)は、種石にあけられた矢穴に矢を打ち込み、石理（石目）に沿ってきれいに割れて得られた調整石である。

石の中でも2−16(b)程度の大きさの石は筏に載せて運ばれたが、さらなる巨石には「石吊筏《いしづりいかだ》」という巧みな方法が用いられた。

石工たちは、周囲に空の樽《たる》などを浮かべて浮力を増した大きな筏を作り、その下に巨石を綱で吊り下げて運んだ。同じ発想の「石吊（釣）船」が江戸時代に書かれた『農具便利論』（文政五年：一八二二年）の中に描かれている（図2−18）。

長さ約一六メートル、幅約二メートルの船の底の中央は開いており、その下に綱で吊り下げられた巨石を前後二台の轆轤《ろくろ》で上下させる機構がよくわかる。轆轤一台を四人の舟子《しゅうし》で回したようである。

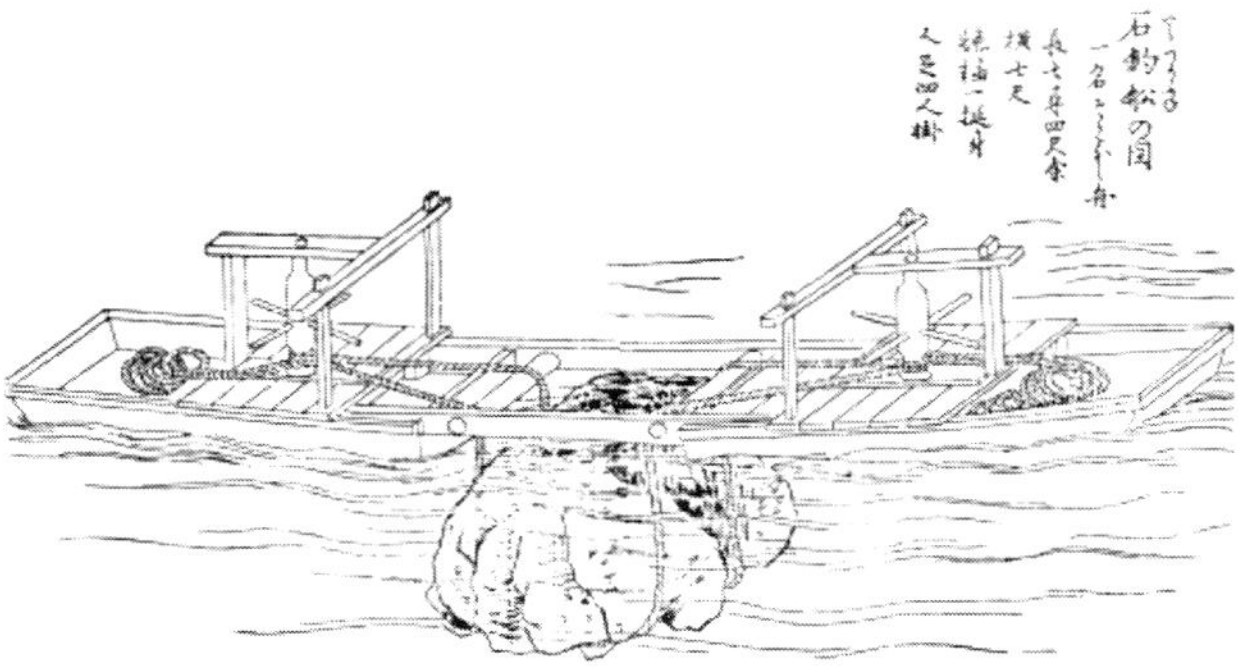

図2−18　石吊船（大蔵永常『農具便利論〈全三巻〉』1822年）

なぜ巨石を「載せる」のではなく、「吊るす」のか。

いまでこそ、われわれは「流体中の物体は、その物体が押しのけた流体の重さと同じ大きさの浮力を受ける」という「アルキメデスの原理」を知っているが、昔の職人はそのような「原理」など知らなくても、「水中に入れた物体は軽くなる」ということを経験的に知っていたに違いない。職人でなくても、プールや浴槽の中で自分の身体が軽くなることを誰でも知っているだろう。ストーンヘンジ建造は、アルキメデスよりも二〇〇〇年も前の時代の話である。

実際に、どれくらい軽くなるのかを計算してみよう。

ストーンヘンジに使われた石の密度を二・五と考える（72ページ、ピラミッドの石の密度参照）。重さ五トンの青石の体積は二立方メートルになるので、それが押しのける水の重さは約二トンになり、石吊船（筏）が支える重さが五トンから三トンに減る。同様に、重さ五〇トンのサーセン石の場合は三〇トンに減る。

古代ブリトン人は、巨石を運んだ長距離の水路（海路、川路）で、石吊船（筏）を使ったに違いない。

❖ストーンヘンジが示す精密な方位

ストーンヘンジの形や石、穴の位置の神秘性については、古くから神話学者や社会学者、歴史家、考古学者をはじめとする専門家のほかに、画家や詩人までもが関心を示し、それぞれがそれぞれに自分たちの考えを述べ、表現している。

二〇世紀のイギリスを代表する芸術家・彫刻家であるヘンリー・ムーアの「ストーンヘンジはとてつもなく巨大で身体が震えるほどの感動を覚えた。幾世紀も耐え抜いた巨石の力を得ようとして私はここに足を運ぶのだ」（参考図書⑤）という言葉は印象的である。

多くの歴史家、考古学者、芸術家を感動させたストーンヘンジが、天文学の視点で研究されたことは画期的なことだった。

「ストーンヘンジの主軸が、夏至の日の出方向に向いている」（82ページ図2－2参照）ことが最初に指摘されたのは一七四〇年、イギリスの医師・牧師であり、ストーンヘンジをはじめとする先史時代の遺跡の考古学的調査を先駆けたウィリアム・ステュークリによってである。ステュークリはアイザック・ニュートンの友人であり、ニュートンの初期の伝記作家の一人でもある。

じつは、ストーンヘンジの主軸の方位は、現在の夏至の日の出方向と厳密には一致していない。地球の公転面に対する自転軸の傾斜角は時とともに変化するので、これに伴い、夏至の日の出の方向もゆっくりではあるが移動する。ストーンヘンジを造った古代ブリトン人は、ストーンヘンジの主軸の方位を当時の夏至の日の出の方向に正確に合わせたはずだから、いま見られる主軸方位と夏至の日の出の方向の不一致は、建造から現在までの時間経過を反映したものである。

天文学者のジェラルド・ホーキンズは、「ストーンヘンジはたぶん、夏至を指すために建てられたのだろう。しかし、ストーンヘンジの建設者たちが日の出方向だけを指し示したいと考えたのであれば、二つの石だけで充分だったはずである。ところが、実際には何百トンもの火山岩が掘り出され、配置されている。……したがって、ストーンヘンジは一部の人たちの気まぐれなどではあり得ない。それは昔のイギリス人たちにとって〝焦点〟だったに違いない」（参考図書⑵）と考え、一九六一年、ストーンヘンジで確認された一六五個の石、石穴、その他の穴、および塚（図2－2参照）の位置をコンピュータに入力し、各地点から割り出される天文学的方位を解析した。

その結果、ホーキンズは夏至、冬至、春分、秋分の日の出、日の入り、月の出、月の入りの方

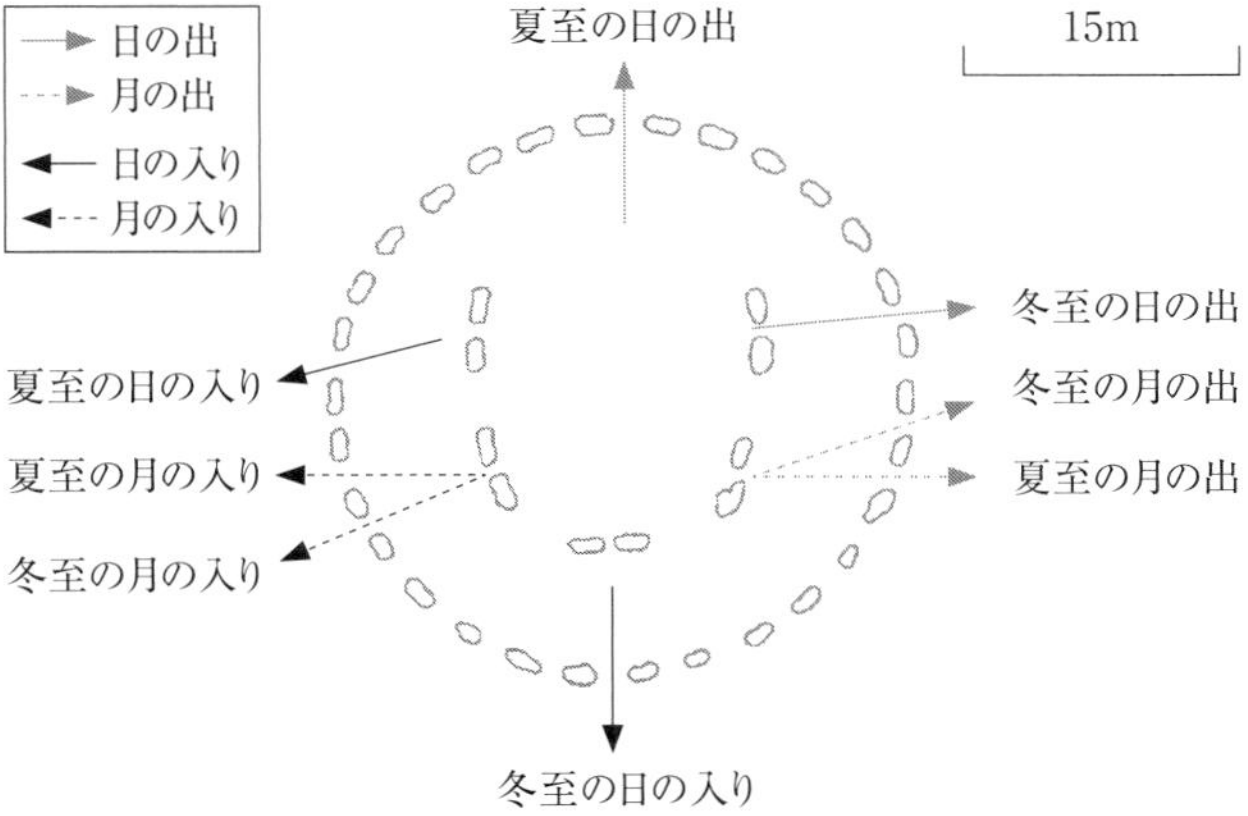

図2−19　トリリトンとサーセン石サークルが示す太陽（日）と月の特別方位（参考図書(2)より一部改変）

位、日食、月食の日をストーンヘンジが示すことを明らかにした。それらのすべてを示すことはあまりにも煩雑になるので、ここではわかりやすい一部を示すことにする。詳細なデータ、検討に興味がある読者は、章末の参考図書(2)を読んでいただきたい。

まず、太陽（日）と月の冬至と夏至における特別方位が、トリリトンとサーセン石サークルによって与えられることを図2－19で示す。いずれも主要地点と一直線を成して、太陽（日）と月の特別方位を指している。夏至と冬至の月の入り・月の出は、トリリトンの同じ点からサーセン石サークルの二つの点を結ぶことによって得られる。

じつは、これらの特別方位をそれぞれ、現在の特別方位と比べると若干の誤差が見られるのであるが、その理由として前述の「地球の公転面に対する自転軸の傾斜角は時とともに変化する」ことのほかに、ストーンヘンジ建造当時、現在はない場所に樹木が生えており、そのため当時の地平線は〇・二度ほど高くなっていたことも関係するかもしれない。

面白いのは、一七九七年に倒壊した一部のトリリトンやサーセン石は再建されているのであるが、一度も倒れたことがないトリリトンとサーセン石がはるかに正確な方位を保ち続けているという事実である。つまり、最大の誤差は、現代人の技術によって生まれているという皮肉なことかもしれない。

❖ストーンヘンジ最大の謎

ストーンヘンジ最大の謎といわれているのが、ストーンヘンジ建造の初期に造られたとされる〝オーブレー穴〟とよばれる五六個の穴である（81ページ図2−1、82ページ図2−2参照）。一六六〇年代に調査したジョン・オーブレーによって発見されたことにちなみ、この名がつけられている。

これら五六個の穴にはもともと、木柱が立っていたと考えられている。オーブレー穴の直径は七五〜一八〇センチメートル、深さは六〇〜一二〇センチメートルで、側面は急な傾斜状である一方、底面は平らになっている。形状は不規則であるが、穴の中心から中心までの間隔はほぼ一定で、約五メートルである。このような穴が五六個、直径約九〇メートルの円周上に整然と並んでいる。

この円は、ストーンヘンジ中心部のサークルと同心円になっている。このように大きな円周上に穴をほぼ等間隔に掘るためには、高度な計算力と技術が要求される。

一九六四年、三四個のオーブレー穴の発掘調査が行われたが、そのうちの二五個に人骨が入っていた。

これらの穴がなぜ、注意深く等間隔に掘られたのか、掘られた後にふたたび埋め戻されたのはなぜか、そもそもこれらの穴は何だったのか、については諸説分かれるところであるが、最大の謎は「五六」という数字である。なぜ五六なのか。人間にとって身近な数である五や一〇や一二の倍数ではない。

じつは、図2-2に示されるY穴とZ穴も、オーブレー穴が並ぶ円と同心円上に配置されており、それぞれ三〇個、二九個の穴が掘られている。これらの数も謎なのであるが、ここでは深入りせずに、オーブレー穴のみに注力することにする。なお、〝Y〟と〝Z〟は、オーブレー穴に「未知」を示す〝X〟がつけられたことに対応した名称である。

❖オーブレー穴の個数の謎

さて、〝X〟つまり「五六」という数を見事に解明したのが、前述の天文学者ホーキンズである。

ホーキンズは、古代ギリシャの天文学者メトンによって紀元前五世紀に発見された暦学上の周期である「メトン周期」に着目した。メトン周期は、朔望月《さくぼうげつ》（「朔」＝新月から次の新月、あるいは「望」＝満月から次の満月までの周期の平均値のこと）と太陽年との間に二三五暦月＝一九暦年の関係があり、一九太陽年に一二ヵ月の年を一二回、一三ヵ月の年を七回置けば、月の朔望と季節はひと巡りして元に戻るというものである。

メトン周期は「ディオドロスの一九年」ともよばれ、簡潔にいえば「月の満ち欠けと季節の一致が一九年ごとに循環する」ということである。ここでホーキンズが思いついたのは、「月食の周期」のことである。

現代人のわれわれは、日食と月食という〝食〟が起こるメカニズムを知っているし、それらを恐れることはないが、自然現象の中で〝食〟ほど古代人に恐怖を与えたものはないだろう。とりわけ、図2－19に示すように日の出、日の入り、月の出、月の入りに強い関心をもっていた古代ブリトン人にとってはいうまでもない。

したがって、この〝恐怖の大事件〟を予知できる神官やリーダーには権力や栄光が与えられたであろうことは想像にかたくない。日食と月食を予知するのは「神」や魔術ではなく、天文学という人間の科学である。

月食が起こるのは、満月が太陽の真反対側に来たときである。

ホーキンズは、ストーンヘンジから見た真冬と真夏の満月の位置を紀元前二〇〇〇年から紀元前一〇〇〇年までの一〇〇〇年間にわたり、得意のコンピュータを使って求めた。

得られた結論は、ストーンヘンジとヒール・ストーン方向を結んだ軸上に冬の満月が現れるのは「メトン周期」の一九年ごとという連続した周期にはならず、一九年が二回と一八年が一回を平均した周期になることだった。長期間にわたって正確さを保つ最も短い周期は〈一九年＋一九年＋一八年〉、すなわち合計五六年である！

つまり、ストーンヘンジにおける月食現象が五六年という驚くべき精度で繰り返されているのである。そしてこの「五六」は、まさにオーブレー穴の数にほかならない。

ホーキンズは、ストーンヘンジと中心を同じくする直径約九〇メートルの円周上に等間隔で並ぶ五六個のオーブレー穴が、月食や日食を見事に予知する「コンピュータ」として使われたことを、現代のコンピュータから得た詳細なデータをもって示した。簡単に要点をいえば、円周上のオーブレー穴に置く石の位置を一年に一つずつ移動させると、季節ごとに月の極限の位置のすべて、すなわち冬至、夏至、春分、秋分における日食や月食が予知できるのである。それらは、五六年周期で繰り返される！

世界で最も古くから農耕が行われている地域の一つといわれている現代のイラク南部、チグリス川とユーフラテス川下流の沖積《ちゅうせき》平野にあったバビロニアでは、紀元前三〇〇〇年頃には文字（楔形《くさびがた》文字）が使用されはじめていた。バビロニアは、天文学や数学をはじめとして、法律、文学、宗教、芸術などが発達した古代オリエント文明の中心地であった。幾多の王朝が栄枯盛衰を繰り返し、紀元三世紀頃に滅びたが、多くの遺産が後代の文明に引き継がれた。

粘土板に楔形文字で刻まれた多くの文書が発掘されているが、その中に、紀元前七六三年六月一五日に発生した日食の記録があるという。しかし、バビロニア人が〝食〟を予知したという記録はなさそうなので、その一〇〇〇年以上も前に古代ブリトン人がストーンヘンジで〝食〟を予知していたというのは驚異的なことである。

残念ながら、ストーンヘンジの建造を伝える文字の記録は皆無である。文字をもたない先史時代がわれわれ現代人に示すのは、遺跡と遺物だけであり、それを読み解くのは考古学であるが、現代文明の利器によって智慧、想像力、感性を劣化させ続けている現代人が、多重の智慧や感性をもっていた古代人の〝遺業（偉業）〟を読み解くには、たとえ文明の利器の力を借りても、限界があるように思われる。

❖なぜ「方位」にこだわったのか——重要なのは夏至ではなかった！

古今東西、農耕を生業とする人々にとって、種蒔《たねま》きの時期は最も重要な関心事である。いまは便利な暦があるが、暦をもたない古代人にとって的確な種蒔きの時期を見極めるのは容易なことではなかった。もちろん、おおまかな季節は体感できたであろうが、気温や日照時間に敏感な植物が相手の穀物作りに、「おおまかな季節」は通用しない。

毎年繰り返される種蒔きから収穫までの季節の周期性を正確に知り、「先」の予知を可能にするために、天体観察以上に有効な手段はないだろう。作物に直接的な影響を与える太陽の周期性を知ることは特に重要である。また、海辺で生活する者、漁業を営む者にとっては、周期的な月の満ち欠けにも熟知する必要がある。古代ブリトン人にとって、ストーンヘンジは巨大かつ壮大な天文・宇宙カレンダーの役割を果たした。

また神官たちが、昼夜を司《つかさど》る神々がこの巨大なモニュメントのはるか彼方の地平線から現れたり、地平線に消えていったりする太陽と月のようすを予知できたとすれば、神官たちにおのずと神性が備わり、部族の結束力を高める効果をもたらしたに違いない。

ところで、いささか唐突ではあるが、読者のみなさんは夏至の日と冬至の日のどちらが好きだろうか。

真夏生まれの私はもちろん、夏至あるいは冬至の「一日」に限れば夏至のほうが圧倒的に好きなのであるが、「夏至を迎えるとき」と「冬至を迎えるとき」とを比べるならば、圧倒的に後者のほうが好きである。太陽が好きな私は毎年、夏至になると「これから毎日毎日、日が短くなるなあ」と寂しい気持ちになるし、冬至になると「これから毎日毎日、日が長くなるなあ」と明るい気持ちになれるからである。

太陽を信仰し、太陽の恵みに感謝する古代ブリトン人は冬至の日、私以上に「これから毎日毎日、日が長くなるなあ」と明るい気持ちになれたことだろう。

いまなぜ、このようなことを書いたかというと、82ページ図2－2のストーンヘンジ全容を眺めて、アベニュー（参道）の位置・方向と、馬蹄形の向きが気になるからである。

毎年、夏至の日に多くの観光客がストーンヘンジを訪れ、サーセン石サークル、ヒール・ストーン越しの日の出（83ページ図2－3参照）に感動するのであるが、それは、アベニューと真反対方向の84ページ図2－4の右上から左下方向に眺めることになる。馬蹄形でいえば、馬蹄が閉じた方向から開いた方向である。これは、アベニューを通って礼拝に向かうことを考えれば、まことに不自然な方向である。

ダーリントンの住人は88ページ図2－7に示すダーリントン・ウォールズ右下のアベニューから エイボン川を下り、ストーンヘンジのアベニューを歩き、馬蹄形の正面（開いた方向）を見ながらストーンヘンジを参拝したに違いない（図2－2）。

だとすれば、彼らにとって最も感動的なのは、「これから毎日毎日、日が短くなるなあ」と寂しい気持ちにさせられる夏至の日の出ではなく、冬至の日没であることは明らかである。古代ブリトン人は冬至の日、日没を眺めて「これから毎日毎日、日が長くなるなあ」と明日からの生きる喜び、希望に満ちた感慨に耽《ふけ》ったことだろう。

中国でも古来、一年のうちで最も昼の時間が短い冬至の日を一年のはじまりとみなし、二十四節気の第一番目とした。古代の中国人は、昼の時間が少しずつ長くなっていくことを弱まった太陽の力が徐々に回復していくものと考え、神々に感謝する祭りを行った。唐代の皇帝はこの日、都の南に築かれた天壇に登り、天帝に感謝する祭礼を施した。その後、冬至を祝うために官吏たちに七日間の特別休暇を与えたという。

❖ストーンヘンジと古代ブリトン人の末路

紀元前二六〇〇年以降、ブリテン島にビーカー人が初めて渡来した。ビーカー人は、銅器（のちには青銅器）とビーカー（広口杯）形の大型土器を扱う人々で、「ビーカー人」の名はこのビーカーに由来している。

ビーカー人には定住した痕跡がなく、住居跡はどれも臨時に作られたものばかりであることから、流浪《るろう》の民であったと推定される。彼らは鋳掛屋《いかけや》や鋳物師《いもじ》、交易商人などとしてブリテン諸島各地を渡り歩きながら、ビーカーや金属製品を普及させた。第5章で詳述するが、以後の歴史において、この金属製品が世界を一変させるほどの重要な意味をもつ。

巨大なモニュメントをはじめとする「石」は個人所有しにくいが、貨幣や金《きん》を含む「金属」は個人所有が可能で、商品経済と結びつき、一部の人々が個人的な富の蓄積を増大していく。その結果、富の格差が拡大し、必然的に支配者―被支配者の関係が生まれることになる。

金属製の武器をもっていたビーカー人は、同時に戦士でもあった。当初は単なる流浪の民であり、先住民の住む各地を回って細々と商売をしていたとみられるビーカー人たちは、時代が下るごとに先住民の社会を経済的手段ないしは軍事的手段で同化・吸収し、彼らの社会構造がブリテン諸島全体を支配するようになっていった。ビーカー人は、現在のイギリス人の祖先といえる。

紀元前一五〇〇年頃から人々の足はストーンヘンジから遠のき、ストーンヘンジは以後、十数世紀にもわたって忘れ去られ、荒れ果てていった。ストーンヘンジ建造から数百年後、古代ブリトン人の人口は一気に減少し、高度の石器文明を担った彼らは歴史の表舞台から完全に姿を消した。絶滅したといってよい。

同時に、新石器時代のイングランドで続いた巨石建造物の伝統は、ストーンヘンジで終わりを告げたのである。これは、ビーカー人の流入の時期とぴったりと重なる。

ビーカー人がもたらした未知のウイルスが古代ブリトン人を一気に滅亡に追いやったという説もあるが、私には、数千年にわたって対等・平等社会の中で平和な共同生活を営んできた新石器時代人である古代ブリトン人が、金属器時代人であるビーカー人の格差・戦闘的搾取社会を受容できなかった結果と思われる。

荒れ果てたストーンヘンジと絶滅した古代ブリトン人の末路を想うとき、私は古代ブリトン人に対する哀惜の念に堪えないのである。

❖「史上最悪の種族」とは

道具や機械は人間を助け、人間の生活を豊かにするためのものであり、新しい材料が新たな道具や機械を生みつつ、それらを進歩させる。

紀元前八世紀末頃のギリシャの叙事詩人・ヘシオドス（生没年不詳）の『仕事と日々』に見られる「五時代の神話」（参考図書⑴）は興味深い。文明の進歩と人間の〝豊かさ〟、そして〝愚かさ〟との関係がはっきりと記されているからである。

オリュンポスに住む不死なる神々は、まずはじめに〝黄金の種族の人間〟を創《つく》った。彼らは惨めな老年にも襲われず、あらゆる災難とも縁がなく、気の向くままに平穏に田畑を耕し、多くの産物に恵まれ、そして眠りに落ちるように死んでいく。なんと理想的な人生だろうか！

この後、神々は〝黄金の種族〟よりはるかに劣った第二の〝銀の種族の人間〟を創った。彼らの子どもは大馬鹿者で、成長して若盛《わかざか》りになるや、愚かさゆえに苦難に遭い続け、きわめて短い命であった。

次に、ゼウスが〝銀の種族〟にも及ばない第三の〝青銅の種族の人間〟を創る。彼らの力は強かった。しかし、彼らはお互いどうしの手にかかって滅び、冷たい冥府の陰湿な館へ下った。なんの名声も挙げることなく。

このように、金、銀、銅と人間の質は次第に低下した。第四の種族（材料は不明）の質は若干向上するが、彼らも結局、悪しき戦争と恐ろしい殺戮《さつりく》によって滅びてしまう。

さて、次に続く現代の種族は、史上最悪の第五の〝鉄の種族〟である。これはもはや神話でも伝説でもなかろう。ヘシオドス自身の文明批判であった。ヘシオドスは語る。

この時から、もはや私は第五の人々の間では生きていない方が良かったのだ。

以前に死んでいるか、もっと後世に生れて来るかの方が良かった。
と言うのも、今や鉄の種族の時代なのだ。
昼は労働と悲惨の
止むことなく、また夜にも滅亡に脅やかされている。
（中略）
むしろ悪業を為す者や乱暴者を
人々は賞讃するであろう。正義は腕力の中にあり、
羞恥心は失われよう。

ヘシオドスはこの後も、〝鉄の種族の人間〟どもがいかに劣悪であるかを綿々と語り続けるのである。
ヘシオドスがビーカー人の台頭と古代ブリトン人の絶滅の歴史を知っていたのかどうか、私にはわからない。

主な参考図書（発行年順）

(1) 藤縄謙三著『ギリシア神話の世界観』（新潮選書、一九七一）
(2) G・S・ホーキンズ著、竹内均訳『ストーンヘンジの謎は解かれた』（新潮選書、一九八三）
(3) C・ウィルソン、R・フレマス著、松田和也訳『アトランティス・ブループリント』（学研プラス、二〇〇二）
(4) 「ナショナル ジオグラフィック日本版」（二〇〇八年六月号）
(5) NHK「奇跡の巨石文明！ストーンヘンジ七不思議」（二〇一九年三月二三日放映）

3

古代ギリシャ・ローマ

——現代建築をしのぐ「超」耐久力コンクリートの驚異

❖技術者と科学者――エジプトとギリシャの違い

後世〝歴史の父〟と称されるギリシャ人、ヘロドトスがエジプトを訪問して大著『歴史』の中に見聞録を遺したのは、第1章で詳しく述べたピラミッドの建造後、二〇〇〇年ほど経った紀元前四五〇年頃のことである。その頃のエジプトは、ペルシャに服属してから七五年ほど経過しており、かつての「エジプト王国」の栄光は失《う》せていた。

当時のエーゲ海の新興小国・ギリシャと先進超大国・エジプトとの親密な関係は、紀元前七世紀～前六世紀のサイス王朝期のエジプト内紛による権力闘争の渦中において、ギリシャ人が「傭《よう》兵《へい》」として活躍したことに端を発するという。

ヘロドトスの『歴史』第二巻にも、当時のギリシャ人のエジプト文明に対する賞賛と畏敬の気持ちが十分に表れているが、ローマ時代に入った紀元一～二世紀の歴史家・プルタルコス（四六頃～一二〇頃）らの著作によっても、紀元前七世紀後半からギリシャの知識人が「エジプト詣で」を行い、先進の超大国・エジプトから多くのものを学び取っていったようすが窺える。

エジプトとギリシャは、本書が扱う〝古代技術〟における〝両雄〟（歴史的事実からは〝優れた師弟〟とよぶべきであろう）ではあるが、古代エジプト人と古代ギリシャ人の間に〝気質〟の点で顕著な違いが見られるのは興味深い。

古代エジプト人の優れた技術、科学は非常に実践的、体験的なもので、彼らはそれらを普遍的な法則あるいは原理として遺してくれていない。特にピラミッドに関する技術については、それが「ファラオの墳墓」であり盗掘を防ぐためなのか、かの膨大な量のパピルスにもまったく記録されていないのである。古代エジプト人は、〝科学者〟というよりも優れた〝技術者〟であった。

一方、古代エジプト人から多くの技術を学び、習得した古代ギリシャ人は、実践的経験よりもむしろ事象、現象から法則や定理を導き出すのを好んだようである。もちろん、彼らはそれらを頭の中だけに留めておいたのではなく、さまざまな〝先端技術〟として開花させた。ギリシャが古典文化の黄金時代を迎えるのは、紀元前五世紀から前四世紀にかけてのことである。一〇年の歳月を費やしてパルテノン神殿を造営したのもこの頃である。

いま述べた「事象、現象から法則や定理を導き出す」というのは〝科学〟の真髄であるが、「実験によって検証し、数学を用いて普遍化する」という真の科学の観点から古代ギリシャの〝彼ら〟を〝科学者〟とよんでよいか否かについては異論があるところである。一般的には彼らを〝自然哲学者〟とよぶほうが無難であろうが、本書では古代ギリシャの〝自然哲学者〟を便宜的に〝科学者〟とよぶことにしておきたい。

なお、〝科学〟と〝技術〟に興味がある読者には拙著『人間と科学・技術』（牧野出版、二〇〇九）を、〝自然哲学〟と〝科学〟に興味がある読者には拙著『こわくない物理学』（新潮社、二〇〇二）を参照していただければ幸いである。

エジプト王国が当時のハイテク分野から姿を消したのは、紀元前五二五年にペルシャに服属することになって以降であるが、ふたたび〝世界の科学・技術の殿堂〟として脚光を浴びるのは、およそ二〇〇年後のことであった。

紀元前四世紀半ばから紀元前三世紀半ばにかけての内戦時代を経て、ギリシャを統一したマケドニアのアレクサンドロス（アレキサンダー）大王が紀元前三三〇年にペルシャを征服した後、紀元前三〇五年に彼の後継者の一人であったプトレマイオス一世がたてたエジプト王国・プトレマイオス朝の地中海に面した首都・アレクサンドリアは、いわゆるヘレニズム文化の中心地として栄えた。このプトレマイオス一世はアレクサンドロス大王の部将の一人であり、ギリシャ人である。これも歴史の奇遇、面白さである。

余談だが、このプトレマイオス朝、結果的にエジプト王国が滅びるのは、それから約三〇〇年後、かの有名な女王・クレオパトラがローマの武将・アントニウスとともに自殺したときである。

❖アレクサンドリアの科学と技術

地中海に面したエジプト北部、ナイル川デルタの北西端に位置するアレクサンドリアは、エジプト王国最後の王朝となったプトレマイオス朝の首都であったが、ここで栄えた文化は実質的にギリシャの文化と考えてよい。アレクサンドリアはアレクサンドロス大王が遠征途上、オリエントの各地に自分の名を冠して建設したギリシャ風都市の第一号（紀元前三三二年）であるが、彼が師であるアリストテレス（前三八四～前三二二）の影響を受けて、わずかながらも科学的好奇心をもっていたことは、後世のわれわれにとっても幸いだった。加えて、大王の部下であったプトレマイオス一世も、若き日に大王とともにアリストテレスの講義を受けた大の学問好きであり、アレクサンドリアの学問繁栄の直接的な要因となった。

プトレマイオス一世は、アレクサンドリアに「国際学術研究所」であるムセイオン（博物館「museum」の語源）を設立した。その附属機関であった図書館には世界中の文献が収集され、それは古代最大にして最高の図書館、あるいは最古の学術の殿堂ともいわれている。

プトレマイオス王朝の滅亡後もローマ帝国の手厚い保護を受けたムセイオンや大図書館は、「地中海の大学」であり続けたが、戦禍や火災などによってしだいに多くの貴重な資料が失われていった。しかし、最悪・最大の打撃は四世紀末以降のキリスト教徒による継続的な攻撃・蛮行で、これによってヘレニズム文化、学術の貴重な成果、資料のほとんどが失われたのである。

ともあれ、当時の学術の最先端をいくアレクサンドリアの知的土壌から育った古代技術工学の巨人たちは少なくない。

❖ファロスの大灯台

アレクサンドリアの建築技術の象徴として、ピラミッドにも匹敵するアレクサンドリア湾岸・ファロス島に建造された〝ファロスの大灯台〟について述べたい。

古代から現在まで、世の中にはさまざまな〝七不思議〟が存在するが、その嚆矢《こうし》は「古代世界の七不思議」で、紀元前二世紀、古代ギリシャのユダヤ人哲学者・フィロンが旅先で見た巨大建造物について述べたガイドブックのような『世界の七つの景観』を著したことである。

〝景観〟と訳されているギリシャ語〝θεάματα〟はもともと「必見のもの」という意味であるが、英語の〝wonder〟の意味も含まれるので、いつのことか、誰かによって〝The Seven Wonders of the World〟と誤訳されてしまった。それが「世界の七不思議」として日本語に訳された結果、「物理的、技術的にあり得ない」「当時の人間の技術を超越している」といった不可思議性、神秘性のニュアンスが醸し出されてしまうのだが、〝七つの景観〟はいずれも、フィロンが実際に見た建造物であり、それらの巨大建造物の建設が当時の人間にとって（現代のわれわれにとっても）信じられないような高度な技術によるものであっても、そこに〝神秘性〟は存在しないし、建造者に宇宙人を連れてくる必要もない。
さて、フィロンが挙げた〝七つの景観〟は以下のとおりである。

○ギザの大ピラミッド（エジプト、紀元前二六〇〇年頃建造）
○バビロンの空中庭園（イラク、紀元前六〇〇年頃建造）
○バビロンの城壁（イラク、紀元前六〇〇年頃建造）
○エフェソスのアルテミス神殿（トルコ、紀元前五五〇年頃建造）
○オリンピアのゼウス像（ギリシャ、紀元前五〇〇年頃建造）
○ハリカルナッソスのマウソロス王の霊廟（トルコ、紀元前三五三年頃建造）
○ロードス島の巨人像（ギリシャ、紀元前二八〇年頃建造）

これらのうち現存するのはピラミッドのみであり、他の六つは後世の地震や破壊などによって消滅してしまっている。また、すでに気づかれたと思うが、じつは、これから述べようとするファロスの大灯台は、フィロンの〝七つの景観〟には含まれていない。いつのことかは不明だが、バビロンの空中庭園と城壁が同一視され、ファロスの大灯台が加えられたとされている。

フィロンが『世界の七つの景観』にファロスの大灯台を含めなかった理由は単純で、当時、フィロンはアレクサンドリアに住んでおり、彼は旅（外国旅行）先で見た「必見の景観」を紹介したのであった。アレクサンドリア、あるいはエジプト在住の人間にとって超有名な存在であったであろうファロスの大灯台のことを、あえて書き記す必要はなかったのである。

前述のように、アレクサンドロス大王の死後、エジプトは彼の部下だったプトレマイオス一世の統治下に置かれ、プトレマイオス朝はアレクサンドリアを首都とした。アレクサンドリアはナイル河口の港町で、地中海沿岸諸国との交易の拠点だったが、周辺は平坦な土地が拡がり、沿岸航行や入港の際の目印になるものが何もなかった。そのため、プトレマイオス一世は目印となる大灯台の建造を計画したのである。紀元前三〇〇年頃に着工し、二十数年を要して完成したときにはプトレマイオス二世の治世となっていた。建造の指揮者は、クニドスのギリシャ人建築家・ソストラトスとされている。

このファロスの大灯台は、一三〇三年と一三二三年の地震で完全に崩壊した。跡地には、一五世紀になって、いまも立つカーイトゥベーイの要塞が建てられたので、その姿は遺された文献や伝承から推測するほかはない。いくつかの文献からの想像図を図3－1に示す。

建材には、大理石や花崗岩が使われた。方形の基壇の中央に塔があり、下層部は四角柱、中層部は八角柱、上層部は円筒形になっていた。最上階のドーム状の灯火室には凹面鏡が置かれ、日中は太陽光を反射させ、夜間は燃料を燃やして反射させた。ローマ時代には、灯火室の上に高さ約七メートルの海神・ポセイドンの巨像が飾られていたといわれる。

伝説によれば、この灯台から発せられた光は、五〇キロメートル以上離れた海上からも見ることができたらしい。このファロスの大灯台のようすは、古代ローマ時代にアレクサンドリアの鋳造所で作られたコインに描かれている。

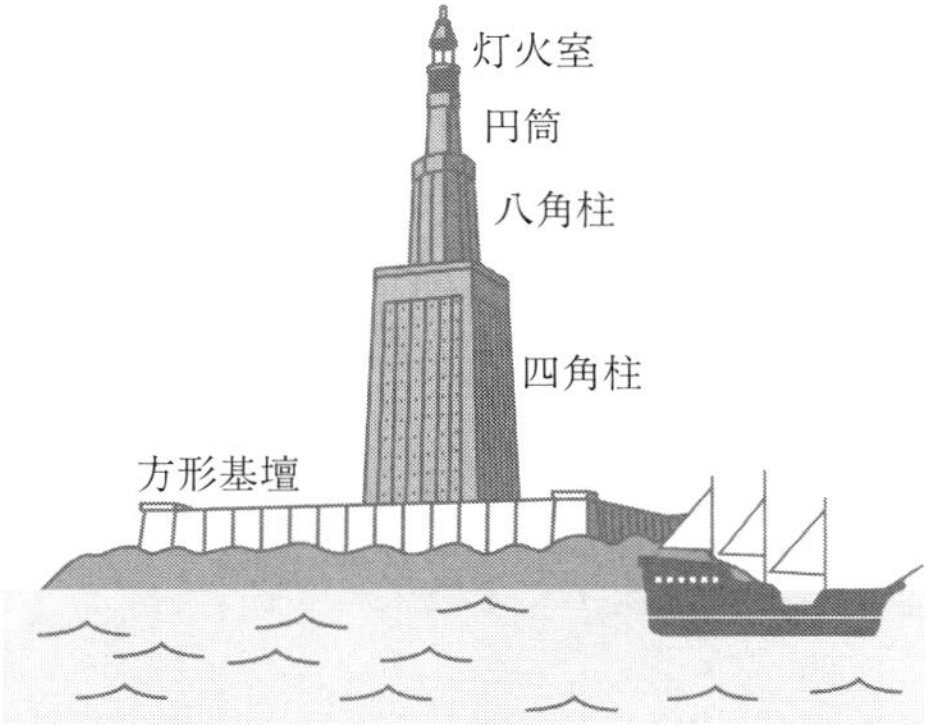

図3−1　ファロスの大灯台の想像図

一九九四年には、ダイバーによってアレクサンドリア港外の海底に大灯台の遺構が発見され、その後、衛星による調査などによって詳細な解明が進められている。

一一八三年二月、スペインのグラナダからメッカ巡礼に向かったイブン・ジュバイルは、一一八五年四月に故郷グラナダに帰り着くまでの「旅行記」を遺しているが、アレクサンドリアに下船してファロスの大灯台を見たときのことを次のように書いている（藤本勝次・池田修監訳『イブン・ジュバイルの旅行記』講談社学術文庫、二〇〇九）。

「われわれが見た最も驚異的なもののひとつに灯台が

ある。（中略）もしそれがなかったら、人々はアレクサンドリアの陸に首尾よく導かれることはないであろう。（中略）その建物は全体がひどく古めかしく強固であって、空とせりあうように高く聳えていて、筆舌に尽くしがたいものである。また一瞥《いちべつ》しただけでは全体を見ることができず、これについて述べることもできず、その全貌を伝えることは困難で観察し尽くすことはできない。われわれはその四面のうちの一つを測ったが、五〇バーウ（一バーウ＝約二メートル）強あった。高さについては一五〇カーマ（一五〇人分の身長の高さ）以上といわれている」

一四世紀初頭以降、地震によって完全に崩壊してしまったファロスの大灯台を見ることはできないのだから、このイブン・ジュバイルの記録はきわめて貴重である。

方形の基壇の一辺の長さは一〇〇メートル強（一説には三〇〇メートル）、高さは〝一人分の身長〟を仮に一・六メートルとすれば二四〇メートル以上ということになる。これは、ギザの大ピラミッドを凌駕《りょうが》する高さの建造物で、イブン・ジュバイルが「空とせりあうように高く聳えていて、筆舌に尽くしがたい」「一瞥しただけでは全体を見ることができず、これについて述べることもできず、その全貌を伝えることは困難で観察し尽くすことはできない」と驚嘆するのも当然であろう。

ちなみに、イブン・ジュバイルはアレクサンドリアからナイル川をさかのぼり、カイロでピラミッドも見ており、そのときの驚きを次のように綴っている。

「……古代のピラミッドがある。それは建造物の奇跡であり、驚異的な光景であり、正方形で、張られた天幕の天空に聳え立っているようである。特にそのうちの二つのピラミッドがこのようであって、天空高く塞がんばかりであった。一つのピラミッドの広さは、一つの角から他の角まで三六六ハトワ（一ハトワは約六九～八四センチメートル）あり、切り出された大きな岩石を使って建てられていて、巨大な建物であり、その結合のしかたは素晴らしく、その結合を支えるものがはめられていないくらい見事な結合ぶりである。見た目にはその稜線はとがっているようである。しかし、危険と困難を冒せばそこに登ることができ、その先端部分がかなり広いことがわかる。たとえ世界中の人々がこの建築物を破壊しようと望んでも、それは彼らには不可能なことである」

ピラミッドの場合と同様、現代のような大型クレーンがない時代に、一辺の長さ一〇〇メートル強の基壇、高さ一二五メートル以上という大理石の灯台をどのようにして建てたのか、と驚かざるを得ないのであるが、すでにわれわれは大ピラミッドやストーンヘンジの建造を詳細に検討し、古代エジプト人や古代ブリトン人の〝超技術〟を理解している。ファロスの大灯台は〝世界の七不思議〟の一つに数えられているほどの建造物ではあるが、建造されたのはあの大ピラミッドの二千数百年後のことである。いまさら驚くにはあたらないのであろう。

大灯台内部には、荷車で建材を運び上げるための螺旋形の通路が設けられていたといわれるが、これは大ピラミッドの内部傾斜路（62ページ図1－20参照）を想起させる。また、水圧を利用した荷揚げ用の昇降機も設置されていた。第1章で述べた滑車やクレーン、荷車も多用されたことであろう。内部には階段が設けられ、最上階の灯火室まで上がることができた。夜間灯火の燃料は木か油か、どちらだっただろうか。いずれにせよ、灯火を反射させる金属製の凹面鏡の表面はすぐに煤《すす》で被われたであろうから、鏡面磨きはひんぱんに行われたに違いない。

凹面鏡で得られた集光を利用して武器として用いたとか、凹面鏡にははるかかなたのコンスタンティノープルの出来事を映して見ることができたというような〝伝説〟もあるが、これは物理的に不可能である。

ファロスの大灯台の中層階のバルコニーはいわば展望台で、美しい地中海やギザのピラミッドを眺めることができたであろうから、大灯台は当時の超人気観光スポットであったに違いない。ちょうど、現在の東京スカイツリーのようなものか。

紀元前三〇年のクレオパトラの自殺とともに数千年間、世界の最先端国としての栄華を誇ったエジプト王国は滅亡するが、かのクレオパトラがアントニウスとともにファロスの大灯台を眺めている姿を想像するだけでも楽しくなる。

ちなみに、〝ファロス（Pharos）〟は「灯台」を意味する英語の〝pharos〟、フランス語の〝phare〟、ドイツ語の〝Pharus〟、イタリア語、スペイン語の〝faro〟、ポルトガル語の〝farol〟

の語源になっている。まさに、古代より〝灯台〟といえば、〝ファロスの大灯台〟のことだったのである。

❖パルテノン神殿――美を追究した芸術表現

古代ギリシャについて述べるうえで、アテネ・アクロポリスの丘の上に建つパルテノン神殿に触れないわけにはいかない。

パルテノン神殿は、アテナイ（アテネ）の政治的指導者・ペリクレス（前四九〇頃～前四二九）が、アテナイの守護神である女神・アテーナーを祀る神殿として建てたものである。〝パルテノン〟の名称は「処女宮」を意味するギリシャ語に由来し、女神アテーナーは「アテーナー・パルテノス（処女のアテーナー）」として信仰された。

ギリシャ文化の象徴はアクロポリスである。〝アクロポリス〟は元来、「高い丘陵上に築かれた市」を意味し、都市の山城で砦《とりで》の役割を果たしていたが、政治の中心や純然たる神域となったものもある。アテネのアクロポリスの丘は海抜一五〇メートル余の石灰岩の岩山で、三方は険しい崖で西方のみが急な坂道によって開かれていた。

アクロポリスへの登り口である西斜面の、石灰岩の滑りやすい坂道を登って壮麗なプロピュライア門をくぐると、目の前にパルテノン神殿が気品に満ちた姿を現す。私がパルテノン神殿を訪れたのは、もう四〇年以上も前のことであるが、私は、パルテノン神殿（図3－2）を見上げたとき、感動のあまり泪を流してしまったことをいまでもはっきりと憶えている。

パルテノン神殿に限ったことではないが、それまで何度も歴史書や美術書（現代人であれば、インターネットであろうか）の写真で見てきた史跡の〝実物〟を目のあたりにしたときの感動は、まさに実物だけが与えてくれるものである。それは人間の造営物にも自然のものにもいえることである。私事ながら、私はいままで、この〝実物だけが与えてくれる感動〟を求めて世界の各地によくよく出かけたものだと思う。

パルテノン神殿は紀元前四四七年に建設がはじまり、紀元前四三八年の完成後も、装飾などは紀元前四三一年まで行われた。その後のパルテノン神殿は世界史の騒乱に巻き込まれ、数奇な運命をたどる。中でも最悪なのは一六八七年、フランチェスコ・モロシーニが指揮するヴェネツィア軍による砲撃の結果、当時は火薬庫として使われていたパルテノン神殿が大爆発し、天井と内壁、柱が破壊されたことである。現代のわれわれに見ることができるのは、この〝破壊された〟姿である。

パルテノン神殿の歴史については数多く出版されている他書に譲り、ここでは本書の趣旨からパルテノン神殿、さらにはギリシャ建築の「技術」について簡単に触れたいと思う。

図3−2　アクロポリスの丘に建つパルテノン神殿(筆者撮影)

パルテノン神殿は古代ギリシャ彫刻の巨匠・フェイディアス総指揮の下、建築家のイクティノスやカリクラテスらによって建造された。前述のように、アクロポリスの丘自体が石灰岩の岩山であるが、建築部材の白大理石はアテナイから一六キロメートル離れたペンテリコン山から切り出されたものである。

基壇の幅は約三一メートル、長さは約七〇メートル、切妻屋根の三角破風《はふ》(ペディメント)と水平梁を支える円柱の直径は約二メートル、高さは約一〇・五メートルである。

外側正面、裏正面に各八本、両側面に各一七本(うち両端の二本は正面、裏正面の柱と重複)の計四六本、正面、裏正面の内側にはさらに六本ずつ、ドリス(ドーリア)式の円柱が立っている。

それぞれの円柱は〝だるま落とし〟のように積み重ねられた一一個の円筒から成っているが(307ページ参

照）、各円筒間は継ぎ目がわからないほどに密着し、その密着精度は一〇〇分の一ミリメートル以下といわれている。エジプトのピラミッドのように接合面間に調整用モルタルは使われておらず、超高度の密着精度は、塗料を塗った検査用の円盤と積み重ねられる円筒の接合面を摺《す》り合わせて磨く作業の繰り返しの結果である（255〜258ページ参照）。

直径約二メートルの円筒間の密着精度が一〇〇分の一ミリメートル以下ということは、単純な計算をしてみると、たとえば直径一〇〇メートルのグラウンド、あるいはスケートリンクで、その表面の平坦度が〇・五ミリメートル以下になっていることに相当する。パルテノン神殿の柱を構成する円筒の接合面の平坦度が、いかに驚異的なものであるかが実感できるだろう。

各円筒は五トン、梁材は一五トンほどの重量であるが、これらには滑車と巻き上げ装置を備えたクレーンが使われたと考えられる。

ここで注目したいのは、パルテノン神殿に使われている「錯視補正（リファインメント）」とよばれる技法である。前述のように、「錯視補正」とは、建築寸法に完全な直線や長方形を用いると、実際の建造物が撓んだり歪んだりしているように見えてしまうのを防ぐために、意識的に曲線を加えるなどして〝錯視（錯覚）〟を補う（補正する）技法である。

たとえば図3－3に示すように、基壇や水平梁などの水平部には中央部で「むくり」（ふくらみ）をつけ、垂直の柱は外形線を直線ではなく中央部をわずかに膨らませた「エンタシス」をもたせている。また、両端の柱は垂直ではなく内側に傾けて立てている。このような錯視補正を施すことで、水平材は撓まずに水平に、垂直材は彎曲《わんきょく》せずに垂直に見えるのである。周知のように、エンタシスは法隆寺や唐招提寺などの古刹の柱に見ることができる。また、先駆的な例として第2章で述べたストーンヘンジに見られる。

さらに、四角《よすみ》の柱は光の加減で細く見えるのを防ぐために、他の柱よりもやや太めに作られている。

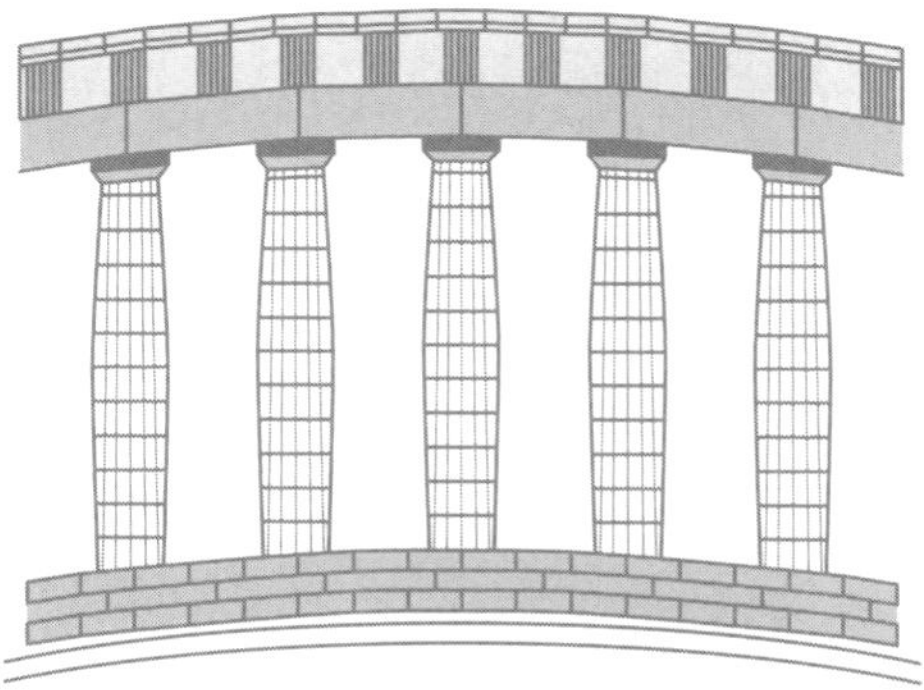

図3–3　パルテノン神殿に見られる錯視補正（図は誇張して描かれている）（参考図書(7)より一部改変）

建築史家の鳥居徳敏神奈川大学名誉教授によれば、円柱のエンタシスや水平部材の曲げについてはパルテノン神殿以前の古代ギリシャ建築物にも先例があるが、パルテノン神殿のようにありとあらゆる水平部材に曲線を導入し、垂直部材を内転《うちころ》びさせているものは他に類例がなく、後にも先にもパルテノン神殿が唯一のようである。鳥居名誉教授はまた、パルテノンの場合は「錯視補正」という旧来の考えだけでは説明できず、芸術家たち（彫刻家のフェイディアスや建築家のイクティノスら）の「表現力」と解釈したほうが理解しやすいという。私もまったく同感である（98ページ参照）。

パルテノン神殿にはさらに、見る人に〝完全な姿〟に錯視させるための補正に加え、〝世にも美しい姿〟に見せる黄金比が使われている。

黄金比については第1章で述べた（38ページ参照）。ピラミッド斜面の斜辺の長さを高さで割ると、

$$186 \div 115 = 1.6173913\cdots$$

となり、この値は黄金比（$\phi = (\sqrt{5}+1)/2 = 1.6180\cdots$）とほぼ等しくなるし、ピラミッド内部の〝王の間（玄室）〟に置かれている花崗岩製の棺の大きさに「$2\phi^2$、$3\phi^2$、$4\phi^2$、$5\phi^2$」の数値を見出すことができるのであった。

パルテノン神殿の正面の復元図を見ると（A. K. Orlandos, I architetoniki tou Parthenonds (The Architecture of the Parthenon), Vol. 1, 1976）、この横幅と高さの比が、ほぼ正確に黄金比になっていることがわかる。

これらの数値が単なる偶然なのか、ピラミッドの場合と同様にパルテノン神殿の設計者が意図したものなのか、私にはわからない。しかし、98ページに述べたように「ほんとうに美しいもの」は意図することなく自然に生まれるというのが、私には真実に思える。

一般的に、黄金比のルーツは紀元前三〇〇年頃のギリシャの数学者・エウクレイデス（ユークリッド）が書いた一三巻から成る『幾何学原本（原論）』と考えられているが、この本の内容の

ほとんどは彼がアレクサンドリアのムセイオンで習った古代エジプトの数学とされているので、黄金比の存在がかなり昔から知られていたのは事実であろう。

ピラミッドやパルテノン神殿に黄金比が意識的に使われたことに疑問を呈する意見があることも確かであるが、結果的にせよ、ピラミッドやパルテノン神殿が事実として〝世にも美しい姿〟になっていることが、そこに隠された黄金比と関係することは間違いない。現代社会においても、豪華かつ重厚な建築物の多くがパルテノン神殿に代表される古代ギリシャの建築デザインを踏襲しているのも事実であり、パルテノン神殿が建造されてから二五〇〇年が経過した現在でも、その重厚さと美しさを超える建築デザインは生まれていないということである。

ところで、前述のように、アテネ・アクロポリスの丘のパルテノン神殿は、一六八七年のフランチェスコ・モロシーニ指揮下のヴェネツィア軍の蛮行によって部分的に破壊されてしまい、往時の全容を見ることができないのであるが、アメリカ・テネシー州ナッシュビルに行けば原寸大のレプリカを見ることができる。これは、一八九七年にテネシー州の一〇〇周年を記念するにあたって開催された万国博覧会の中心的建築物として建造されたものをベースにして、一九三一年に完成したものである。在米中、私が暮らしていたノースカロライナ州から近かったこともあり、このナッシュビルのパルテノン神殿を何度か見に行った。そして、その全容を見るたびに、ヴェネツィア軍の蛮行に対する憤りが込み上げてきたことを忘れない。

❖ウィトゥルウィウス――〝建築界のバイブル〟を著した男

古代ローマの建築家・ウィトゥルウィウスの生没年はよくわかっていない。紀元前三一年から紀元前二七年の間に書かれた『建築書』（参考図書⑴）の著者であることははっきりしているから、紀元前一世紀後半の人物と考えてよいだろう。

この『建築書』は、現存する最古にして最大、最重要の建築書であり、紀元前二〇年代中頃以降、一九世紀にいたるまで、建築分野における「バイブル」のごとき存在であり続けたといわれている。

古代ローマ時代において、「建築」は政治・軍事の一部と考えられていたようであり、「建築家」は技術全体を扱う人を指していた。したがって建築家には、建築・土木技術のみならず、機械技術はもちろんのこと、自然科学や音響、哲学にいたる広範な知識が求められた。ウィトゥルウィウスはまさにそのような「建築家」であり、すぐれた技術者であるだけでなく、百科事典的な知識を有し、アリストテレスに匹敵するほどの博覧強記の人物であったのである。

『建築書』の原題はラテン語の *De Architectura* で、〝Architectura〟は英語の〝architecture〟の語源である。日本語の「建築」は、〝architecture〟の訳語として明治になってから使いはじめた言葉である。

『建築書』は一〇書から成り、一九世紀にいたるまで建築分野における「バイブル」のごとき存在だったとされるだけあって、表3－1に示すとおり、その内容は単なる建築専門書の枠を越え、水から天文学にいたるまできわめて広範囲にわたっている。ウィトゥルウィウスの博覧強記ぶりが窺い知れる大著である。

この日本語訳書（参考図書(2)）は原文（ラテン語）と日本語が対訳の形になっており、脚注も詳細であるので、ラテン語を勉強するテキストとしても最適である。いま、ウィトゥルウィウスの大著 *De Architectura* を完璧な形で日本語で読めるのは、ひとえに日本語訳書のおかげである。訳註をされた森田慶一京都大学名誉教授に心から感謝申し上げたい。

ウィトゥルウィウスは優れた著述家でもあった。技術に関するさまざまな記録を遺しているが、私が驚いたのは、高層集合住宅（アパートメント）の建築にまで触れていることである。私は迂闊《うかつ》にも、「高層集合住宅」なるものは現代、せいぜい近代に入ってからのものだと思い込んでいたが、そうではなかった。古代ローマでは紀元前一世紀頃に、すでに〝高層住宅〟が必要になるほどの人口過密の状態になっていたらしい。

紀元前一世紀のウィトゥルウィウスによって、次のように書かれている（参考図書(14)）。

「ローマの現代の重要性と数かぎりない多くの市民のことを考慮するならば、住居を無数に提供

	内容	詳細
第一書	建築概論	・建築家に必要な知識、技術、学問 ・建築用地の選定方法 ・城壁について ・建築と住人と風の関係
第二書	建築材料	・煉瓦や砂等、建築材料についての説明
第三書	神殿における柱の建築方法および装飾	・神殿の外観 ・柱の配置および柱の設計
第四書	神殿建築	・神殿建築 ・祭壇や殿堂、戸口等、各所の建築
第五書	公共建設物	・特に劇場の建築方法に詳しい ・劇場を建築するための音響・音楽理論
第六書	個人の住宅建築	・個人の住宅の建築
第七書	仕上げ、塗装方法	・表面の仕上げ方法
第八書	水について	・水の試験方法 ・飲料水について
第九書	時計、天文学について	・惑星の運行、星座 ・日時計、水時計の作り方
第十書	器械の作り方	・滑車、車輪、水力オルガン、揚水機など

表3−1　ウィトゥルウィウスの『建築書』の内容（参考図書⒃より）

する必要がある。それゆえ……どうしてもローマ人は建物を高く建てざるをえない。石の支柱を使って、焼成レンガの道とコンクリートの壁をかぶせて数階の高層建築物を建て、非常に便利なアパートメントが生み出された。こうして、多くの階で壁は高く建てられ、ローマ市民はすばらしい住居を支障なくもっているのである」

古代ローマに高層集合住宅が出現した当初のそれらは、木製の骨組みと日干し泥煉瓦の壁で造られた脆弱《ぜいじゃく》な建物であったが、ウィトゥルウィウスの時代、ローマ市民は〝非常に便利なアパートメント〟〝すばらしい住居〟を支障なくもてたのである。最高級の建物には、後述する〝ローマン・コンクリート〟が使われた。じつは、古代ローマ時代の建築物の画期性の基盤はひとえに、この〝ローマン・コンクリート〟だったのである。

❖コンクリートと樹木の共通点

現代の建築物、建造物の主要な材料といえば「コンクリート」である。

コンクリートは、骨材（一般的には砂、砂利）と水、セメントを調合し、こね混ぜて固まらせた一種の人造石を指す。セメントの代わりにアスファルトを調合したものを「アスファルトコンクリート」とよぶが、一般的にコンクリートといえば「セメントコンクリート」のことであり、本項で述べるのは後者である。凝固する以前のものは「生コンクリート」（略して生コン）とよばれる。

コンクリートに似たものに「モルタル」（日本の伝統的な漆喰《しっくい》はモルタルの一種である）があるが、これは骨材としての砂利が含まれないもので、煉瓦やブロック積みのつなぎや天井、壁、床などの仕上げ面に用いられる。

コンクリートは圧縮力には強いが、引張力《ひっぱりりょく》には弱いため、建造物にはコンクリート単体で使うより鉄筋を入れた「鉄筋コンクリート」として使われることが多い。事実、現代の木造建築物以外の建造物のほとんどは、鉄筋コンクリート造りである。

ところで、縄文杉のような樹齢七〇〇〇年を超えるといわれる木があるように、木は地上最長寿、最大の生きものである。木が最長寿、最大の生きものであることの理由はいくつかあるが（拙著『生物の超技術』講談社ブルーバックス、一九九九参照）、その主要な理由は、木を構成する細胞壁の構造と化学的成分にある。

図3－4に示すように、木の細胞壁は化学的な三成分によって構成されている。原料はすべて、葉の光合成によって生成された糖と水である。

細胞壁の骨格はセルロースによってつくられる。セルロースはブドウ糖が長鎖状につながった長い繊維である。この長い繊維は多数がからみあって束になる。この繊維の束はきわめて強いものになり、これが木の強さとしなやかさを生み出す元である。

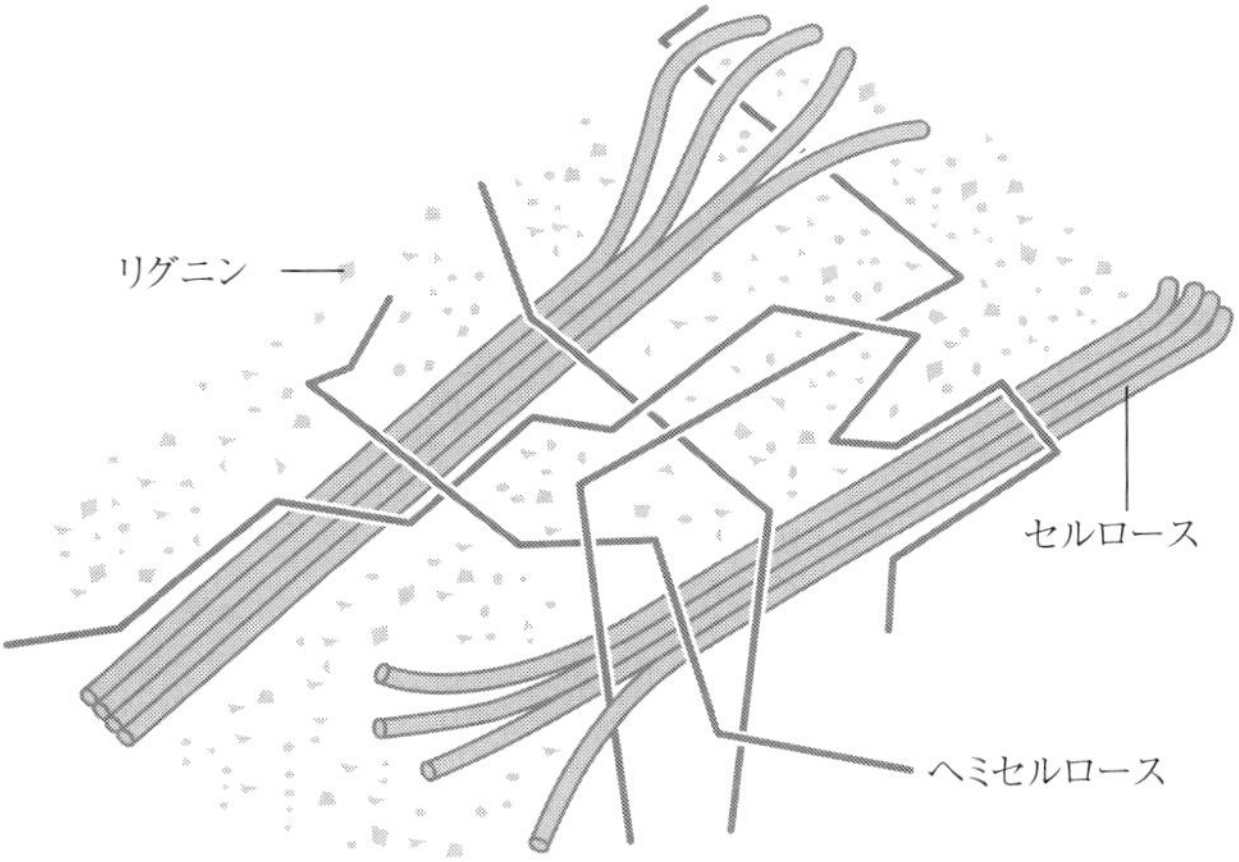

図3−4　細胞壁を形成する成分（志村史夫『生物の超技術』講談社ブルーバックス、1999より）

このようなセルロースの束と束の間の隙間に入り込むのがリグニンという、いわばプラスチックのような物質である。セルロースだけだと細胞壁は隙間だらけで、外から水や微生物が入り込んで腐りやすくなってしまうのだが、それを防いでいるのがリグニンである。このリグニンの原料もブドウ糖なのであるが、セルロースとリグニンの性質は水と油ほどの違いがあり、これらは互いに結合できない。

このようなセルロースとリグニンの〝仲人〟をするのがヘミセルロースである。ヘミセルロースは数種の異なる糖によって構成された繊維状の高分子物質であるが、セルロースとは異なり、ヘミセルロース自体は互いにまとまって束を作るほどにはなじまない。つまり、バラバラに存在する。

人間社会でも、〝身内〟同士はあまり仲がよくなくても〝他人〟とはうまくいくという人物がいるものである。ヘミセルロースはちょうどそのような物質で、セルロースともリグニンとも相性がいい。このヘミセルロースによって、骨格材料のセルロースと充塡《じゅうてん》材のリグニンが固く結びつけられ、強固な細胞壁が作られるのである。

長々と、本項と関係がなさそうな木の細胞壁のことを書いたのにはわけがある。

この細胞壁の構造と、鉄筋コンクリートの構造とがそっくりなのである。

細胞壁を鉄筋コンクリート製の壁にたとえるならば、セルロースが鉄筋、リグニンがコンクリート、ヘミセルロースがギザギザの針金に相当する。

じつは、鉄筋コンクリートの歴史は意外に新しい。鉄筋コンクリートのアイデアを最初に思いついたのは、フランスの庭師であったモニエ（一八二三〜一九〇六）で、一八六三年頃のことである。なぜ、庭師が鉄筋コンクリートの生みの親となり得たのか。

従来の植木鉢といえば、陶器製か木製であった。陶器製の植木鉢は割れやすく、木製の植木鉢は腐りやすい。モニエは、これらに代わるよい材料はないかと考え、鉄とコンクリートの組み合わせを考えたのである。

図3−5に示す写真に、鉄筋コンクリートの植木鉢を作ろうとしているモニエの姿が写ってい

る。一八六七年、モニエは「造園のための鉄とセメントモルタルからなる植木鉢および容器」という特許を取得した。この特許が、鉄筋コンクリートが現代建造物の主要な構造材となる契機となった。以後の鉄筋コンクリートの歴史については、小林一輔『コンクリートの文明誌』（参考図書⒀）に詳しい。

私が興味深く思うのは、鉄筋コンクリートの発明者が建築・土木の分野の技術者ではなく、庭師だったということである。庭師・モニエは、先に述べた木の細胞壁の構造や三成分について知っていたのだろうか。いずれにせよ、私は鉄筋コンクリートの強さの原理がじつに理にかなったものであることに納得し、同時に〝生物の超技術〟に感心するのである。

図3–5　モニエと鉄筋植木鉢（Vom Caementum zum Spannbeton, Bauverlag GmbH, 1964より）

❖耐久性の違いはなぜ生まれるか

木の細胞壁の構造と鉄筋コンクリートの構造とはそっくりなのであるが、両者の耐久性については雲泥の差がある。これは、木の細胞の三成分が、いずれも炭素と水素と酸素から成る同種の物質で構成されているのに対し、鉄筋コンクリートが鉄、セメント（石灰石）、砂利、水という異種の物質で構成されているためである。特に、耐久性の点で鉄と石灰石と水の組み合わせがよくない。

先に、「木は地上最長寿の生きものである」と書いたが、じつは、生きている木のすべての部分が生きているわけではない。木が生長して大きく、太くなるのは細胞の数が増えたり、細胞膜が大きくなったりするためであるが、じつは、細胞自体の寿命は樹種によって異なるものの、一般的には一〇年ほどである。

木の断面を見ると、一般的に内側の赤っぽい「心材」と外側の白っぽい「辺材」があるのがわかるが、心材はすべての細胞が死んだ部分なのである。樹齢が数百年から数千年のさまざまな木が元気に立ち続けていることからも明らかなように、細胞が生きているか死んでいるかは別にして、細胞壁の〝構造材〟としての耐久性は数百年から数千年に及ぶ。

一方、鉄筋コンクリートの耐久性はどうか。

日本では、一九五七年建造の薩摩《さつま》長崎鼻《ながさきばな》灯台が〝長寿〟として話題になるくらいだから、通常はせいぜい五〇年、どう頑張っても一〇〇年が限界ではないか。

コンクリート建造物の耐用年数は壁の厚さに比例し、壁厚三〇センチメートル程度の建造物の耐用年数は五〇～六〇年程度といわれている。このため、高速道路のトンネル壁の崩落事故などに如実に表れているように、高度経済成長期に建設された建造物の維持・管理がこれからの日本の大きな課題になっている。

鉄筋コンクリート建造物の耐用年数に関し、私の記憶に最も鮮烈に遺っているのは、アメリカ・ワシントン州シアトルにあり、アメリカ大リーグのシアトル・マリナーズが本拠地にしていた「キングドームスタジアム」である。このスタジアムが最先端技術を駆使した鉄筋コンクリート、ドーム構造の多目的スタジアムとしてオープンしたのは一九七六年三月のことであった。在米中、私もこの球場でマリナーズの試合を観たことがある。

このキングドームスタジアムが老朽化のために取り壊されたのは、オープンからちょうど二四年後の二〇〇〇年三月のことだった。図3－6に示すように、巨大なドーム球場は周囲に仕掛けられたダイナマイトの爆破によって一瞬で灰燼に帰した。つまり、最先端技術を駆使して建造された鉄筋コンクリートの建物が、わずか二四年間で老朽化し、その使用に耐えられなくなったの

図3−6　わずか24年で老朽化した現代の鉄筋コンクリート　シアトル・マリナーズの旧本拠地キングドーム（写真：ロイター／アフロ）

である。

　鉄筋コンクリートの老朽化、劣化の原因やメカニズムは単純ではないが（参考図書⑩）、いずれにせよ、直接的原因は鉄筋の腐蝕であり、私は、問題の根源はコンクリートと鉄筋という相性がよくない異物質の組み合わせにあると思う。

❖ローマン・コンクリートとは何か

土木学会『コンクリート標準示方書』では、一般的な使用条件の土木構造物に対して設定されるコンクリートの供用年数の標準として、一〇〇年という期間を示している。しかし、二〇一一年三月一一日の東日本大震災による福島原発事故以降、深刻な問題となっている放射性物質、あるいは一般的放射性廃棄物の埋設施設などに対しては、放射能レベルに応じて数千年から数万年の耐久性が求められている。とはいえ、現実的に、現代のコンクリートに数千年から数万年の耐久性を求めるのは無理である。

ここで注目されるのが、数千年の時を経て、いまなお健在の古代ローマ時代のコンクリートである。コンクリートは現代の建築物、建造物の主要な材料であると書いたのであるが、コンクリートの起源は驚くほど古い。約九〇〇〇年前のイスラエル・イフタフ遺跡や約五〇〇〇年前の中国（甘粛省）・大地湾《だいちわん》の遺跡で、〝コンクリート〟とみなし得るものが発掘されている。

紀元前後に繁栄した古代ローマ帝国の数多くの遺跡には、現代の「ポルトランドセメント」にきわめて類似した、しかし、耐久性が著しく異なる建設材料が使われていることが知られている。一般に、「ローマン・コンクリート（古代ローマ・コンクリート）」とよばれているものだ。

コンクリートの主要な材料はセメントである。

ウィトゥルウィウスは『建築書』の中で、「自然のままで驚くべき効果を生じる一種の粉末がある。ポッツォラーナである。これは、バーイエ一帯およびヴェスビオ山の周辺にある町に産する。これと石灰および割石との混合物は、建築工事に強さをもたらすだけでなく、突堤を海中に築く場合にも水中で固まる」と書いている。

〝ポッツォラーナ〟というのは、ヴェスビオ火山の噴火によって生じた火山灰のことである。後述するように、このポッツォラーナが現代のコンクリートに対するローマン・コンクリートの優越性のカギとなる物質である。

ローマ建築について画期的な大作（参考図書⑨）を書いたパーキンズ（一九一二〜八一）は、「ローマのコンクリート（オープス・カエメンティキウム）は、近代的な意味でのセメントでもなく、コンクリートでもない。それはモルタルのなかに混じられた骨材（石・砂利・砂）の集塊（カエメンタ）から成る材料で、単なる充塡材としてばかりでなく、単独でも使える性質の建築材料である」と述べている。

また、大プリニウス（二三〜七九）の世界最古の百科事典として知られる『博物誌』（全三七巻）の第三六巻五三節〜五五節に、ローマン・コンクリートの中身の詳細が記述されている（参考図書⑤）。少し長くなるが、内容をまとめると以下のようになる。きわめて具体的で面白い記述にあふれている。

石灰

○白い石灰石からできるものが良質

○硬い石で作ったものは壁に適している
○多孔質の石灰石で作ったものは漆喰に適している
○シレックス（硬い凝灰岩）で作った石灰は、いずれの目的にも使用されない
○切り出し石でつくったもののほうが、川岸から採取した石で作ったものより長持ちする
○良質の石灰は碾臼《ひきうす》に使用した石（油性を帯びている）で作る

砂

○砂には三種類ある
○石切り場の砂――その四分の一の重さの石灰を加える
○川砂あるいは海砂――その三分の一の重さの石灰を加える
――さらに三分の一の重さの壺の破片を加えるといっそう上質になる

砂と石灰の混合物

○ローマにおける建物の崩壊の主な原因は、石灰の割合をごまかすことである
○粗い石が必要なモルタルなしで積まれることになるからである
○砂と石灰と水の混合物は保存しておくと質がよくなる
○昔の建築法規には三年経たないものを使ってはならないという制約があった
○このため、昔の漆喰工事は割れ目が入って歪むということはなかった

○化粧漆喰は砂モルタルで三回、大理石化粧漆喰で二回上塗りをしないと、求められる輝きが出ない
○湿気にさらされている場所の建物には、壺の破片で作った漆喰で下塗りをしておくと有益である
○ギリシャでは漆喰工事用の砂モルタルは、それを伸ばす前に捏鉢《こね》に入れて木の棒で煉《ね》る
○大理石化粧漆喰が適当な濃度になったことを確かめる目安は、それが鏝《こて》にくっつかないことで、白塗りする場合の目安は消石灰が膠《にかわ》のようにくっつくことである
○石灰の消和（生《せい》石灰に水を加えると、熱を発して粉末状の消石灰を生じる現象）はそれが塊になっているときに行わなければならない
○ミネルウァの神殿にはミルクとサフランを加えて煉り上げた漆喰が塗られ、指に唾《つば》をつけてその漆喰を擦《こす》るといまでもサフランの匂いと味がする

大プリニウスの『博物誌』が完成したのは紀元七七年のことである。この時代に、これだけ詳細な「百科事典」的知識が積み重ねられていたこと自体、まさにローマン・コンクリートの〝歴史〟を如実に示すものである。

上記の〝砂〟の中の〝石切り場の砂〟というのは、古代ローマの石造建築物の主要な材料であ

った「凝灰岩」を採掘する際に生じる砕砂《さいさ》のことである。この凝灰岩の砕砂が、海砂や川砂に比べてはるかに強いモルタルを作り出すことは、当時の工匠たちによってすでに知られていた。

凝灰岩は火山灰、火山礫《れき》などの火山噴出物が水中、あるいは地上に降下して堆積してできた灰色ないし灰黒色の岩石で、土木・建築の石材として広く用いられた。凝灰岩の砕砂を用いたモルタルは強度と耐久性に優れていただけでなく、後述するように、速く固まるという特長をもっていた。さらに、ローマン・コンクリートは水中でも固化し、堤防や橋梁、港湾工事を行う際には、他に代わるもののない材料となった。

❖大ローマ帝国を築いた画期的なコンクリート工法

話が若干前後するが、古代ローマ人は、紀元前一九三年、テヴェレ川沿いの長さ四八七メートル、幅六〇メートルという巨大な穀物倉庫の建設にコンクリートを用いている。ローマに遺されている最古のコンクリート製アーチ状天井の建物である。

コンクリートが登場する以前の石造建造物の構造材といえば、もっぱら石と煉瓦だった。石や煉瓦に代わる構造材としてのコンクリートが画期的である理由はいくつかあるが、まず第一に、どんな形状のものでも、その場で作り得る成形性が挙げられる。

コンクリート工法は、まず古代ギリシャ人によって強固な城塞の建造に使われた。彼らは、二枚の石塀の間を大小さまざまな粗石とモルタルで詰め固めて、一枚の分厚い壁を造る技法を開発した。古代ローマ人はこの技法を改良し、さらに強固な城塞を建造することを可能にした。そのコンクリート工法を図3-7に示す。

紀元前三九六年、ローマは隣国エトルリアのウエイイを攻略し、領土をそれまでの数倍に拡げた。しかし、その直後の紀元前三九〇年、ローマは北イタリアに住んでいたケルト人に突如襲撃される。ローマは何とかもちこたえたが、このときの教訓からローマの町を囲むために紀元前四世紀前半に建造されたのがセルウイウスの城塞、さらに紀元前二七一年に建造されたのがアウレリアヌスの城塞である。アウレリアヌスの城塞の建造に使われたのが、図3-7に示すコンクリート工法だった。

塩野七生氏は『すべての道はローマに通ず ローマ人の物語 X』で古代ローマの軍病院の建物に触れ、「レンガをセメントで接着していくローマ建築の壁の厚さは、二千年の風雨にも耐え抜いた遺跡が実証してくれているが、ローマ建築では内壁でも幅五〇センチは優にあったのだ。この造りならば、病室内の静寂も、患者が満足いく程度には保証されていたにちがいない」(参考図書⑾)と書いている。

それまでの石や煉瓦を用いた巨大建造物の建設には多数の、熟練した、石工を必要としたが、コン

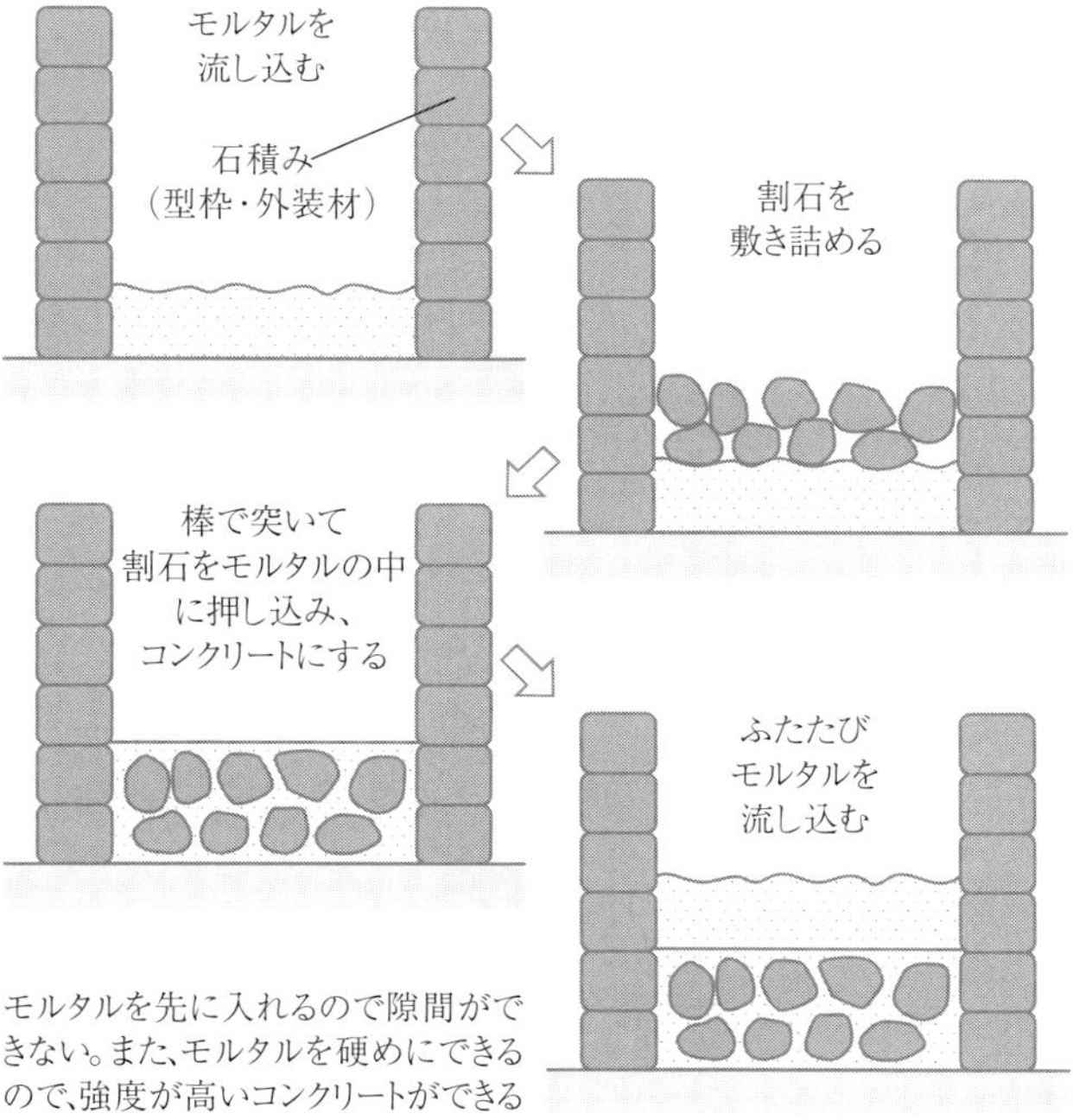
モルタルを
流し込む
石積み
（型枠・外装材）
割石を
敷き詰める
棒で突いて
割石をモルタルの中
に押し込み、
コンクリートにする
ふたたび
モルタルを
流し込む
モルタルを先に入れるので隙間ができない。また、モルタルを硬めにできるので、強度が高いコンクリートができる

図3−7　古代ローマ人のコンクリート工法（参考図書(13)より）

クリート工法では、そのような熟練は不要であり、未熟練の多くの労働者を使うことができる。

このことは建設期間を大幅に短縮し、生産性を向上させる画期的な結果を生んだ。コンクリートを構造材に用いることによって、石や煉瓦では造れなかった大規模かつ多様な構造物を短期間で造ることが可能になったのである。

詳細は章末の参考図書(9)、(13)に譲るが、このようなコンクリート工法の確立が、大ローマ帝国の巨大な版図《はんと》拡大の重要な一因となったのは事実である。

❖ローマ帝国の栄華を伝えるパンテオン

私は、いままでにイタリアを四度訪れている。ローマのフォロ・ロマーノやコロッセオ、ポンペイの遺跡群などにいつも圧倒されるのであるが、それらはいわば〝廃墟〟であり、「栄枯盛衰」を目のあたりにする寂しさを禁じ得ないのも事実である。

ローマに遺る歴史的建造物の中で、当時の完全な姿のまま遺っている数少ない建物の一つがマルス広場の「パンテオン」である（図3－8）。このパンテオンばかりは、見る者に栄枯盛衰の「枯」と「衰」を感じさせず、ひたすら古代ローマの「栄」と「盛」だけを思わせる。

先に、コンクリートを、建物全体を構造的に支える構造材として用いることによって石や煉瓦では造れなかった大規模な構造物を短期間で造ることが可能になった、と述べたが、その典型的な例が〝建築皇帝〟とよばれるハドリアヌス（七六～一三八）が一一八年から一二五年にかけての、わずか七年間で建造したといわれるパンテオンである。

日本を含む世界中の神殿や寺院は、特定の神を本尊として祀るのが常であるが、パンテオンにはローマ神話の天地を司るすべての神が一堂に祀られており「汎《はん》神殿」あるいは「万神殿」と訳されている。古代のエジプトもギリシャもローマも、日本と同じように多くの神をもつ多神教の国であったから、〝さまざまな神〟が存在するのは不思議ではないし、これらの国では汎神論的世界観を有していたのであるが、一つの神殿に複数の神を祀るというのは珍しい。

初代のパンテオンは紀元前二五年、初代ローマ皇帝・アウグストゥスの側近アグリッパ（前六三頃〜前一二）によって建造されたが、のちに落雷によって炎上、崩壊した。この初代パンテオンは元来、アウグストゥスを祀る予定であったが、市民の反発にあって万神殿に変更されたという説もある。いまローマに遺るパンテオンは再建された二代目である。

図3−8 パンテオン外観
（写真：Alinari via Getty Images）

パンテオンは図3−8、図3−9に示すように、正面の矩形の柱廊玄関（ポルティコ）とそれに続く円筒、円形（ドーム）の聖堂（円堂：ロトンダ）が組み合わされた、古代日本の前方後円墳を思わせる形状の建物である。ドーム頂部には、「オクルス」（ラテン語で「目」の意味）とよばれる採光のための直径約九メートル

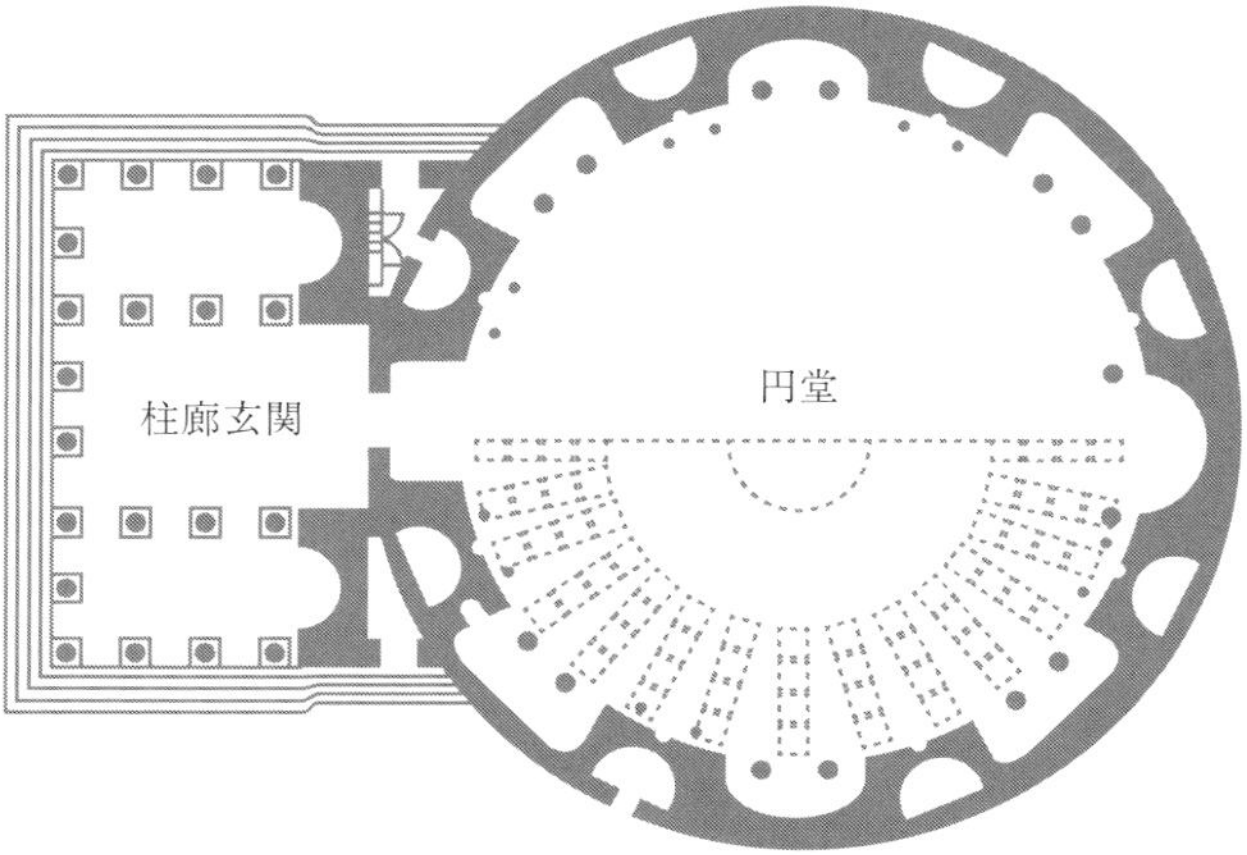

図3−9　パンテオンの平面図(H. Stierlin, *Hadrien et l'Architecture Romaine*, 1984より)

の天窓が開けられている。

　また、三角屋根の下、正面のコリント式柱頭をもつ八本の円柱の上の水平梁（図3－8矢印）に、アグリッパの功績を称える“M. AGRIPPA L. F. COS TERTIUM FECIT”（マルクス・アグリッパが三度めのコンスルを務めたときに建造）という文字が刻まれている。コンスルとは、古代ローマの最高職であり、共和政下の元首にあたる役職である。

　柱廊玄関の間口は約三四メートル、奥行きは約一五メートル、ドームの内径は約四四メートル、床からドーム頂部までの高さは内径と同じ約四四メートルである。

　ドーム内部のようすを図3－10に示す。さまざまなローマ神が祀られた「万神殿」であるパンテオンが、キリスト教の聖堂になるのは六〇〇年頃のことであるが、それ以前には、水平梁の上に設けられた多数のニッチ（壁龕《へきがん》）にはさまざまなローマ神の像が祀られていたことであろう。

このパンテオンは、無筋コンクリートで建造された世界最大のドームとしても知られている。そして、建造からおよそ二〇〇〇年を経たいまも完全な姿を見せている。図3－8の外観からは、これが二〇〇〇年も前に建てられたものとはとうてい思えない。何の説明もなしにこの写真を見せられたら、私は疑いなく、現代の名のある建築家にデザインされたモダンな建造物だと思うだろう。

図3−10　パンテオン円堂内部
（写真：SIME／アフロ）

しかしパンテオンは、建造からおよそ二〇〇〇年を経た、紛れもない古代ローマの建物なのである。現代の最先端建築技術を駆使したシアトルのキングドームスタジアムが、建造からわずか二四年後に老朽化のために取り壊された（156ページ図3－6）ことを思い出していただきたい。

パンテオンを訪れた際、柱廊玄関を抜けてドーム内部に入った瞬間に、私は重々しい外観（図3-8）から受ける一種の圧迫感から解放され、あたかも広大な宇宙空間に入り込んだような感動を覚えた。ドーム内部では、コンクリートの塊の外観が与える重量感をまったく感じないのである。ドーム天井があたかも浮いているような錯覚さえ覚え、まさに古代ローマの宇宙哲学的な思想を感じさせるのだ。

じつは、私がパンテオンに初めて入ったのはおよそ四五年前のことであり、これが、私がドーム建造物の中に入った初めての経験だった。その後、私は前述のキングドームや日本の出雲ドーム、東京ドーム、ナゴヤドーム、福岡ドームなどいくつかのドーム建造物の中に入っているが、いずれの場合も大きさこそ巨大ではあるが、閉じられた天井からの圧迫感こそ感じるものの、ドーム内で解放感を覚えることはなかった。パンテオン内部が醸し出す解放感はやはり、直径九メートルのオクルスによるものであろう。

❖パンテオンを支えた技術と材料

パルテノン神殿に代表される古代ギリシャの建造物の特徴は円柱と梁による直線的構造であ

り、日本の宮大工に相当する熟練した石工による石造である。一方、古代ローマの建造物の特徴は、パンテオンのドームや後述する水道橋のアーチに見られるような曲線（曲面）構造にある。

石造建築や煉瓦造建築の場合、小さな部材を積み重ねる建築法は一般に「組《そ》積《せき》造《ぞう》建築」とよぶが、石材の積み方で重要なのが「持ち送り式」と「迫《せ》り持ち式」とよばれる工法である。

持ち送り式は、小さな部材を垂直方向に少しずつ前面に出すように構築して空間を造る方法で、古くは第1章で述べた大ピラミッド内部の大回廊に使われている。一方の迫り持ち式は、小さな部材を曲線の法線（曲線の接線に直交する直線）方向に並べて部材同士に互いに押し合うような力がはたらく状態にする工法である。持ち送り式では一つひとつの部材に垂直方向の荷重がかかるため、巨大な構造物を造ることができない。

迫り持ち式の具体的構造が、図3－11に示す「アーチ」「ヴォールト」「ドーム」である。

古代ローマ建築の特徴の基本にあるのが、図3－11(a)のアーチ構造である。アーチは、中央部が上方向に凸な曲線形状をした梁のことである。いわば二次元構造であるアーチを、三次元に拡げたのがヴォールトである。

最も単純な形のヴォールトは、アーチを平行に押し出した「筒型ヴォールト」（図3－11(b)）で、トンネルは筒型ヴォールトの典型的な構造物である。この筒型ヴォールトを直交させた形の「交差ヴォールト」や、さらに複雑な形状の「リブ・ヴォールト」などの変形もある。

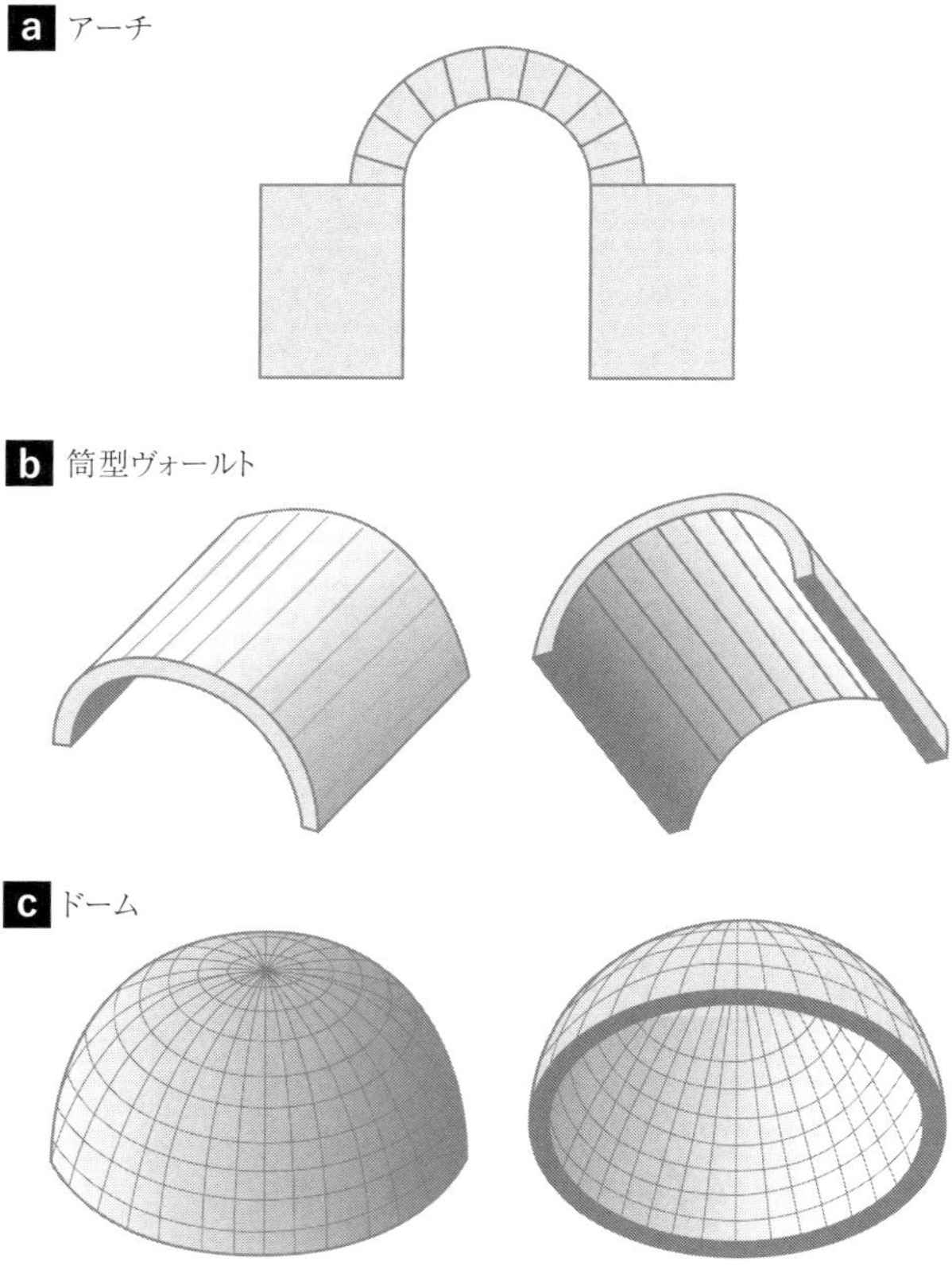

図3−11　さまざまな曲面構造

アーチを回転させたものがドームである（図3－11(c)）。

これら迫り持ち式のアーチ形状では、垂直方向の荷重の大部分は両端の支点に伝えられるので、梁の二つの支点間を長く取ることや、曲率を上げて高く大きな下部空間を得ることができる。また、ヴォールトやドームの場合は、垂直方向の荷重はヴォールトやドームを支える壁に伝達されるので、巨大な空間を造ることも可能である。

ちなみに、膨大な量の水をためるダムの構造も、原理的にはヴォールトと同じである。

古代ローマでは構造材としてコンクリートを用いることによって、迫り持ち式組積造建築を飛躍的に発展させた。コンクリートは、加工が比較的簡単な木や煉瓦の型枠によって自在に造形を決定できる可塑性をもっているからである。

パンテオンの聖堂は、円筒の上に直径約四四メートルの完全な半球形のコンクリート製のドームが載っているが、この円筒自体、高さ三〇メートル、厚さ六・二メートルの巨大なコンクリートの塊である。さらに、この円筒の下には幅七・三メートル、深さ四・五メートルの堅固なコンクリートの基礎が設けられている。

パンテオンの円筒部では、アーチやヴォールトを徹底的に活用することによって、円筒形の壁の部分に開口部や空隙部を設け、壁の自重を軽減している。ドーム部では、肩部分の約六メートルから頂部の約一・五メートルまで、上方にいくほど壁厚を薄くすることによって重量を軽減している。

さらに、コンクリートの骨材にも工夫が凝らされている。つまり、下部には凝灰岩のみを使い、上部には比重の小さな黄色凝灰岩と軽石が使われている。これらの工夫によって自重が段階的に軽減され、ドームの各部分にかかる荷重（応力）がほぼ均等化され、全体として安定した構造を実現しているのである。

たとえば、荷重は重力方向（垂直）にはたらくので、断面が変形しないように抵抗する力と考えてよい「曲げモーメント」はドーム天井に向かうほど大きくなるが、構造材の重さを天井に向かうほど軽くすることによって各部の均等化が図られているのである。

基壇や円筒部にも、下部から上部に向けて「凝灰岩の砕石→凝灰岩と石灰石の砕石→凝灰岩の砕石と煉瓦片→煉瓦片」というような使用構造材の工夫が施されている。

このような複雑な構造のドームは、従来の石造りや煉瓦造りでは現実的に不可能であり、コンクリートの使用によってのみ初めて可能になったものである。そしてパンテオンは、建造からおよそ二〇〇〇年を経た現在でも、建造当時のままの完全な姿を見せている。

これほどまでの耐久性は、なぜ得られたのだろうか。

もちろん、直接的な要因はローマン・コンクリートにあるのだが、それが現代のように鉄筋を使わない〝無筋コンクリート〟であったことである。156ページに述べたように、〝鉄筋コンクリート〟の劣化の直接的原因は鉄筋の腐蝕にあるからだ。そして、〝無筋〟でありながら強固な構造を保ち得たのは、周到なアーチやヴォールトを徹底的に活用した建築技術の結果である。

❖「木の文化・文明」と「石の文化・文明」の違い

いまも完全な姿を見せているパンテオンに象徴される古代ローマの建造物を支えたのは、迫り持ち式組積造とローマン・コンクリートである。まさに、巧みな構造材選びと構法の妙の結果であろう。

ここで私が思い出すのは、日本を代表する古代構造物である法隆寺五重塔である。法隆寺五重塔は総高約三二メートルで、一三〇〇年以上の風雪に耐え、いまも凛《りん》とした姿を保っている。この五重塔を支えているのが、まさに数々の「古代日本の超技術」（拙著『古代日本の超技術〈新装改訂版〉』第3章参照）なのであるが、中でも特筆すべきは、周到な構造材（木材）選びと構法（心柱《しんばしら》、柔構造木組みなど）の妙なのである。

パンテオンと法隆寺はそれぞれ、「石の文化・文明」と「木の文化・文明」を代表し、象徴する建造物である。両者に共通することとして、「経済効率」や「工期」などに煩わされることなく、たっぷりと時間をかけて、周到に建造されたであろうことが挙げられる。「巧みな構造材選び」と「構法の妙」、そして「十分な工期」の三条件が揃えば、後世に遺る立派な建造物を造ることができる証左であろう。

ところで、石造建築物と木造建築物を比較するとき、両者の顕著な違いを一つ指摘しなければならない。

法隆寺の建造に使われたのが樹齢二〇〇〇年という長寿の檜《ひのき》であるとはいえ、木材の寿命は、地球の造山作用の圧力によって造られた石材の寿命とは比べるべくもない。しかし、木造建築物には、何度でも解体修理をすることができ、朽ちた部材を新しい部材と交換することによって建造物としての寿命を延ばすことができるメリットがある。

事実、法隆寺もおよそ一三〇〇年前の創建から現在まで、数度の解体修理によって、凛とした姿を保つことができている。現代の鉄筋コンクリートも含め、石造建築物においては解体修理は不可能であり、老朽化したら解体されるのみである。

解体修理が可能な「木の文化・文明」の中で生きてきたか、あるいは解体修理が不可能で解体のみの「石の文化・文明」の中で生きてきたかによって、そこに暮らす人々の思想や人生観、さらには人格までも大きく異なるであろうことは容易に想像できることである。

❖「生きている石灰」と「死んだような石灰」

耐久性において、ローマン・コンクリートが現代のコンクリートより著しく優れていることは明らかである。その優越性はひとえにローマン・コンクリートに用いられたセメント（ローマン・セメントとよぼう）によるものである。

現在、〝セメント〟といえば、それは例外なく「ポルトランドセメント」のことである。〝ポルトランド〟の名称は、このセメントの発明者の国・イギリスのポルトランド島で採れるポルトランド石に外見が似ていることによるとされている。ポルトランドセメントの主原料は石灰石（炭酸カルシウム：$CaCO_3$）で、石灰石を九〇〇度C以上に加熱すると、

$$CaCO_3 \rightarrow CaO + CO_2$$

の反応によって得られる「生石灰」（CaO）が主成分になる。この生石灰に粘土、硅石《けいせき》、鉄などを加えた混合物を一五〇〇度C前後に熱して半熔融状に焼成し、塊状に焼き固めたもの（クリンカー）を粉砕して粉末状にしたものがセメントであり、結果的にその主要化学成分は酸化カルシウム（CaO）、二酸化ケイ素（SiO_2）、酸化アルミニウム（アルミナ、Al_2O_3）、酸化鉄（Fe_2O_3）となる。

先の反応式からもわかるように、石灰石からセメントを製造する工程では、副産物として大量の二酸化炭素（CO_2）の発生を伴う。

耐久性において、現代のコンクリートより著しく優れているローマン・セメントの説明の前に、生石灰に対する「消石灰」について述べておきたい。生石灰（CaO）に水を加えると、

$$CaO + H_2O \rightarrow Ca(OH)_2$$

という反応が起こり、このとき数百度Cにまで発熱する。その生成物である水酸化カルシウム（$Ca(OH)_2$）が消石灰とよばれるものである。

ちなみに、〝生石灰〟は英語の〝quicklime〟の訳語で、この〝quick〟には「（火・炎・熱が）激しい、燃えさかった」「動いている、生きている」の意味があるので、水をかけたときの激しい化学反応のようすから「生きている（ような）石灰」と命名されたものと推測される。一方、消石灰（slaked lime）は水と反応することなく、「燃えさかった」生石灰と比べれば「消えたような、不活発な（slaked）石灰」であることからの命名であろう。

ローマン・セメントの特徴は現代のポルトランドセメントと異なり、石灰石あるいは大理石を焼成、水和して得た消石灰を主成分に用いたことである。消石灰は生石灰と違って、「水硬性」（水によって硬化する性質）をもった物質であるうえに、注水後も十分な流動性を保持するという、建築にきわめて適した性質を有している。さらに、後述する混和材とのポゾラン反応によっ

	SiO_2	Al_2O_3	Fe_2O_3	CaO	MgO	SO_2
ソンマ遺跡モルタル	27.8	8.1	3.0	30.6	2.8	0.0
ポルトランドセメント	20～25	4～6	2～4	62～66	1～2	1.5～3.5

1) 参考図書(16)より一部改変　（質量%）
2)『理化学辞典』（岩波書店、1998）より

表3－2　ソンマ遺跡モルタル[1)]とポルトランドセメント[2)]の主要成分比較

て、コンクリートの耐久性と水密性を高めることになる。

ちなみに「混和材」は、強度や耐久性の向上、固化（硬化）速度の調整などを目的としてコンクリートに添加、混和される物質の総称である。添加量が、完成したコンクリートの体積に対して無視できるほど少量の場合は「混和剤」と称せられる。

❖〝驚くべき効果を生じる粉末〟

現代のポルトランドセメントとローマン・セメントの主要な成分の比較をしてみよう（表3－2）。現在ではローマン・セメントそのものの分析は不可能だから、ヴェスビオ山の近くのソンマ遺跡で発掘されたモルタルの分析結果で代替する。表3－2を見ると、両者で酸化カルシウム（CaO）の組成比に顕著な差が見られるものの、総じて、組成の点ではローマン・セメントと現代のポルトランドセメントの間に大きな違いはないと考えてよさそうだ。

ローマン・コンクリートの現代コンクリートに対する優越性は、

SiO_2	Al_2O_3	Fe_2O_3	CaO	MgO	SO_2	Na_2O	K_2O	P_2O_5
47.6	16.6	4.3	11.0	1.6	0.0	2.3	6.8	0.2

（質量%）

表3−3　ポッツォラーナの化学組成（参考図書⒃より一部改変）

混和材として用いられた「ポッツォラーナ」によって決定的になる。ウィトゥルウィウスが『建築書』の中で述べた〝自然のままで驚くべき効果を生じる一種の粉末〟である。このポッツォラーナと消石灰、および割石との混合物は、建築工事に強さをもたらすだけでなく、突堤を海中に築く場合にも水中で固まるのであった。

前述のように、ポッツォラーナはバーイエ一帯およびヴェスビオ山の周辺に産する火山灰である。火山から噴出された物質のうち、一般に直径二ミリメートル以下のものが火山灰とよばれるが、当然のことながらその成分はマグマの成分に依存する。このような火山灰が堆積して固まった岩石（堆積岩）が凝灰岩である。

古代ローマ時代に使われていたポッツォラーナそのものの分析は不可能であるが、当時、ポッツォラーナとして利用されていたであろうとされる廃採掘場で採取した火山灰の分析結果を表3－3に示す。ポッツォラーナがシリカ（SiO_2）分を多量に含んだ火山灰であることがわかる。

さまざまな観点からのローマン・コンクリートと現代コンクリートの比較を表3－4にまとめる。コンクリートの主要材料であるセメントの大きな違いに

	ローマン・コンクリート	現代コンクリート
セメント	石灰石、大理石を焼成、水和した消石灰（$Ca(OH)_2$）が主原料。消石灰と骨材、混和材間の緩慢なポゾラン反応と消石灰の炭酸化によって硬化	生石灰が主原料。ケイ酸カルシウム（$CaO \cdot SiO_2$）の水和反応により硬化
細骨材	海砂、川砂、凝灰岩の砕砂	砂、砂利、砕石、砕砂、人工軽量骨材、スラグ骨材、またはこれらとほぼ同じ粒径の粒子からなる材料。おおむね5mm以下のもの
粗骨材	レンガくずや石材が利用されている。石材は凝灰岩質のものが多い。また手で握ることができる最低の大きさ以上の石材と定められており、直径10 cmを超える大型の骨材も用いられている	おおむね5mm以上の粒径のものを主な組成としている骨材とされている。JIS規格では20、25、40mmのものについて基準が設けられている
混和材	・ポッツォラーナ	高炉スラグ（鉱滓）、シリカフューム、フライアッシュなど
混和剤	・油 遅延剤として、打継ぎの必要がある場合に利用された	分散剤や遅延剤、増粘剤などが目的に合わせて利用される
養生期間	養生期間についての取り決めはないが、「きわめて長年月にわたり、それ自身湿潤状態にとどめる」とあることから、相当な期間を養生期間と見ることもできる	15℃以上：3日 5℃～15℃：5日 5℃未満：8日
養生方法	壁体内部で密閉された中で養生が行われており、人為的な方法はとられていない	ビニールシート等を利用し、湿潤状態にて初期養生を行う。その後は特に人為的な手法はとられない

表3−4　ローマン・コンクリートと現代コンクリートの比較（参考図書⒃より一部改変）

ついてはすでに述べた。

表３－４に示すように、ローマン・コンクリートの混和材はポッツォラーナであるが、現代コンクリートにはさまざまな物質が使われている。

表中の「高炉スラグ（鉱滓《こうさい》）」は、製鉄所の高炉から排出された熔融状態のものを急冷した、ガラス質の化学反応しやすい粉末である。主成分は表３－３に列挙される物質と同様である。「シリカフューム」は、フェロシリコンやフェロシリコン合金を製造する際の副産物で、シリカ（SiO_2）を主成分とするガラス質の微粉末である。「フライアッシュ」は火力発電所で微粉炭を燃焼する際の副産物で、シリカ（SiO_2）とアルミナ（Al_2O_3）を主成分とする熔融状態の灰分が冷却された球状微粉末である。

セメントが固化するメカニズムはきわめて複雑であるが、簡潔に述べれば、セメントが水と接触すると非常に激しい化学反応（水和反応）が急激に起こって熱（水和熱）を発生し、セメント水和物が生成される。このセメント水和物がコンクリート中の砂や砂利を糊のように固く結びつけ、コンクリートを強固な塊にするのである。セメント水和物は、カルシウム（Ca）、アルミニウム（Al）、シリカ（SiO_2）と水（H_2O）の化合物で、その代表的なものが水酸化カルシウム（$Ca(OH)_2$）である。

一方、ローマン・コンクリートの場合は事情がいささか異なる。

消石灰（$Ca(OH)_2$）と混和材（ポッツォラーナ）が徐々に反応して、カルシウムシリケート水和物などを生成する。この反応は「ポゾラン反応」とよばれ、消石灰と骨材間でも起こり、生成された水和物がコンクリートの耐久性や水密性を高める。同時に、消石灰の炭酸化、硬化が徐々に進み、長い時間をかけてゆっくりと強度が現れていく。

現代のコンクリートがセメント自体の水和反応を利用し、急速に強度を発現させていることとの大きな違いである。したがってローマン・コンクリートには、現代の生コンのようにミキサー車を使って攪拌《かくはん》し続ける必要はなかった。

ポッツォラーナはまた、ウィトゥルウィウスが〝自然のままで驚くべき効果を生じる一種の粉末〟と述べているように、混和材であると同時にセメント本体でもあった。

❖人もコンクリートも「養生」が大切

さらに大きな違いとして、〝養生《ようじょう》〟についても言及しなければならない。

コンクリート工事の進行中（あるいは施工後）、コンクリートの内部や外面で適切に凝固、硬化が進むように保護する期間を〝養生〟とよぶ。柱や壁などの面、角に紙を貼ったり、砥《と》の粉《こ》を塗ったり、ビニールシートをかけたりするなどして、保護・防護する期間である。

人間にとっても建造物にとっても養生は大切で、怠ってはならない。内部の熱を逃がすための冷却時や寒冷地における工事では、内部の水が氷結して膨張するのを防ぐための保温が行われることもある。強度を向上するために、特に、外面が急激に乾燥しないように湿った布で表面を被う「湿潤養生」が重要である。

主としてセメント自体、および混和材の物質の違いから、結果的にせよ、ローマン・コンクリートと現代のコンクリートの間には養生において表3－4に示されるような違いがある。現代社会は何事においても「効率」と「経済性」が優先されるが、多くの場合、先にも指摘したように「たっぷりと時間をかけて、周到に」行ったほうがよいに決まっている。

いずれにせよ、耐久性において、ローマン・コンクリートが現代コンクリートよりも圧倒的に優れていることは、二〇〇〇年余のローマ史が明確に示している事実である。

❖歴史から消えたローマン・コンクリート

コンクリートの歴史は、じつに不思議である。

ローマ帝国は二〇〇〇年も前に、ローマン・コンクリートという画期的な材料と工法を駆使して、数々の社会基盤を築き上げ、人類史にかつて無比の版図を拡げた。しかし、ローマ帝国は三九五年に東西に分裂、四七六年にはゲルマン民族の大移動によって西ローマ帝国が滅亡する。東ローマ帝国は一四五三年まで存続するが、西ローマ帝国滅亡後の約一〇〇〇年間は、新しい王国や帝国の建設と分割が繰り返される〝暗黒の中世〟であった。

まことに不思議なことに、西ローマ帝国の滅亡後、古代ローマ帝国を支えたローマン・コンクリートもまた、忽然《こつぜん》と歴史の表舞台から姿を消している。一九世紀初頭までの約一三〇〇年間、かつてローマ帝国の属州であった国々でコンクリートを使った大規模な建造物が造られた形跡はまったく見当たらない。

なぜか。

大規模なコンクリート建造にはさまざまな分野の技術者、職人、一般労働者から成る組織が必要であるが、それらの人員も組織も統率力も、必要とされる条件がすべてローマ帝国の滅亡とともに消滅してしまったからである。

とはいえ、ローマ文明の影響を強く受けた南フランスなどの一部の地域では、細々とコンクリートが使われていたらしい。しかし、その質は、ローマン・コンクリートとは比較にならぬほどお粗末なものだった。一九世紀になってから中世のゴシック建築が考古学的・科学的に研究されはじめたが、その分野で輝かしい業績を挙げたフランスのヴィオレ・ル・デュクは、南フランスのカルカッソンヌ城に使われたコンクリートについて「均質でなく、調合が悪く、つき方もまずい。使用された石灰は質が悪い」と指摘している（参考図書⒀）。

コンクリートがふたたび、建築の分野で華々しく活躍しはじめるのは、じつに二〇世紀になってからのことである。やがて現代建築のスターの中のスターとなったコンクリートに対し、あたかも「その寿命は半永久的」であるかのように誰もが絶大の信頼をおいた。敗戦後の日本の復興や高度経済成長も、コンクリートに支えられたといっても過言ではないだろう。

ところが、一九八〇年代の初頭から、山陽新幹線のコンクリート高架橋の早期劣化をきっかけとして「コンクリート耐久性神話の崩壊」が起こった（参考図書⑽）。

コンクリート工学の専門家の小林一輔東京大学名誉教授が『コンクリートの文明誌』の「あとがき」に書いている「コンクリートの品質の問題は、とりもなおさずコンクリート構造物をつくる土木技術者の資質の問題であった」「ローマへの実地調査で痛感したのは、現代におけるコンクリート施工技術の基本的部分はローマ時代にすでに確立されていたということである。日本のコンクリート施工の現状を見ていると、この二〇〇〇年の間にいったい何が進歩したのかと問いたくなる」という嘆息が、私にはまことに印象的であり、また悲痛でもあった。

❖ジオポリマー・セメント——コンクリート界の温故知新

従来のセメントに代わる新しい物質として、「ジオポリマー（geopolymer）」が注目されている。〝ジオポリマー〟という言葉が初めて登場したのは一九七八年のことであるが、一九九〇年以降、以下に述べるような利点・応用性によって研究が急速に進み、セメントの代替物としてすでに実用化されている。

世界に〝ジオポリマー・セメント〟を印象づけたのは、一九九一年にアメリカとイラクの間で起こった湾岸戦争である。サウジアラビアの砂漠に急遽《きゅうきょ》、空港を建設する必要に迫られたアメリカ空軍が使ったのが、ジオポリマー・セメント（ピラメント）だった。滑走路が使える状態になるまで、通常のセメントの場合であれば、施工後少なくとも数日間を要するが、ジオポリマー・セメントを使用することで、わずか数時間で使えるようになった。同時に、ジオポリマー・セメントが軍用機の発着に十分耐え得る強度をもつことも証明されたのである。

ジオポリマー（geopolymer）をあえて和訳すれば、「地殻の（geo）高分子（polymer）」となり、基本的に「ケイ素‐酸素‐ケイ素」「ケイ素‐酸素‐アルミニウム‐酸素」「鉄‐酸素‐ケイ素‐酸素‐アルミニウム‐酸素」などの単位分子から成る高分子物質である。名称の由来は、地殻の堆積岩の生成機構が、まさにこれらの単位分子の高分子化によることからである。

ジオポリマー・セメントは従来のセメントと比べ、以下のような特長をもつ。

①高炉スラグ、フライアッシュなどの〝産業副産物〟を原料にできる
②固化成分にカルシウムがほとんど含まれないために、酸に対する抵抗力が大きい。つまり、腐蝕しにくい
③圧縮強度は従来のセメント・コンクリートと同程度である
④機械的強度を低下させるアルカリ骨材反応が起こりにくい
⑤製造工程で発生する二酸化炭素の量が、従来のセメントに比べて八〇〜八五パーセント少ない

これらの特長のうち、②は酸に弱い従来のセメントに対して大きな優越性を示している。

また近年、地球環境保全の点で二酸化炭素の排出量が地球規模の大きな問題になっているが、⑤の利点は大きくクローズアップされるであろう（私には、二酸化炭素が「地球温暖化」の主要な原因であることがよく理解できないのであるが）。

一般に、一トンのポルトランドセメント・クリンカーを焼成する際には一トンの二酸化炭素が排出されるといわれ、全世界の二酸化炭素発生量の七パーセントがセメント生産によるものと算出されている。ポルトランドセメントの主原料である石灰石（$CaCO_3$）は〝二酸化炭素の化石〟ともいうべきものであり、175ページで示した反応式に従って不可避的に大量の二酸化炭素が排出されることになる。さらに、石灰石は一五〇〇度C前後の高温で焼成されるので、その化石燃料

が排出する二酸化炭素の量も決して少ないものではない。

これに対し、ジオポリマー・セメントは石灰石に依存せずに生産され、熔融温度は一二五〇度C程度である。「フィラー」とよばれるカオリン粉末を活性化するための処理温度も七五〇度C程度であり、総工程の二酸化炭素排出量が圧倒的に少ない。

ここで、長々とジオポリマーについて述べたのには理由がある。じつは、近年の研究によって、ローマン・セメントがジオポリマーの一種と見なされているからである。ローマン・コンクリートの現代コンクリートに対する優越性はすでに縷々述べたとおりだが、なんとそれが、近年〝次世代のセメント〟として期待されているジオポリマー・セメントであったとは！

〝次世代のセメント〟であるジオポリマーへの期待が大きく膨らみつつある中、日本では鹿児島県の広い地域に数十メートルから一五〇メートルほどの厚さで堆積している「シラス」を、ジオポリマーの原料として利用しようとしている。シラスはシリカ（SiO_2）とアルミナ（Al_2O_3）を主成分とする軽石の細粒や火山灰、つまりポッツォラーナと同種のものと考えられ、すでに研磨材やコンクリート骨材に利用されているが、さらに積極的に〝次世代のセメント〟の原料として活用しようとするものである。

現代人が古代ローマ人に学ぶことは少なくないはずである。まさに「温故知新」だ。

見れば見るほど、知れば知るほど圧倒され、驚嘆させられる古代ローマの建造物、技術は少なくないが、なんといっても圧巻は「水道」ではないだろうか。

❖一〇〇万人の市民を潤した水道

現代においても、日常生活を送るうえで、まず第一に必要なのは水であるが、古代ローマの市民生活を支えたのも水道だった。人口増加に伴い、ローマ市内に通じる水道は紀元前三一二年に建設されたアッピア水道にはじまり、紀元二二六年に建設されたアントニアーナ（アレクサンドリナ）水道まで、計一一ルートが建設された。その一一ルートの内容を表3－5にまとめる。これら古代の水道の多くは、いまなお実際に水を供給し続けているというから驚くほかはない。

ローマ市近郊南東部に、紀元三八年に建設されたクラウディア水道橋の一部（図3－12）が遺っている。アーチの上にある導水路の内面には、漏水を防ぐために水で固まるモルタルが塗装されている。

水源地はいずれもローマ市より高地にあり、送水は完全に重力による自由落下に頼っているから、非常に効率よく大量の水を運ぶことができた（図3－13(a)）。しかし、水源地からローマ市内までの数十キロメートルの遠距離をわずかな勾配を保持しつつ導水路を建設するには、高度な

名称	建設年	全長(km)	水源	水源地高さ(m)	ローマ市内高さ(m)	送水量(㎥/日)
アッピア	312BC	17	湧水	30	20	73,000
旧アニオ	272BC	64	アニオ川	280	48	175,920
マルキア	144BC	91	湧水	318	59	187,600
テプラ	125BC	18	湧水	151	61	17,800
ユリア	33BC	22	湧水	350	64	48,240
ヴィルゴ	19BC	21	湧水	24	20	100,160
アルシエティーナ	2BC	33	マルティニヤーノ湖	209	17	15,680(飲料不可)
クラウディア	AD38	69	湧水	320	67	184,280
新アニオ	AD38	87	アニオ川	400	70	189,520
トラヤナ	AD109	33	湧水	―	―	―
アントニアーナ	AD226	22	湧水	―	―	―

(出典：Wikipedia,『Newton』2003年9月号)

表3−5　ローマ水道11ルート一覧

測量技術、土木技術が要求された。

導水路は平地の上に建設されるのではない。渓谷や窪地にはわずかな勾配を保持しつつ水道橋を架《か》設《せっ》し(図3−13(b))、上水を目的地まで運ばなければならない。そのためには、図3−13(c)に示すような水準器(ファインダー)を用いた正確な測量が必要だった。

実際、ローマ水道は非常に精巧に、厳密な許容誤差内で建設された。通常規格で一キロメートルあたり三四センチメートルの傾斜とされた。表3−5に示される最長九一キロメートルのマルキア水道

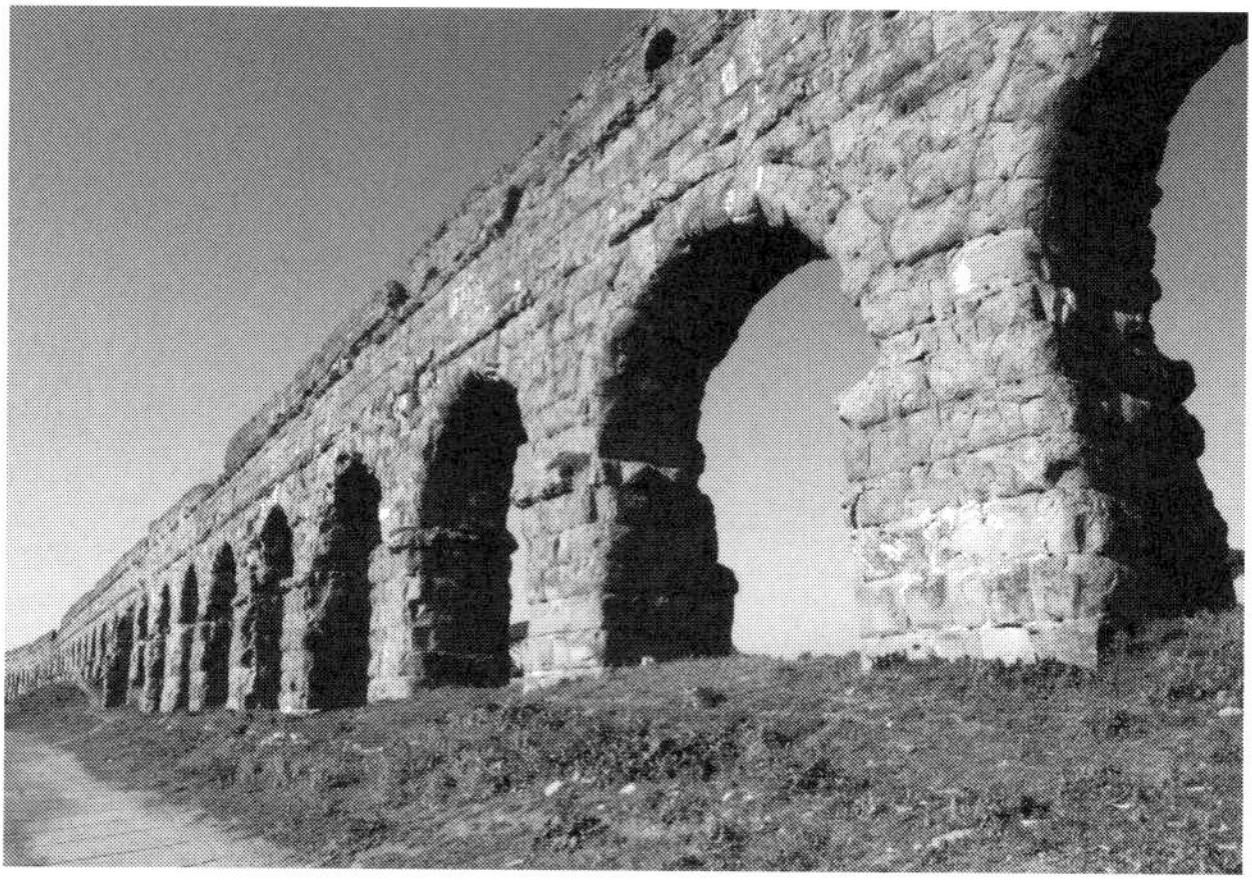

図3－12　クラウディア水道橋（写真：AGE FOTOSTOCK／アフロ）

の場合でも、標高差はわずか三一メートルである。最短一七キロメートルのアッピア水道の場合は、標高差は六メートルに満たない。

これらの水道を介してローマ市内に集められた上水は、一日あたり少なくとも一〇〇万立方メートルに達した。現在、東京都水道局が管理している浄水場は一一ヵ所あり、それらから一〇〇〇万人の都民に供給されている上水は一日あたり六八四万立方メートルである。

古代ローマの市民人口については諸説あるが、紀元元年前後で一〇〇万人ほどと考えられている。およそ二〇〇〇年前のローマ水道の供給量の大きさが実感できるだろう。

ローマ人は、当時のローマ帝国内にあった現在のフランスやドイツ、イスラエル、スペインなどの大都市にも水道を建設した。いまでも、

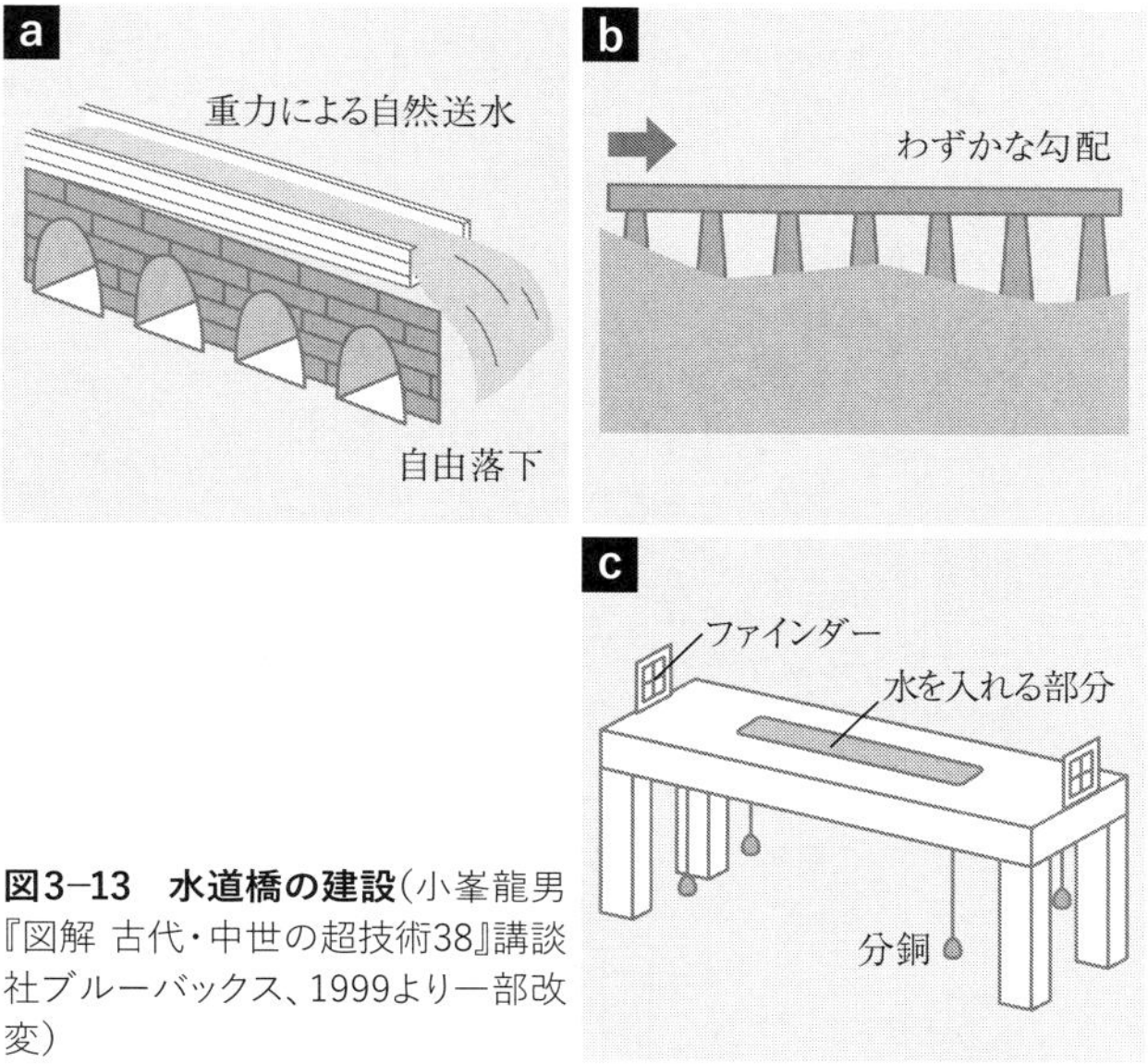

図3–13　水道橋の建設（小峯龍男『図解 古代・中世の超技術38』講談社ブルーバックス、1999より一部改変）

多くの場所でその遺跡が見られるが、とりわけ有名で、世界文化遺産にも登録されているのがフランス南部のガルドン川に架かる水道橋「ポン・デュ・ガール」（図3－14）である。

この水道橋は、ユゼスからニームまでの全長約五〇キロメートルの導水路の途中にあり、紀元前一九年頃、皇帝アウグストゥスの腹心だった前出のアグリッパによって架設されたといわれている。全長五〇キロメートルの平均勾配は一キロメートルあたり二四・六センチメートルで、全標高差は約一二メートル、上記のローマ規格よりやや緩和されている。それは、部材や工事量を減らすため、この水道橋の高さを

図3–14　フランス南部・ガルドン川に架かる水道橋ポン・デュ・ガール
（写真：Jose Fuste Raga ／アフロ）

できる限り低くしようとしたためである。流水量は一日あたり約二万立方メートルだった。

ポン・デュ・ガールは、じつに美しい三重のアーチ橋である。

三層のアーケードの幅は、下層が六メートル、中層が四メートル、上層は三メートルというように上にいくほど細くなっており、全体の高さはガルドン川の最低水位から四九メートルである。下層は六つのアーチからなり、長さ一四二メートル、高さ二二メートル、中層は一一のアーチからなり、長さ二四二メートル、高さ二〇メートル、導水路がある上層は三五のアーチからなり、長さ二七五メートル、高さ七メートルである。

一九世紀には、ナポレオン三世の命令で改

修されたといわれる。

このポン・デュ・ガールの美しさは、それを見た一八世紀の思想家・ルソーに「この三層からなる素晴らしい建造物の上を歩き回ったが、敬意からほとんど足を踏めないほどであった。自分をまったく卑小なものと思いながらも、何か魂を高揚させてくれるものを感じて、なぜローマ人に生まれなかったのかとつぶやいていたのだった」といわしめたほどである。

水源地からローマ市内に運ばれた水は、街角にある公共の水汲み場の貯水槽や泉へと分配された。一般市民はここへ水を汲みに行ったが、特別の許可を得るか賄賂《わいろ》を払うことによって、最寄りの貯水槽や水道管から自宅まで、ポンプを通して水を引いていた〝高官〟もいた。ポンペイの遺跡からは、現代のものとまったく変わらないような青銅製の水道バルブが発掘されている。各所にこのようなバルブを取りつけて、水道管内の水流を調節していたのである。

ウィトゥルウィウスは『建築書』第八書で、ローマ市内の給水状況について「城壁まで来た時、貯水塔（給水槽）とそれに接続して水を受入れるための三重の引込み槽（共同水槽）が造られ、貯水塔には等しく配分された三本の管が、水が両端の槽から溢れた時は中央の槽に戻るように接続された水槽の中に、配置される。こうして、中央の槽にはあらゆる貯水池と噴水へ、他の槽からは市民から税が毎年取れるように浴場へ、第三槽からは公共用に不足を来さないようにして私人の邸宅へ、それぞれ管が敷設される」と書いている（参考図書(2)）。

水道管に用いられたのは、主に鉛管であった。近代国家でも長らく鉛製の水道管が使われていたが、鉛が水中に溶け出すことで水を飲んだ人が鉛中毒にかかる危険性があるため、現在は新規に使われることはなくなっている。ローマ時代、鉛中毒の心配はなかったのだろうか。

実際に、ローマ帝国滅亡の一因としてローマ人の鉛中毒を挙げる説があるくらいだが、地中海地方、一般にヨーロッパ大陸の水はかなりの硬水であり、水に含まれる炭酸カルシウムが管内部にすぐに付着（コーティング）することで水道水が直接、鉛管に触れることはなかったから、健康上の大きな問題にはいたらなかったと推測される。つまり、「ローマ帝国滅亡の鉛中毒説」は俗説と思われる。

それでも、ウィトゥルウィウスは『建築書』の中で、鉛管よりも清浄な水を供給でき、修繕も容易な陶製の水道管のほうが好ましいと指摘している。もちろん、そのとおりである。

前述のように、現在は鉛管が新規の水道管に用いられることはなく、旧来の鉛管の、他の材料の管への取り替えが必要視されてはいるが、費用の問題でなかなか進んでいないのが現状である。近代の水道工事担当者がウィトゥルウィウスの『建築書』をきちんと読んでいれば、と悔やまれる。

これとは別に、水に当然含まれていたであろう混入物に対しては、どのような対策がとられていたのだろうか。

たとえ導水路はトンネルや蓋で外部から遮断されていたとしても、水源や流路から土砂などが混入したはずである。これらの混入物は、ローマ市内に入る前に除去されなければならない。そのために使用されたのが沈澱槽であるが、当時はもちろん、現代の浄水場で採用されているような、薬品によって混入物を凝集させて粒径を大きくし、沈澱を促進するような方法は存在しなかった。

流水中の粒径や比重が大きな混入物は、流れが速くても沈澱槽に沈降するので除去できる。粒径や比重が小さな混入物に対しては、流れを遅くすることによって沈降を促進した。

たとえばユリア水道（189ページ表3－5参照）の沈澱槽では、水は入水口から順に四つの水槽を経て出水口側に流れ出ていくしくみになっていた。三つめの水槽から四つめの水槽に向かっては重力に逆らう上昇流になり、沈澱が促進される。沈澱槽にたまった混入物は、定期的に除去された。

❖総合レジャーランドだった「共同浴場」

数多くの驚嘆させられる古代ローマの建造物の中で「圧巻は水道である」と述べたが、ローマ帝国の都市において最も特徴ある建造物といえば「共同浴場」であろう。

私の〝共同浴場〟の原点は小さい頃に通った町中《まちなか》の番台がある銭湯であり、最近では、日本の各地にある、特に福島県の温泉をひんぱんに訪れている。私の頭の中にはそれらのスケールのイメージがあったので、もう四〇年以上も前のことであるが、ポンペイの「フォールム浴場」やローマの「カラカラ浴場」の遺跡を見たとき、それらのスケールのあまりの大きさに驚愕したことをいまでもはっきりと憶えている。

古代ローマの共同浴場は、〝浴場〟というよりも、むしろ娯楽性の高い総合レジャーランド、あるいはヘルスセンターとよぶにふさわしい建物群から成っている。事実、〝浴場〟は公立図書館の附属建造物であったらしい。

紀元前八〇年頃に建造されたポンペイのフォールム共同浴場の平面図を図3−15に示す。大量の水の供給施設の建造、床下暖房設備と給排水設備を組み合わせることに成功した古代ローマ人は、微妙に温度が異なる部屋や浴室、サウナ室、冷浴室を巡る入浴を楽しんでいた。

フォールム共同浴場は、基本的に全体が男子浴場と女子浴場の二つの部分に分かれている。更衣室は、冷浴室と温浴室の両方に通じていた。入浴者はしばらくしてから熱浴室へ移り、熱気で大量の汗を流した。熱浴室は現在のサウナに相当すると思われるが、生ぬるい湯が入った水盤と身体全体が浸かれる浴槽もあった。

ここまで巡ってきた入浴者は、逆方向をたどりながら冷浴室に戻って冷水浴をした。冷浴室の

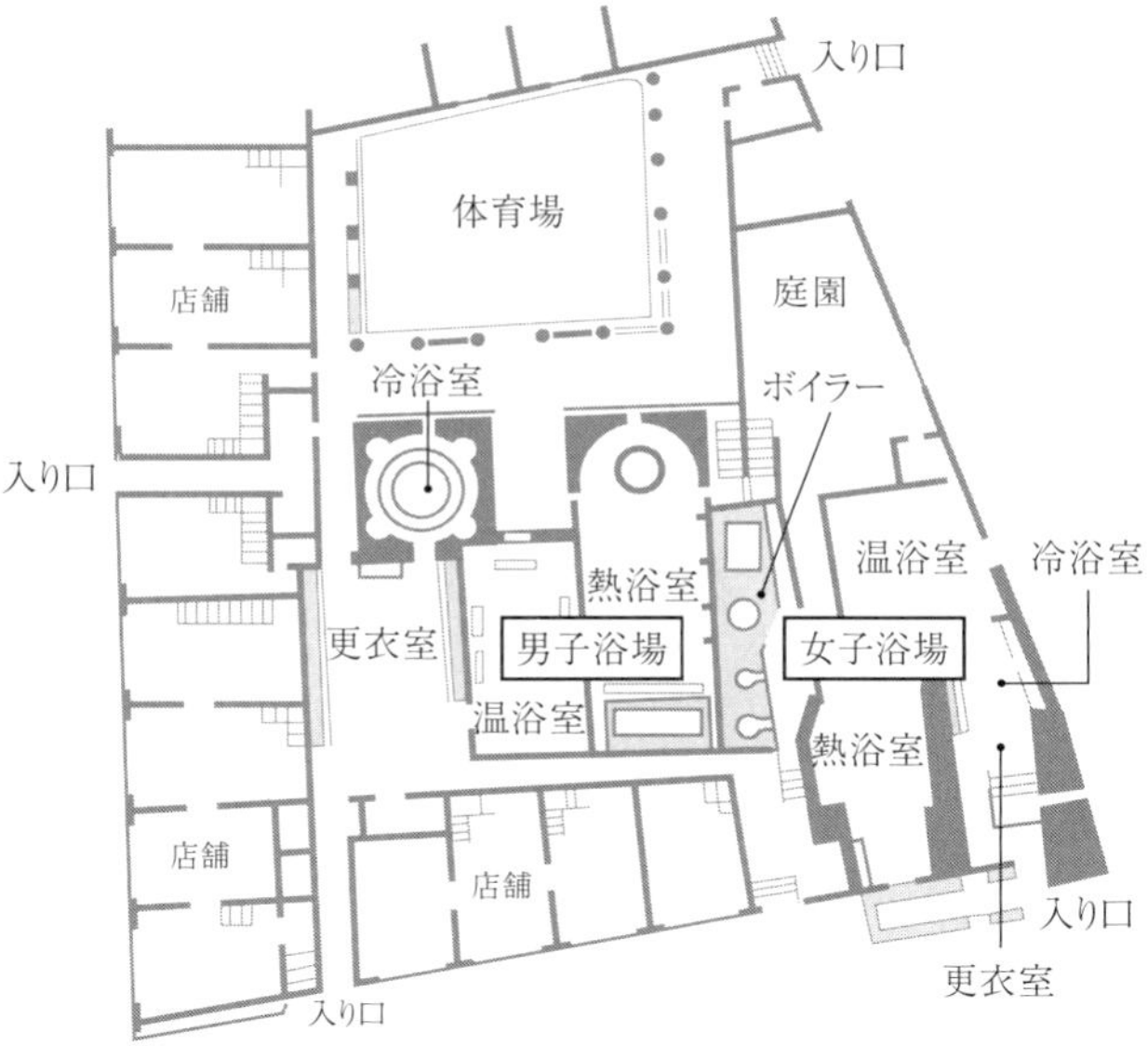

図3−15　フォールム共同浴場の平面図（参考図書(6)より一部改変）

天井頂部にはパンテオンと同様の天窓（167ページ図3−10参照）が開けられている。

ローマ帝国全盛期に建造されたカラカラ共同浴場やディオクレティアヌス共同浴場のような、構造がより複雑で豪華な共同浴場には、図3−15に示す浴室のほかにマッサージ室やトレーニング室、談話室に遊戯場、さらには香油塗布（いまの言葉でいえばアロマセラピー）のための部屋などが設けられていた。まさに、皇帝自らが市民のために建造した一大複合娯楽センターだったのである。

現在では〝遺跡〟になってしまっ

たカラカラ浴場は部分的にしか遺っていないが、カラカラ帝（一八八～二一七）の治世下にあった二一二年から二一六年にかけて造営された長さ二二五メートル、幅一八五メートル、高さ三九メートルに及ぶ大建造物であった。復元図を見ると、その豪華さに驚かされる。

大量の水のほかに共同浴場が必要とするのは、大量の熱量である。そして、浴室や浴槽の水の温度に応じて供給熱量を変えられる柔軟な熱源も不可欠である。現在のように、ガスや電気で簡単に供給熱量を変えられる時代ではない。そのため、古代ローマの建築家はいくつかの巧妙な装置を考案した。

その中で多用されたのが、突起つきの瓦や煉瓦を積み重ねて造った中空壁と、煉瓦に支えられた高床（ススペンスラ）構造の隙間にボイラーから熱風を送り込む暖房法であった。ボイラーからの熱気は自由に循環して床を温め、壁に嵌め込まれた多数の垂直の管を通って、煤と煙とともに外部へ排出された。ボイラーから離れるほど熱が奪われて温度が下がるので、図3－15に示されるように、高温を要する部屋ほどボイラーの近くに設置されている。また、ボイラーは男子用浴室と女子用浴室の間に設置されている。

❖古代ローマの建築思想

本章で、古代ローマの建造物を見てきて思うことがいくつかある。

一つは、なんといっても、古代ローマ人がそれまで存在しなかったコンクリートという画期的な材料を発明し、それを十分に活用した新奇な工法を発達させたことである。古代ローマ人が、それ以前の人類史にはあり得なかった広大な帝国を構築できた政治の背景に、これらの技術があったことは疑いがないだろう。日本が「技術立国」という〝のろし〟を上げてからすでに久しいが、一国を支えるまでの技術とはいかなるものなのか、古代ローマ史から真摯《しんし》に学ぶべきことは少なくないだろうと思う。迂闊に、また安易に「技術立国」などと叫ぶべきではない。

もう一つ、初期のローマの建設事業の背後に隠された「ものの考え方」である。

科学や技術の理論化・普遍化を好んだ古代ギリシャ人と異なり、古代ローマ人は〝経験〟に基づいたノウハウをゆっくりと、用心深く積み上げていくことを好んだ。同時に、価値がありそうな新しいアイデアを積極的に採用してもいる。

急速かつ広領域の進歩に役立つような普遍的理論や知識には欠けていたものの、身近な問題は身近な方法で、その場で解決していこうという考え方をもっていた。古代ローマの工匠たちの姿勢を知るにつけ、私はかつて、小林章男〝瓦博士〟が語っていた「方言の瓦」のことを思い出す（本書の姉妹編『古代日本の超技術〈新装改訂版〉』第5章参照）。

社寺、城郭、民家など、数多くの文化財建造物の屋根の再建・修復に従事した小林章男〝瓦博士〟は、その土地土地の独特の瓦を「方言の瓦」というすばらしい名前でよんだ。方言は一つの文化であるが、「方言の瓦」は単なる文化に留まらず、その土地土地の気象、風土に適した物、まさに、長年の歴史と職人の工夫の積み重ねによって醸成された物である。

そのような「方言の瓦」は、戦後の高度成長とともに、日本の各地から急速に消えつつある。御多分にもれず、瓦もまた、現代社会が要求する「生産性」「経済性」「効率」のために、規格化（均一化、均質化）されて量産されるようになったのである。瓦に限ったことではないが、さまざまな分野での統一規格、量産のために、この日本から個性的な〝土着のもの〟が急激な勢いで失われつつあることを、私はひたすら寂しく思う。

主な参考図書（発行年順）

(1) R・マルタン著、高橋栄一訳『世界の建築 ギリシア』（美術出版社、一九六七）
(2) ウィトルーウィウス著、森田慶一訳註『ウィトルーウィウス建築書』（東海大学出版会、一九六九）
(3) ヘロドトス著、松平千秋訳『歴史（上）』（岩波文庫、一九七一）
(4) 青柳正規ほか著『新潮古代美術館5 ローマとその世界帝国』（新潮社、一九八〇）
(5) プリニウス著、中野定雄、中野里美、中野美代訳『プリニウスの博物誌 第III巻』（雄山閣出版、一九八六）
(6) P・グリマル著、北野徹訳『ローマの古代都市』（白水社 文庫クセジュ、一九九五）
(7) J－C・モルウ著、藤本康雄訳『建築の歴史』（白水社 文庫クセジュ、一九九五）
(8) J・G・ランデルズ著、久納孝彦監訳『古代のエンジニアリング ギリシャ・ローマ時代の技術と文化』（地人書館、一九九五）
(9) J・B・W－パーキンズ著、桐敷真次郎訳『図説 世界建築史 第4巻 ローマ建築』（本の友社、一九九六）
(10) 小林一輔著『コンクリートが危ない』（岩波新書、一九九九）
(11) 塩野七生著『すべての道はローマに通ず ローマ人の物語 X』（新潮社、二〇〇一）
(12) 西田雅嗣、矢ヶ崎善太郎編『図説 建築の歴史 西洋・日本・近代』（学芸出版社、二〇〇三）
(13) 小林一輔著『コンクリートの文明誌』（岩波書店、二〇〇四）
(14) P・ジェームズ、N・ソープ著、矢島文夫監訳『事典 古代の発明』（東洋書林、二〇〇五）

(15) 中川良隆著『水道が語る古代ローマ繁栄史』(鹿島出版会、二〇〇九)

(16) 土木学会コンクリート委員会ローマコンクリート調査小委員会編『古代ローマコンクリート』(土木学会、二〇〇九)

(17) B・M・フェイガン編、西秋良宏監訳『古代の科学と技術　世界を創った70の大発明』(朝倉書店、二〇一二)

4

メソアメリカ・アンデス文明

——精緻な石組みはどう組まれたか

❖世界〝六大〟文明

昔（六〇年以上前）、私は学校で「世界四大文明」を教わった。

この「四大文明」とは、メソポタミア、エジプト、インダス、黄河文明のことである。いずれもチグリス・ユーフラテス川、ナイル川、インダス川、黄河という大河の流域に栄えた古代文明であることから「四大河文明」ともよばれた。「大文明」は半乾燥地帯の大河流域に位置する肥《ひ》沃《よく》な平地において、大規模な灌漑農業が発達して興《おこ》ったものであり、以降の文明はこの流れを汲むとするものである。すなわち、文明の興隆に〝大河流域の肥沃な平地〟は必要不可欠な条件とされていた。

このような文明史観が誤りであることは、本章で述べるマヤ文明やアステカ文明をはじめとする「メソアメリカ文明」と、インカ文明を頂点とする「アンデス文明」という二大文明のことを考えれば明らかである。ちなみに「メソアメリカ」の「メソ」は「中央の、中間の」という意味で、メソアメリカは文字通り、南北アメリカ大陸の中央部を指す。

たとえばマヤ文明は、熱帯雨林や針葉樹林、熱帯サバンナ、ステップを含む多様な自然環境において、旧大陸の「四大文明」とはまったく無関係に発達した文明である。後述するように、マヤ文明の舞台は現在のメキシコ、グアテマラ、エルサルバドル、ホンジュラス、ベリーズの中央アメリカ地域であるが、ここには大河川はもとより川や湖沼がほとんどない。

加えて、旧大陸の「四大文明」に共通する要素が〝鉄器〟と〝車輪の利用〟であったことから「文明の三大要素」は大河・鉄器・車輪と考えられていたが、メソアメリカ・アンデス文明はこれら「三大要素」を必須としていない。

ちょっと考えればわかることであるが、文明の興隆に必要なのは〝大河流域の肥沃な平地〟ではなく、〝安定した食料の供給〟なのである。〝大河流域の肥沃な平地〟は、それを保証する一つの条件にすぎない。

メソアメリカ・アンデス文明が旧大陸の「四大文明」と交流することなく発達したことは、考古学が明らかにしている。旧来の「四大文明」に、メソアメリカ文明とアンデス文明という二大文明を加えたのが、「世界六大文明」である。

じつは「世界四大文明」という文明史観は日本の「世界史」独特のもののようで、欧米には同様の「四大文明」史観は存在しない。「世界四大文明」という、世界的に見てきわめて珍しい文明史観が日本で最初に登場したのは、一九五二年の「高校世界史」の教科書においてであった。

試みに、現在の「高校世界史」の代表的な教科書の一つであり、はるか昔に私自身も勉強した山川出版社の『詳説世界史』に準拠した『改訂版詳説世界史研究』（二〇〇八）を調べてみた。

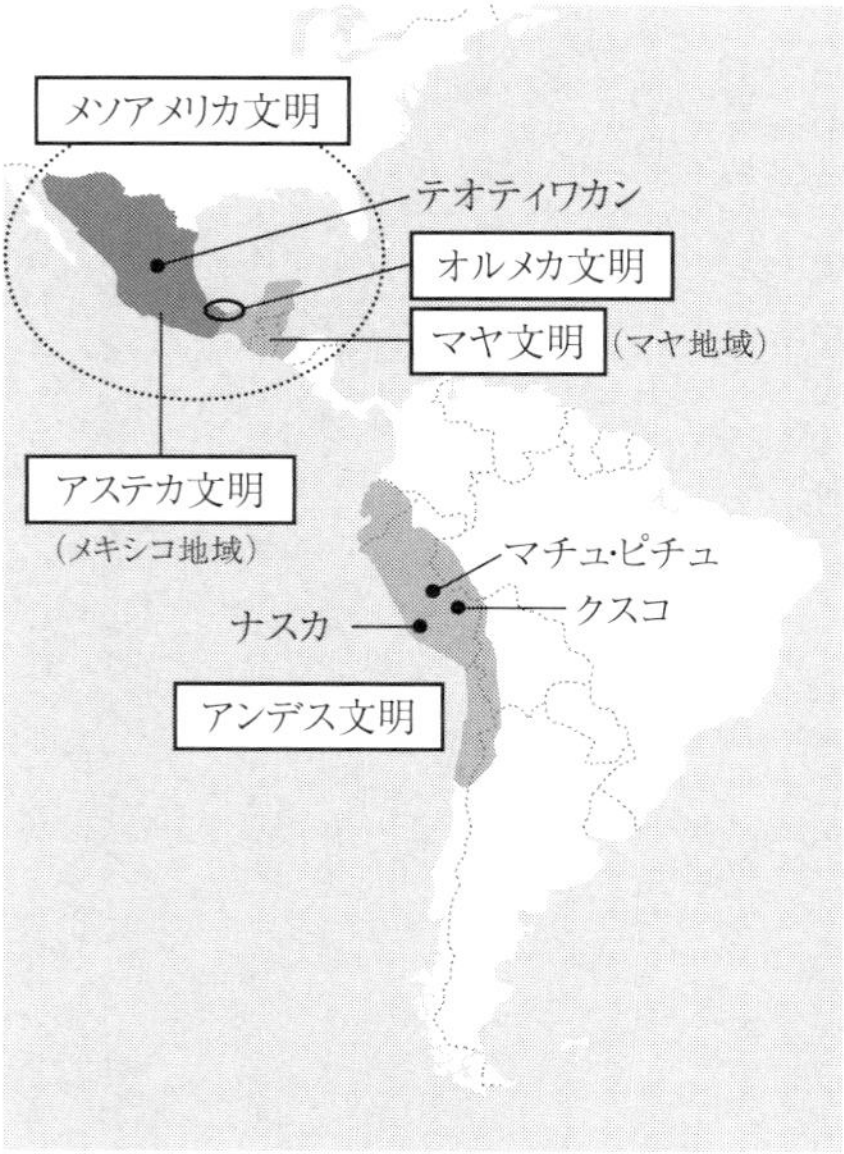

図4−1　メソアメリカ文明とアンデス文明

「四大文明」については「いわゆる世界四大文明」と〝いわゆる〟がついており、若干ニュアンスの変化が感じられるものの健在であった。また、「世界六大文明」あるいは「六大文明」という項目はなかった。

ちなみに、二〇一七年刊行の最新版では「世界四大文明」の記述が完全になくなっている。

ところで日本では、メソアメリカ・アンデス文明に関し、「マヤ・アステカ・インカ」を一括りにして扱う傾向がある。アステカ文明の中心であるアステカ王国は一四～一六世紀、インカ帝国も一五～一六世紀、つまり、スペイン人が侵略した一六世紀の直前に発展した国である。それに対し、マヤ文明の発祥は紀元前、テオティワカン文明の発祥は紀元前後のことである。時代的な隔たりは明らかであるのに、中には文明の成立順序を誤記している世界史関連書もあるほどだ。

メソアメリカ文明、特にマヤ文明に造詣が深い青山和夫茨城大学教授は「アメリカ大陸の諸文明の多様性を無視、あるいは混同し、それらを一括して扱う『マヤ・アステカ・インカ』シンドロームというべき西洋中心主義的な見方は、日本でも広く行き渡っている」(参考図書⑿)と嘆く。

いずれにせよ、古今東西にわたって「歴史」は「勝者」によって書かれるものなので、人間によって書かれた「歴史」に「客観性」を求めるには無理がある。客観的事実を基礎にして、自分自身で「歴史」を読むことが重要であろう。

そのような意味において、まさに古代人や古代文明が遺した科学・技術こそ、のちの時代の偏見に左右されない客観的事実の一つである。本書が、技術に立脚して古代人・古代文明を観ていることの意味の一つもその点にある。以下、本章ではメソアメリカ文明、アンデス文明の興味深い技術に焦点を当てたい。

メソアメリカ文明とアンデス文明の位置関係を図4－1に示す。

❖オルメカ文明――謎の巨石人頭像

オルメカ文明は、メキシコ湾岸から南部の低湿地帯に発達したアメリカ大陸最古の文明であり、〝メソアメリカ文明の母〟とよばれている。オルメカ文明は一般的に、大きく紀元前一二〇〇年〜紀元前九〇〇年頃のサン・ロレンソ遺跡を中心とした時代と、紀元前九〇〇年〜紀元前四〇〇年頃のラ・ベンタ遺跡を中心とした時代の二つに区分されている。

この地域には現在、熱帯雨林のジャングルがうっそうと茂っている。年間雨量が三〇〇〇ミリメートルにも達し、一年中高温多湿のためにあらゆるものはすぐに腐敗し、淀んだ川や沼沢地にはヒルやアブ、ムカデなどに加え、ものすごい数の蚊が飛び回るとても人間が住める環境ではない。

私の素朴な疑問は、はたしてオルメカ文明が栄えた紀元前一二〇〇年頃はどうであったのか、というものである。年間三〇〇〇ミリメートルという降雨によって、洪水がたびたび起こったであろうことは想像にかたくないから、河川地域には肥沃な土地が形成されたのは間違いないのだろうが。

「オルメカ」とは、古代アステカ人が使っていたメキシコの国語の一つであるナワトル語で「ゴムの国の人々」を意味する。これはこの地域が天然ゴムの産地であり、一六世紀にスペイン人が侵略したとき、現地の人々がこのあたりをそうよんでいたことに由来する。

オルメカ文明といえば、すぐに思い浮かぶのが図4-2のような「巨石人頭像」である。この文明の存在が明らかになった発端は一八六二年、メキシコ湾岸のトレス・サポテスという村で、

図4−2　巨石人頭像（写真：Jose Fuste Raga／アフロ）

農夫が土中に埋まっていた巨石人頭像を発見したことであった。

　オルメカ文明が本格的に考古学の対象となったのは、アメリカの考古学者・スターリングがトレス・サポテス遺跡の調査を行った一九三八年以降のことのようである。一九四〇年、彼は三体の巨石人頭像など多数の遺物を発見した。

　スターリングのこれらの発見、さらに一九五〇年代に行われた放射性炭素による年代測定の結果、それまでの〝定説〟を覆し、オルメカ文明がマヤ文明に先行するどころか、メソアメリカ文明を生み出した母胎であり、中米に出現した最初の文明であることが明らかにされたのである。

　発見された巨石人頭像は高さが二メートル、重さが一〇トンほどで、二五〇〇年以上もの間、ジャングルの中にひっそりと置き去りにされていた。スターリングの発見をきっかけにして、似たような巨石人頭像が次々に発見され、これまでに計一七体を数えている。中には高さが三メートル、重さが二〇トンを超えるものもある。

きわめて興味深いことは、この巨大な石像には胴体がなく、まさに〝人頭像〟であることと、顔つきや表情がどれも同じように見えることである。分厚い唇、左右に拡がった低い鼻、頭には髪飾りのような装飾品やヘルメットのような帽子を被り、何かを見つめるような遠い眼差しをしている。

一般に、メソアメリカ・アンデス文明の創始者は、一万二〇〇〇年以上前の氷河期、まだベーリング海峡が陸続きになっていた時代に、アジア大陸からアメリカ大陸に渡って来たモンゴロイドの狩猟採集民族であるとされている。だが、私には、人頭像の顔の特徴はモンゴロイドというよりもネグロイドのものに思える。また、巨石人頭像の顔がどれも同じようなのは、この像の主《ぬし》が王あるいは有力な神官、つまり当時の具体的な支配者であるためではないかと思われる。

図4－2のような巨石人頭像を見て、イースター島のモアイ像を思い浮かべる読者も少なくないだろう。イースター島はチリの首都サンティアゴから西へ三七〇〇キロメートルの太平洋上に浮かぶ周囲六〇キロメートルほどの、北海道・利尻島《りしりとう》とほぼ同じくらいの島である。

この島には、建造途中で放置されたものも含め、約一〇〇〇体の人面を模した石造彫刻が遺されているといわれる。島で産出される凝灰岩でできており、高さ三・五メートル、重さ二〇トンほどのものが多いが、最大のものは高さ八メートル、重さ八〇トンにもなる。これらのモアイ像は、一〇～一七世紀にかけて八〇〇年もの間にわたって造られ続けた。

古代のイースター島がどのような状態にあったのかは定かでないが、少なくとも現在のイースター島は最も近い陸地まで三七〇〇キロメートルも離れた絶海の孤島である。考古学について素人である私は、イースター島のモアイ像とオルメカの人頭像との間に何らかの関連があるのではないかという興味を抱くのであるが、専門家である青山和夫茨城大学教授から「両者の関連性を指摘した報告などないと思う。オルメカの巨石人頭像は王の顔を表象したものである。銅像のように全体像ではなく〝顔〟が重要であったのではないか。異なった場所で異なった時間に、類似の現象が見られるということだろう」という貴重なコメントをいただいた。

なお、モアイ像のレプリカ、あるいはモアイ像形の彫像は、宮崎県日南、香川県女木島《めぎしま》、札幌の真駒内滝野霊園、姫路市太陽公園、宮城県チリプラザなど、日本の各地で見ることができる。残念ながら私は、イースター島のほんもののモアイ像は見たことがないのであるが、二〇一三年の真夏の日、宮崎県サンメッセ日南の七体のモアイ像を見に行った。

壮観である。日南の紺碧の海と真っ青な空を背にして並ぶ姿は圧巻であった。このモアイ像は世界で唯一、イースター島の長老会が認めたレプリカであり、大きさも形も実物とまったく同じなのだという。石材は、福島県白河市の凝灰岩を使用している。

❖石の加工の秘密——ダイヤモンドはダイヤモンドで削る

巨石人頭像は、発掘された場所から百数十キロメートルも離れたツストラ山から運ばれたと考えられる玄武岩で造られている。現在までに発掘されている巨石人頭像は平均で八トン、最大のもので二四トンとされる。材料としての石塊は、これら以上の重さだったということである。

これだけの重さの石塊をどのようにして山から切り出し、どのようにして百数十キロメートルもの距離を運んだのか。機械文明にどっぷりと浸かったわれわれ「現代文明人」には驚異的に思えるのであるが、古代文明人が、それを成し遂げたことは事実であるし、どのように成し遂げたのかについてはすでに第1章、第2章で述べたとおりである。

地形を考慮すると、山から切り出した後は、引っ張ったり転がしたりしながら、近くの川まですべて人力で運び（この地域には運搬を手伝うような大型家畜は存在せず、車両もない）、筏で運んだと考えるのが妥当と思われる。私は現代の石職人から、巨石の運搬には〝引っ張る〟よりも〝転がす〟ことがきわめて有効であることを何度も聞いている。

いずれにせよ、かなりの労働力と製作〝意欲〟を必要とする作業である。オルメカの人々に巨石人頭像をいくつも造らせたのは、やはり巨石人頭像が王あるいは神官という当時の支配者の肖像であったためであろう。

玄武岩は火成岩の一種で、主成分は約五〇パーセントを占める石英（SiO_2）である。玄武岩の成分は産地によって異なるが、一般的には硬くて緻密《ちみつ》な岩石である。このような玄武岩を加工するのは厄介ではあるが、幸いにしてオルメカ文明や、後述するマヤ文明が栄えた地域（図4－1参照）は非常に硬い堆積岩の一種である「チャート」（珪岩、石英岩）を多量に産出する。チャートには、石英岩とよばれるように石英（SiO_2）が九〇パーセント以上含まれている。純粋な石英の硬度は七だから、チャート製石器や石斧《せきふ》を使えば、玄武岩の加工は十分に可能である。

ここで一点、石の加工に関して重要な指摘をしておきたい。

一般に、たとえば物質A（道具）を使って物質B（被加工物）を加工（切断、研磨など）しようとする場合、道具（物質A）は被加工物（物質B）よりも硬いことが求められる。しかし、鉱物（岩や石）の加工の場合には、道具（物質A）は、総体として必ずしも被加工物（物質B）よりも硬い必要はない。岩や石の成分や硬さは均一ではなく、同じ種類の岩石でも硬い部分と軟らかい部分が存在するため、基本的に同種の岩石同士でも加工ができるのである。

鉱物の硬度を示す「モース硬度」という尺度があり、さまざまな鉱物に硬度一（最軟）～一〇（最硬）の数値があてられている（いままでに述べた〝硬度〟の数値はすべて、このモース硬度である)。この数値は、単に相対的な硬度を一から一〇まで順に並べたものであり、たとえば硬度四の鉱物は硬度二の二倍の硬さがあるというような定量的な意味ではない。圧倒的に硬いのは〝硬度一〇〟のダイヤモンドであるが、ダイヤモンドと硬度九の鋼玉《こうぎょく》(ルビー、サファイア)との硬さの差は、硬度九と硬度一との差よりも大きいのである。

地球上には、ダイヤモンドより硬い物質は存在しない。もし、加工の道具(物質A)に被加工物(物質B)より硬いことが必ず要求されるのであれば、ダイヤモンドの加工は不可能となり、25ページ図1-3に示したブリリアント・カットされた宝石のダイヤモンドを得ることはできない。ダイヤモンドは、ダイヤモンドで加工するのである。

もちろん、加工の道具が被加工物よりも硬ければ、加工の効率が高まることはいうまでもない。また、細かい装飾品の作製や、石碑に文字を刻む際などには、被加工物よりも硬い材質の道具が有効であったろう。それだけのことである。現代社会のように「効率」と「経済性」を重視しない古代世界では、現代人から考えれば気が遠くなるような時間がかかっても基本的に岩石の加工は現地の岩石で行ったのである。

本章の冒頭で述べたが、メソアメリカ・アンデス文明には、従来「文明の三要素」の一つとして数えられていた〝鉄器〟が存在しない。

地上に自然の状態で存在する自然金や自然銅と異なり、〝自然鉄〟というものは存在しない。

地上に自然に存在するのは酸化鉄であり、鉄器を作るためには原料である鉄鉱石や砂鉄を製錬する必要がある。製錬は鉄鉱石や砂鉄に含まれているさまざまな酸化鉄から酸素を除去する技術であるが、特に原料が鉄鉱石の場合、それを長時間にわたって千数百度に保たなければならない高度な技術である。第1章でも述べたように、この製錬技術がヒッタイトで確立するのは紀元前一五世紀頃と考えられている（293ページ参照）。

メソアメリカ・アンデス文明に鉄器がなかったということは、後述するように、彼らには高度な製錬技術を駆使してまで鉄器をもつ必要がなかったということであろう。しかし、メソアメリカ、アンデス地域においても、宇宙から地上に飛来した隕鉄（主成分は鉄とニッケル）を利用した「鉄製品」があったことを否定する根拠はない。

❖完全なる石器文明──マヤ文明

メキシコ湾岸の低地南部で〝メソアメリカ文明を生み出した母胎〟であるオルメカ文明が栄えたのは紀元前一二〇〇～紀元前四〇〇年頃と考えられる。時期的には一部重なるが、紀元前一〇〇〇年頃からスペインに侵略・破壊される一六世紀まで、二五〇〇年以上の長きにわたってマヤ高地とマヤ低地（図4－1、図4－3参照）で栄えたのがマヤ文明（表4－1参照）である。後

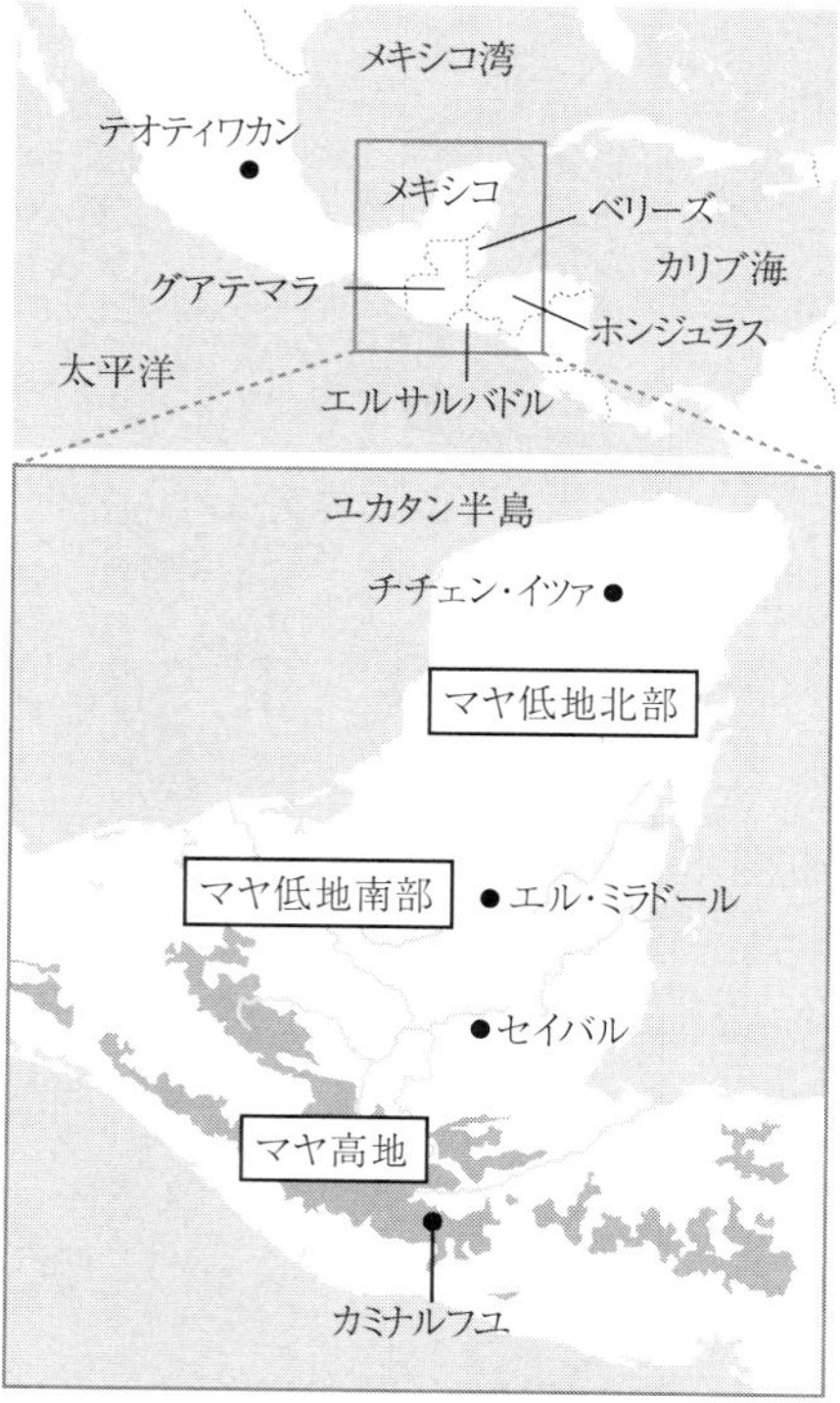

図4−3　マヤ文明の地域と主要遺跡

述するように、マヤ文明は一六世紀以前の南北アメリカ大陸で最も発達した文字体系、算術、天文学、暦を築き上げた。

ところで現在、「マヤ文明」を考えるとき、ユカタン半島を中心とする「マヤ世界」を大きくマヤ低地南部、マヤ低地北部、マヤ高地の三地域（図4−3）に分けるのが一般的であるが、「マヤ民族」という単一民族が存在するわけではない。また、標準語としての「マヤ語」も存在せず、近隣地域間以外では会話はほとんど、あるいはまったく成り立たないといわれる。

「マヤ」とは外国人（スペイン人）につけられた名称であり、「マヤ地域」に居住する先住民が

前10000?	石期		モンゴロイド狩猟採集民族が、アジア大陸からアメリカ大陸に進出
前8000	古期		トウモロコシやマニオクなどの栽培開始
前1800	先古典期	前期	マヤ低地で農民の小集団が季節的に移住し、トウモロコシなどを焼畑で栽培
前1000		中期	マヤ低地南部の**セイバル**、ティカル、ナクベや、マヤ低地北部のショクナセフなどで**神殿ピラミッド建設**
前400		後期	マヤ低地南部の**エル・ミラドール**、ナクベ、ティカル、セイバル、カラクムル、マヤ低地北部のエツナ、マヤ高地の**カミナルフユ**などの都市が発展
後250	古典期	前期	マヤ低地の諸都市が、神聖王を頂点に繁栄
600		後期	マヤ低地南部で、8世紀に人口がピークに達する
800		終末期	マヤ低地南部で多くの都市が衰退する中で、セイバルやラマナイ、マヤ低地北部で**チチェン・イツァ**、ウシュマル、コバーなどが繁栄
1000	後古典期	前期	チチェン・イツァが衰退し、中小都市が林立
1200		後期	多くの都市が、マヤ低地北部やマヤ高地を中心に興隆
16世紀	植民地時代		1697年、スペイン人がマヤ文明最後の都市・タヤサルを侵略
			メキシコと中央アメリカ諸国がスペインから独立
1821	現代		800万人以上のマヤ人が、マヤ文化を創造しつづけている

表4−1 マヤ文明の時代区分（参考図書(9)から引用、太字は本書関係箇所）

「マヤ人」である。本章で述べる「マヤ人」もこの意味である。

マヤ文明がいかなるものであるかについては、章末に掲げる青山和夫茨城大学教授の数々の白眉の書（参考図書⑺、⑾、⑿）などに余すところなく述べられている。

マヤ文明には、他の「古代文明」と異なる大きな特徴がある。一六世紀にスペイン人に破壊された後も、現在にいたるまでマヤ低地やマヤ高地などに居住する八〇〇万人以上のマヤ人は増加し続けており、三〇ほどのマヤ諸語を話している。さらには、〝生きている文化〟を保っているだけではなく、力強く新たな文化を創造し続けているといわれているのである。

マヤ文明の特徴を一言でいえば、「究極の石器文明」あるいは「最も洗練された〝石器の都市文明〟」（青山和夫茨城大学教授）である。

本章の冒頭で述べたことと重複するが、マヤ文明も世界の他の文明と同様、農耕を生活の基盤としていることは共通であるが、旧大陸の「四大文明」とは異なり、鉄器や運搬用の大型荷車をもたなかった。より正確にいえば、結果的にもつ必要がなかったのである。

文明と道具は表裏一体であり、次々に新しい道具を作り、使ってきた過程が文明史である。人類は、およそ二六〇万年前の原始的なオルドワン石器（礫器《れっき》）にはじまり、現在までさまざまな道具や機械、システムを発明し、「現代文明」を築き上げてきた。

人類の「道具史」を一覧して、私が非常に興味深く思うのは、二六〇万年前の原始的なオルドワン石器が発展した形の握斧《あくふ》（ハンドアックス）が出現するのが、およそ一〇〇万年後であることである。つまり、人類は一〇〇万年もの長い間、〝道具〟をまったく進歩・改良させなかったことになる。

一八世紀半ばの産業革命以後の、とりわけ二〇世紀に入ってからの人類の〝道具〟の急速な進歩を思えば、一〇〇万年もの間、〝道具〟の進歩・改良がまったく見られないというのはまことに不思議に思える。しかし私は、その進歩のなさは、人類の智能の問題ではなく、社会や生活様式上の必要性の問題であったのだろうと推測する。生活形態に変化がなければ、あるいは欲望の拡張がなければ、〝道具〟の進歩・改良の必要性は生まれない。

ここで私が強調したいのは、マヤ文明が「文明」の「必須条件」とされてきた鉄器や運搬用の大型荷車をもたなかったのは、もてなかったのではなく、もつ必要がなかったということである。

メソアメリカの諸遺跡からは車輪つきの動物土偶が発掘されているので、マヤ人が車輪の原理や効用を知らなかったわけではない。おそらく小さな荷車は使っていたであろう。しかし、マヤには運搬に役立つような大型の家畜がいなかったために、荷車が発達しなかったと考えられる。

マヤ人は石器を主要な利器として用い、基本的に手作業の技術と人力エネルギーのみで不自由なく生活していた。さらには巨大なピラミッド神殿を建造し、都市文明を築き上げたのである。

マヤ文明は、機械に頼らない「手作りの文明」（参考図書⑾）であった。
独自の文明史観をもち、数々の歴史小説を遺した司馬遼太郎は〝鉄の力〟についてこう述べている。

「木器や石器が道具の場合、人間の欲望は制限され、無欲でおだやかたらざるをえないのである。木の棒で地面に穴をあけてヤムイモの苗を植えたり、木製のヘラで土を掻いて稲の世話をしているぶんには、自分の小人数の家族が食べてゆけることを考えるのが精一杯で、他人の地面まで奪ったり、荒蕪《こうぶ》の地を拓《ひら》こうなどという気はおこらないし、要するに木器にはそういう願望を叶《かな》える力はない。鉄器の豊富さが、欲望と好奇心という、現象的にはいかにもたけだけしい心を育てるのではないか」（傍点引用者）（『街道をゆく 7』朝日文庫）

マヤ人は鉄器をもたない人々であった。鉄器をもつ必要もなく、石器だけで、手作業の技術と人力エネルギーのみで不自由なく生活した人々であった。マヤ文明の世界に、大きな統一国家が生まれなかったのは、彼らが鉄器をもたなかったためであるのは間違いないだろう。鉄器をもたなかった彼らは「自分の小人数の家族が食べてゆけることを考えるのが精一杯で、他人の地面まで奪ったり、荒蕪の地を拓こうなどという気」など起こさなかったのである。

一六世紀に、このようなマヤ人のマヤ文明を破壊したのは〝鉄の種族の人間〟（124〜125ページ参照）の権化のようなスペイン人であった。

❖「人工の神聖な山」

メソアメリカの諸都市には複数のピラミッドが林立し、その総数はエジプトのピラミッドの総数（未発見のものも含み、一七〇基ほどと思われる）に比べて桁違いに多い。たとえばメソアメリカ最大の都市・テオティワカンには、六〇〇基ほどのピラミッドが立ち並んだ（参考図書⑫）。

メソアメリカでピラミッドが建造されはじめたのは「先古典期中期」（217ページ表4－1参照）で、紀元前一〇〇〇年頃に建造されたと考えられる高さ二四メートルのピラミッドがセイバル遺跡で発掘されている。それ以降、無数といってよいほどのピラミッドが建造されたが、マヤ文明を代表する世界で最も有名なピラミッドといえば、古典期終末期のチチェン・イツァ遺跡の「エル・カスティーヨ」ピラミッド（図4－4）であろう。紀元九〇〇年頃に建造されたと考えられる。エル・カスティーヨが〝有名〟である理由は後述するが、このピラミッドの形はマヤのピラミッドの典型でもある。

全体の形はいわゆる〝ピラミッド形〟で、エジプトのピラミッド（第1章）と似ているが、マヤのピラミッドの社会的な機能や意味はエジプトのそれとはまったく異なる。マヤのピラミッドは、先祖の神々を祀る神殿なのである。つまり、階段状の〝ピラミッド〟部分は神殿の「基壇」

図4−4　チチェン・イツァ遺跡の「エル・カスティーヨ」ピラミッド 階段に沿って「蛇神」が現れている（矢印）
（写真：Damian Davies／Getty Images）

である。

エル・カスティーヨのピラミッド状基壇の底辺は六〇メートル、高さは二四メートルで、その上に高さ六メートルの神殿が建てられている。マヤの〝ピラミッド〟が、一般に〝神殿ピラミッド〟とよばれるのはそのためだ。

メソアメリカ最大の神殿ピラミッドは、先古典期後期のマヤ低地最大の都市であるエル・ミラドールにある高さ七二メートルのダンタ・ピラミッドである。

ちなみに、マヤ文明地域の〝ピラミッド〟なる名称は、欧米の考古学者がエジプトのピラミッドになぞらえてつけたものであり、本来は〝ピラミッド〟とは無関係である。あくまでも全体の形状が〝ピラミッド形〟をしているというにすぎない。

実際、古典期のマヤ文字では「ウィッツ（山）」とよばれている。〝神殿ピラミッド〟は文字通り〝山〟信仰に結びつく宗教施設であり、王の先祖である神々が宿る人工の神聖な山を象徴しているのである。

石を高く積み上げた大きな建造物を造ろうとすれば、誰が建設しても、その安定性から同じような形状（ピラミッド形）になるのが自然である。第1章でピラミッド形とダイヤモンドや半導体の結晶の形状が酷似していることを紹介したが（24〜30ページ参照）、それらの共通項は〝安定な形状〟なのである。それが結果的に〝美しい形状〟でもあった。

さて、マヤの建造物には「マヤ・アーチ」とよばれる独特の構造がある。

第3章で、古代ローマ建築の特徴の基本にあるのがアーチ構造（170ページ図3－11参照）であると述べた。アーチは、中央部が上方向に凸な曲線形状をした梁である。石造建築や煉瓦造建築の場合には、小さな部材の積み重ね方に「持ち送り式」と「迫り持ち式」とよばれる工法があることも述べた。

マヤの神殿や石室墓、門などの石造建造物に見られるのは、図4－5に示すような、ローマの半円形アーチとは異なる逆V字形のアーチ（紀元九世紀頃建造）である。石が壁に持ち送り式に嵌め込まれた、いわば疑似アーチで、マヤ地域で多用されていることから〝マヤ・アーチ〟とよ

図4–5 “マヤ・アーチ”構造をもつ門（青山和夫茨城大学教授提供）

ばれている。以前は古典期マヤ文明の建造物の特徴の一つとされていたが、近年の発掘調査によって、先古典期後期（217ページ表4－1参照）の建造物にも多く見られることがわかっている（参考図書⑿）。

❖増改築された神殿ピラミッド

前述のように、マヤには巨大な統一国家は生まれなかった。したがって、神殿ピラミッドなどの巨大建造物は、王や支配者の強制力によってのみ造られたとは考えにくい。この点、第2章で述べたストーンヘンジと似ている。

神殿ピラミッドが宗教施設であることから、その建造の意味と必要性を一般市民（ほとんどは農民であったろう）に納得させ、自発的に建造に従事させるような宗教観があったと考えられる。このような観念体系は王権を正当化し、巨大な神殿ピラミッドの建設と維持が王権を強化し、国民を統制する大きな手段にもなったであろう。

マヤ低地では石灰岩の岩盤が露出するほど石灰岩が豊富だったから、神殿ピラミッドや石碑などに使われた主要な材料は石灰岩である。地域によっては、その土地で産する凝灰岩、砂岩、流紋岩、大理石なども用いられた。一・五トンほどの重さの石塊が切り出されて積み上げられるのが一般的である。

マヤ低地の都市の多くは、石灰岩の岩盤の上に建設されている。一方、石灰岩のような石材に乏しいマヤ高地では、建設材として日干し煉瓦が多用され、マヤ高地最大の都市・カミナルフユでは日干し煉瓦で高さ二〇メートルに及ぶ神殿ピラミッドが建造されている。

石材や日干し煉瓦に加え、牡蠣《かき》の貝殻から生産された漆喰や、石灰岩から生成された生石灰（第3章、175ページ参照）も多用された。高地産鉱物の赤鉄鉱、マンガン、辰砂《しんしゃ》（水銀朱）などから作られた顔料は、建造物のほかに記念碑や壁画、絵文書、織物、土器、土偶などの彩色に使われた。世界でもまれな有機青色顔料の「マヤ・ブルー」は、藍（インディゴ）と粘土鉱物を混ぜて加熱して作られた（参考図書⑿）。後述するマチュ・ピチュの項でも触れるが、古来、何でも「地産地消」が原則であり、またそれが理にかなっているのである。

マヤの神殿ピラミッドとエジプトのピラミッドには、形状の違いに加えて、大きな差異がある。マヤの神殿ピラミッドには長年にわたり、あたかも玉ねぎの皮を重ねるように、古い時代の神殿ピラミッドを包み込むようにして増改築されてきたものが多いのだ。たとえば、高さ二四メートルのセイバル遺跡最大の神殿ピラミッドの基壇が、二〇〇〇年にわたって三〇回以上も増改築されていることが発掘調査によって明らかにされている（参考図書⑿）。

王権の拡大・強化のためにより大きな、より高い神殿ピラミッドを建造することは、後継王としては自然な感情であろう。そのとき、マヤではより大きくより高い神殿ピラミッドを新たに建造するのではなく、既存のものを拡張・増築する手段を選択したのである。このような増築は、建材や労働量を節約するのに大いに貢献した。

❖驚異的な精度を誇ったマヤの天文学

メソアメリカ・アンデス文明圏ではもとより、世界規模の古代文明圏の中で、天文学を最も発達させたのは古代マヤ人ではないかと思われる。もちろん、彼らの天文学は純粋な学問として発達したものではないし、知的好奇心を満たすためのものでもなかっただろう。実際、マヤには、天文学者がいたわけではない。

古典期のマヤ支配層を構成した〝書記〟とよばれる人々が、行政・宗教的業務の一環として天文観測や暦の作成を行ったのである。天体観測の知識は生活の糧《かて》を生み出す農業、宗教の基盤として重要だった。文明が栄えたエジプト、ギリシャ、ローマ、メソポタミア、インド、中国などの古代人と同様に、多神教だった古代マヤ人にとって、太陽、月、惑星、特に金星などの天体は日常的な生活に大きな影響を及ぼすものであった。

望遠鏡などの観測手段をもたない古代マヤの書記は、肉眼で太陽、月、金星などの天体を驚異的な精度で観測した。たとえば、地球の公転周期として三六五・二四二〇日を算出しているが、これは現在の最先端観測装置を駆使して得ている数値と比べても、わずか〇・〇〇〇二日の誤差しかない。月の公転周期については二九・五三〇二〇日と算出しているが、これもわずか〇・〇〇〇三九日の誤差である。

古代マヤ人は惑星についての知識も豊富であったが、特に強い関心を寄せていたのは〝一番星〟の金星であった。古代ギリシャでは、〝明けの明星〟と〝宵の明星〟は別の星と考えられていたが、マヤ人はそれらが同じ金星であることを理解していた。さらに、古代マヤ人は日食と月食が起きる周期も正確に知っていた。

彼らの天文学の知識は、建造物にも活かされている。

221ページで、マヤ文明を代表する世界で最も有名なピラミッドといえば、古典期終末期のチチ

図4‒6　チチェン・イツァ遺跡の天文観測所（青山和夫茨城大学教授提供）

エン・イツァ遺跡の「エル・カスティーヨ」ピラミッド（図４－４）であると述べたが、ここは毎年、世界中から数万人の観光客が集まる中米最大の観光スポットである。

第２章で述べたストーンヘンジと同様に、この「エル・カスティーヨ」には、古代マヤ人の天文学、暦が織り込まれている。

高さ二四メートルの基壇の四面にはそれぞれ九一段の階段があり、基壇の上にある高さ六メートルの神殿に続く一段と合わせて、合計三六五段となる。古代マヤでは、複数の複雑な暦（マヤ暦）が使われていたが、「エル・カスティーヨ」は三六五日暦、つまり太陽暦の神殿ピラミッドだった。

春分と秋分の午後に限り、「エル・カスティーヨ」の北側の階段に太陽の光と基壇の影が「蛇神」（222ページ図４－４の矢印）を描き出す。この蛇神は「風と豊穣の神・ククルカン（羽毛の生えた蛇神)」とよばれている。「エル・カスティーヨ」の基壇は磁北(コンパスの針が示す方向)から一七度ほど傾けて建造されており、春分と秋分の日に北側の長さ三四メートルほどの階段壁に「光の大蛇」が空から降臨するように設計された壮大な宗教的、政治的装置であった。

チチェン・イッツァにはまた、長方形の基壇の上に立つ、円筒形の三層の高さ一二・五メートルの天文観測所(図4-6)があった。内部には螺旋状の石の階段があり、その観察窓から春分と秋分の日没が観察された。さらに、基壇の北東隅は夏至の日の出、南西隅は冬至の日の出の方角を指しているという(参考図書⑿)。この天文観測所が建造されたのは、基壇に立つ石碑の年号から九〇六年と考えられている。

❖マヤ文字

マヤの支配層は、紀元前三世紀頃から南北アメリカ大陸で最も発達した文字体系を築き上げ、石碑や壁画、絵文書などにさまざまな記録を遺した。マヤ文字は漢字と仮名文字で構成される日本語と似ており、一字で一語を表す「表意文字」と一字で一音節を表す「表音文字」から成る。

日本語で「犬」と「いぬ」のどちらでも同じ意味が通じるのと同様、マヤ文字にも意味を表す文字と音を表す文字の両方が使われていた。たとえば、マヤ人にとって最も馴染みのある動物と

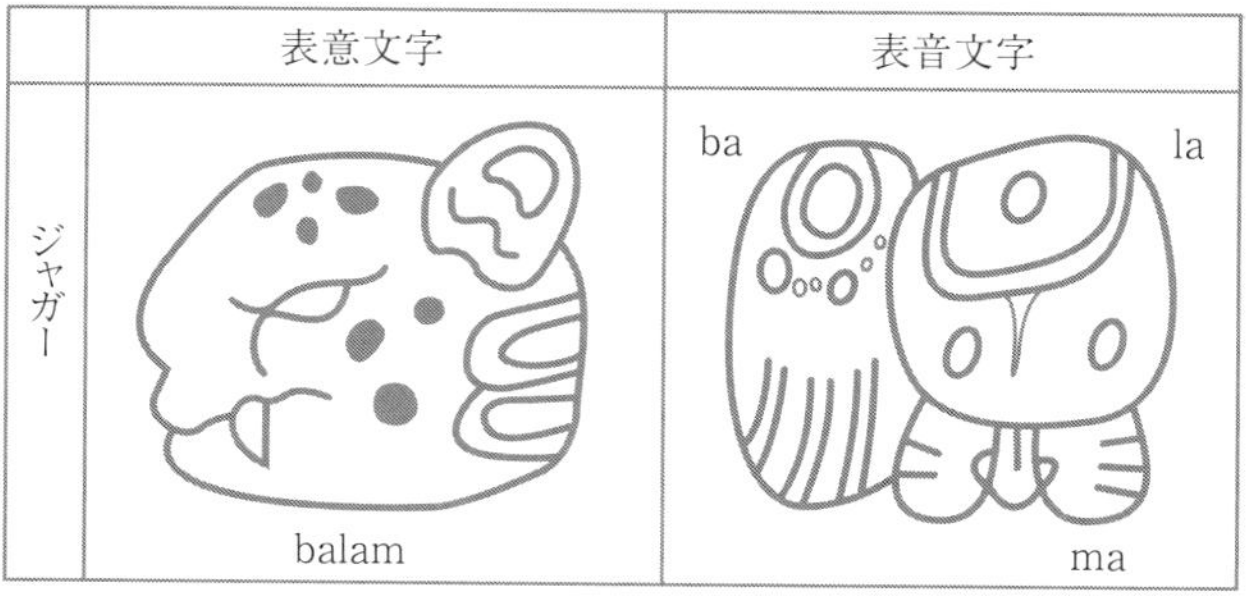

図4−7　マヤ文字（参考図書(9)より）

いえばジャガー（balam）であるが、それは図4−7に示すように表意文字と表音文字で表される。

簡潔なアルファベットを使う欧米人にはいうまでもなく、彼らから見れば相当に複雑な漢字、平仮名、片仮名交じりの日本語を使う日本人にとっても、マヤ文字は複雑怪奇に思えるが、不思議なことに、マヤ文字は紀元前から一六世紀までほとんど変化していないのである。

日本では漢字から仮名が生まれ、漢字自体も年を経るにしたがって簡略化が進んだように、文字は複雑な形態から簡略な形態へと使いやすいように変化するのが自然に思えるが、マヤ文字はそれが生まれたときから「完成した文字」だったということであろうか。

いずれにせよ、文字は手で書かれたのだから、このようなマヤ文字を使ったまとまった文書の記録には気が遠くなるような時間を要したことは疑いがない。

❖マヤの数学

数学史上、微分・積分法、座標系など画期的な発見は少なからずあるが、なんといっても最も画期的な最大の発見は「ゼロ（0）」だろう。

ゼロを導入することによって「位取り《くらいど》り」による記数法が可能になったからである。ゼロのおかげで、「1」から「9」、そして「0」の計一〇個の数字を用いるだけで、あらゆる数字を自由に書き表し得るのである。

私は長らく、ゼロの発見者はインド人だと思っていた。

数学史におけるバビロニア、エジプト、ギリシャ人の功績は計り知れないが、ゼロの発見者が彼らではなく、インド人であったのは、インド哲学（佛教思想）に脈々と流れている「空《くう》の思想」「空の論理」と無関係ではないと思っていた。名著『零の発見』（吉田洋一著、岩波新書、一九三九）でも〝ゼロの発見〟はひたすら〝インド人の天才〟に帰されている。

ゼロ（0）がいつ、誰に発見されたのかについては「七世紀の初めころ、インド人の数学者ブラーマグプタによる」というのが定説である。

ところが、古代インド人による〝ゼロの発見〟に遡《さかのぼ》ること一〇〇〇年も前に、古代マヤ人が

「何も数字が入らないことを表すための記号」としてゼロの文字を発明していたのである。これが人類史上最初のゼロの文字である。

しかし、古代マヤ人は、ブラーマグプタが「いかなる数に零を乗じても結果はつねに零である」、また「いかなる数に零を加減してもその数の値に変化がおこらない」（前掲『零の発見』）と定義したような〝数字〟としては扱っていなかった。そのため、「数学史」においては〝ゼロの発見〟とは認められていないのである。

だが、後述するように、マヤの数学においてゼロ（0）が数表記（記数法）に使われていたのは事実であるから、やはり私は「ゼロ（0）の発見者は古代マヤ人」であり、「それを現代につながる数学の中に位置づけたのがインド人」とするのが正しいと思う。

本書を書くにあたって、私は五〇年以上前に読んだ『零の発見』を読み直してみた。最初に読んだときには読み過ごしてしまったのか、まったく記憶にないのであるが、今回、次のような記述を見つけた。

「実をいえば、比較的近ごろの研究によって、中部アメリカのマヤ族――この種族は十六世紀ごろ絶滅してしまった――は、およそ西暦紀元のころ、二十進法による位取り記数法をもっていたことがわかってきた。ただ、これは現代の文化とはぜんぜん交渉のない文化の上でのことなので、ここでは当然問題のほかにおくべきであろうと思われる」（傍点引用者）

私には、何度読んでも、傍点部の意味が理解できないのである。著者の吉田洋一氏が何をいいたいのか、私にはさっぱりわからない。

また、「この種族は十六世紀ごろ絶滅してしまった」というのは明らかに誤りである。前述のように、マヤ文明は一六世紀にスペイン人に破壊されたが、マヤ低地やマヤ高地などに居住する八〇〇万人以上のマヤ人が〝生きている文化〟を保っているのである。

われわれが日常的に使うのは十進法であるが、これはわれわれが数を数えるとき、一〇本の手の指を使うからである。古代マヤ人は二十進法を使ったのであるが、これは、メソアメリカの人々が手だけでなく、手足両方の指（二〇本）を使って数を数えたことによるのであろうか。

私には足の指を手の指のように自由に動かすことができないのであるが、メソアメリカの人たちはみな、足の指も手の指と同様に動かすことができたのだろうか。さもなければ二十進法が発達することはなかったであろう。じつに興味深いことである。

ちなみに、後述するインカ帝国では十進法が使われていた。中南米の文明下で二十進法と十進法の違いがあるのはなぜなのか、これもまた興味深い疑問である。いずれにせよ、メソアメリカ文明の二十進法が特殊なものであるのは間違いない。

マヤの数字と数表記を図4－8に示す。

数字は、「1」を「●（点）」、「5」を「▬（棒）」、そして「0」をマヤ文字の「貝」で表して

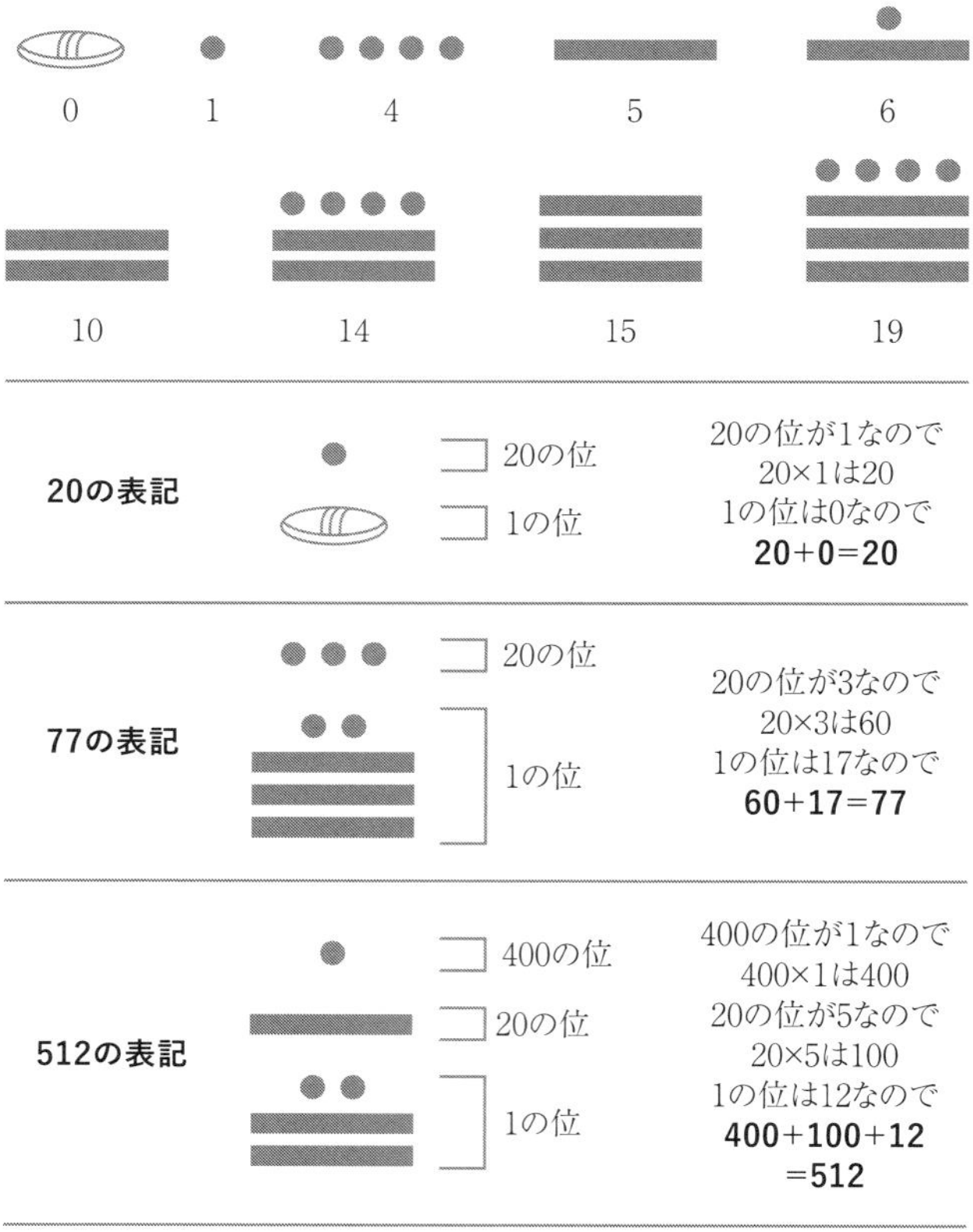

図4−8　マヤの数字と数表記（参考図書(9)より）

いる。「19」は「〈▬（棒）3本＝15〉＋〈●（点）4個＝4〉」で表される。二十進法では「20」で桁上げされるので、「20＋0」で図4－8に示すようになる。例として、「77」、「512」の表記法も示す。

マヤ文明を知る手がかりとして、遺跡に遺された壁画や石碑のほかに「コデックス」とよばれる文字と絵で記された絵文書がある。古代マヤには天文学、儀式、神話などを記したたくさんの絵文書があったはずであるが、一六世紀にマヤ文明を破壊したスペイン人による野蛮な焚書《ふんしょ》のためにほとんどが失われ、現存するのは「マドリード・コデックス」「パリ・コデックス」「ドレスデン・コデックス」「グロリア・コデックス」とよばれるわずか四冊の絵文書のみである。

コデックス（codex、古写本）は、イチジク科の木の繊維を織り込んだアマテ紙に白い漆喰を塗った上に、細いペンで書かれている。文字は赤と黒で、図はさらに青、黄、緑、茶で彩色されている。

「ドレスデン・コデックス」にはマヤの種々の暦、月、金星、新年の儀式などが書かれているが、中でも興味深いのは〝マヤの数学〟に関わる金星についての記述である。

地上から見た金星の一年は五八四日で、五年が地球（三六五日／年）の八年分にあたるという「584×5＝365×8」という書き方で記されているそうである。これは最小公倍数・最大公約数を計算できたことを示唆しており、素因数分解もできたのではないかと考えられている。

古代マヤでは三六五日暦、二六〇日暦をはじめ、さまざまな周期の暦を複雑に組み合わせて使っていたが、その根底には最小公倍数・最大公約数、素因数分解などの数学的知識があったと思われる。

❖文字をもたなかったアンデス文明

いままで述べてきたのはメソアメリカ文明である。旧来の「四大文明」に中南米の二大文明（206ページ図4－1参照）を加えたのが「世界六大文明」であるが、その二大文明の一翼を担うのがアンデス文明である。

アンデス文明と聞いて、一般にすぐ思い浮かぶのはインカ帝国、ナスカの地上絵、「天空都市」マチュ・ピチュだろう。事実、いま日本人が最も訪れたい「世界遺産」の一つは、アンデス文明の〝象徴〟ともいえるマチュ・ピチュを含むインカ帝国やインカ文明の遺跡だそうである。私もおよそ二〇年前に現地を訪れた。

後述するようにインカ帝国の前身となるクスコ王国が成立するのは一三世紀である。インカ帝国が栄えたのは日本でいえば室町時代にあたり、一五世紀からのわずか一〇〇年間ほどでしかない。これでは二大文明の一翼を担うのは無理であろう。

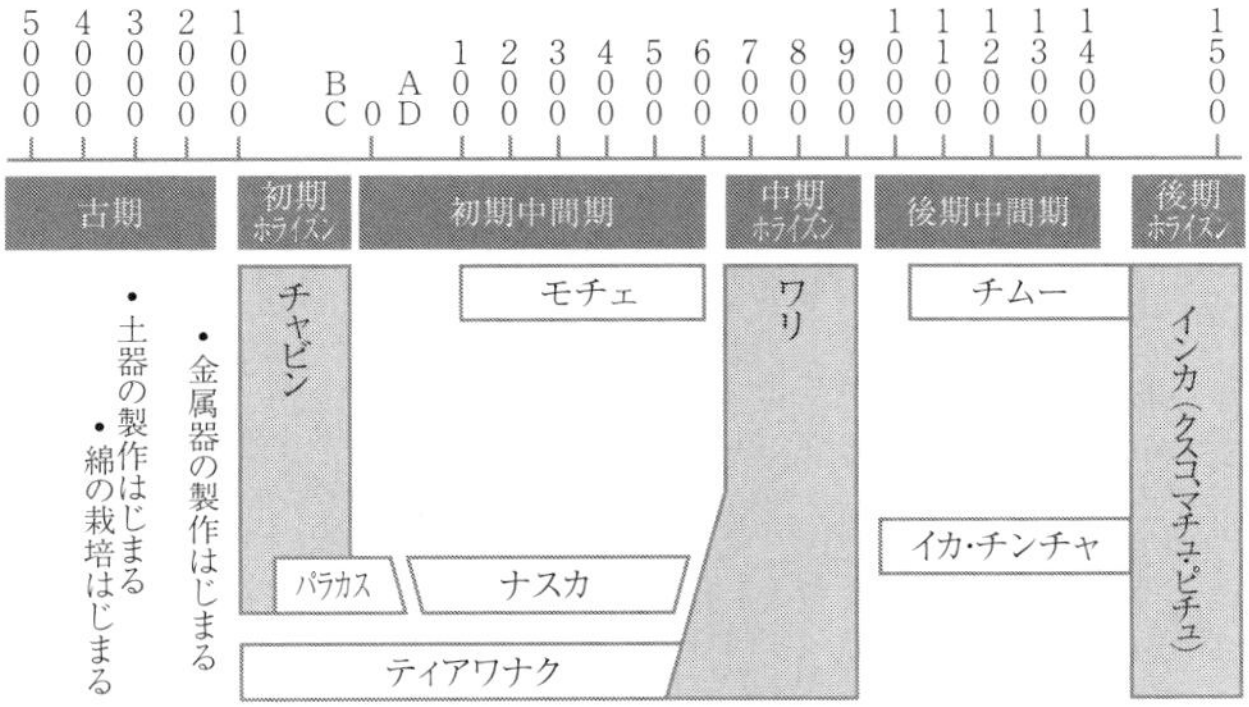

図4−9　アンデス古代文化の簡略年表（参考図書(3)より一部改変）

現在のペルー、ボリビアの中央アンデス地帯に人類が登場したのはいまから一万年ほど前と考えられており、以来、現在まで、正確には一六世紀にスペイン人に破壊されるまでの間に培われてきたのがアンデス文明である。この文明の詳細は章末の参考図書(9)などに譲るとして、アンデス古代文化の簡略年表を図４−９に示す。

アンデス文明においては、地方ごとに独自の文化が栄えた時代と、特定の文化が広範囲にわたって影響を及ぼした時期とが交互に訪れている。後者の時期は「ホライズン（horizon）」とよばれ、紀元前一〇世紀頃に現れたチャビン文化はアンデス文明の最初のホライズンである。前述のように、インカ帝国自体は室町時代の頃、わずか一〇〇年ほどしか栄えていないが、インカは先行するさまざまな文化のアンデス文明の頂点に位置するホライズンということになる。

古代歴史学の専門的視点からは、アンデス文明を特徴づける要素はいくつもあるのだろうが、私が不可思議、かつ驚異的に思うのは、アンデス文明には文字がなかったということである。

人間を他の動物と分かつのは、「文化」の形成と所有である。そして、その文化の継承において、決定的に重要な役割を果たすのが言語であろう。

ところで、その〝言語〟は、人間特有のものなのであろうか。植物はともかく、他の動物は本当に〝言語〟をもっていないのだろうか。

言語が「音声、または連続文字を用いて思想・感情・意思などを伝えあう体系。また、その行為・ことば」（『日本語大辞典』講談社）であるとするならば、人間以外の動物が文字をもたないことは確かであるが、彼らも「音声を手段として、感情・意思を表現・伝達し、理解する」ことは疑いのない事実である。このことは、ふだん犬や猫、多種類の鳥たちと接して生活している私には断言できる。

人間と他の動物との主たる違いは、〝言語〟ではなく〝文字〟をもつか否かであろう。

人間の中でも、アンデス文明の人々のほかにアメリカの先住民や日本のアイヌ、オーストラリアのアボリジニなど、文字をもたない民族が存在する。彼らの文化は、すべて直接的な音声による言葉と具体的な物品で形成され、子孫に伝えられてきたものなので、文化の形成・伝承に文字が不可欠ということではないが、文字の発明と使用とが、思想や知識を時間と空間を超えて伝達・蓄積することに絶大な貢献をしてきたことは明らかである。私には、文字なくして、人類がこんにちのような科学と技術をもつことができたとはとうてい思えない。

文字がなければ、感情や意思の表現、伝達は一過性のものとなる。これでは、知識の集積は困難である。たとえ親が子に獲物を捕らえる技術を教えることができても、文字なくして、それが普遍的な技術として、時間と空間を超えて伝達、蓄積することはない。加えて、空間的・時間的に隔てられた他者が、既存の技術に「工夫や改良」を加えることができるのも、文字あればこそである。

このような文字に代替するのが、インカに遺る「キープ」という結節縄《けっせつじょう》であるが、文字なくして高度な文明が築かれ得たことが、私にはどうしても理解できないのである。

以下、「古代世界の超技術」の観点から、図4‐9の年表中の「ナスカ」の地上絵と「インカ帝国」（クスコ、マチュ・ピチュ）についてのみ述べたいと思う。

❖ナスカの地上絵――一筆描きのラインは歩道だった！

ナスカ文化は、図4‐9に示したように紀元前後から紀元六〇〇年頃にかけて、現在のペルーの海岸地帯に栄えた文化である。アンデス文明の中でも、綿密に整備された灌漑設備と屈指の多彩色土器をもった文化として知られているが、ナスカといえば、やはり、地上絵があまりにも有名である。

ナスカの地上絵は、ナスカ川の支流に挟まれた五〇〇平方キロメートルにも及ぶ広大な乾燥台地に展開している。図4-10に示すような動植物、特に鳥類、サル、リャマ、爬虫類、シャチ、人（神？）などの絵が有名だが、およそ八〇〇にも及ぶといわれる〝地上絵〟の圧倒的多数は直線や台形に象徴される幾何学模様である（図4-11）。日本では〝ナスカの地上絵〟とよばれるが、一般に考古学（英語）で〝ナスカ・ラインズ（Nazca Lines）〟といわれるのもそのためであろう。

動植物の絵は、すべて〝一筆描き〟になっている。いずれも、ナスカ文化期の紀元前後から紀元六〇〇年頃までに描かれたものであることがわかっている。

山形大学の坂井正人教授らのグループが二〇〇四年からナスカ台地の調査を続けており、二〇一一年に新たな地上絵を二つ（人の頭部と動物）、二〇一三年にはいずれも一〇メートルを超す大きさの人物と思われる二つの並んだ地上絵を「発見」した。また、ドイツの調査隊はナスカ近郊のパルパ川付近（東西五キロメートル、南北七キロメートル）で六〇〇以上の地上絵を確認しており、これらが紀元前四〇〇年から紀元八〇〇年頃にかけて製作されたことを明らかにしている（参考図書(9)）。

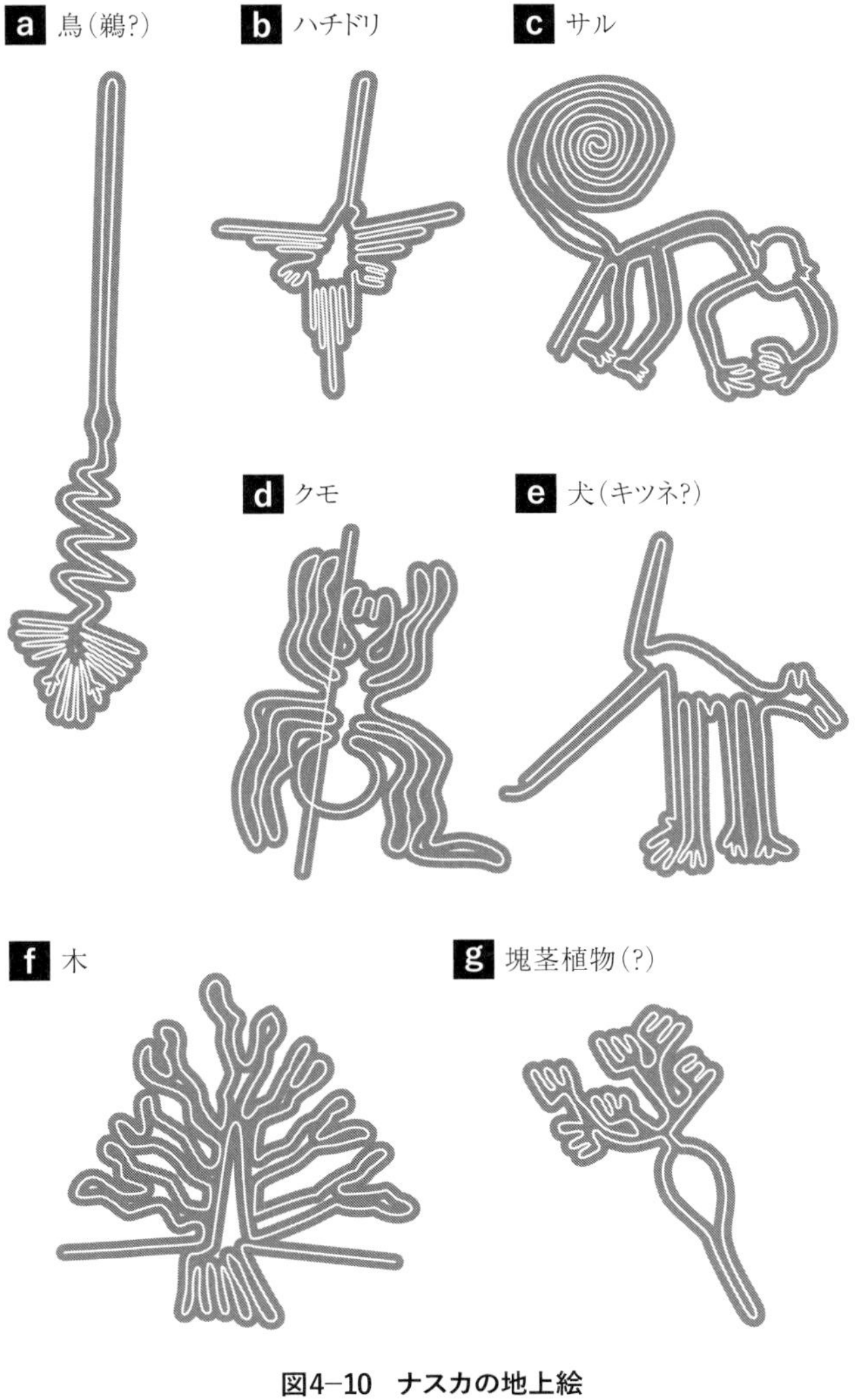

図4–10 ナスカの地上絵

図4−11　ナスカの地上絵（幾何学図形）
（写真：Alamy／アフロ）

ナスカ・ラインズが「発見」されたのは、比較的最近のことである。

一九二〇年代末に、民間会社がペルーで初めてとなる山越えの商業飛行を開始した際に、多くのパイロットが砂漠の線（ラインズ）に気づいたといわれる。だが、じつは、ナスカ・ラインズは空から視認される数年前に、ペルー人考古学者によって「発見」されていたらしい。

地上絵の多くはナスカ台地に描かれているのであるが、周辺の山腹にも描かれていることを、私自身、セスナ機による遊覧飛行で初めて知った。図4－12は、私がセスナ機から撮影した地上絵の写真である。この地上絵が何を描いたものであるのかは、残念ながらわからない。木の一種や秤《はかり》のように思える。少なくとも動物ではないだろう。ちょうど、セスナ機に並行して飛んでいた大きな翼をもつ二羽の大きな鳥が右上に写っている。アンデスといえば有名なコンドルだったのだろうか。

図4−12　ナスカ台地周辺の山腹に描かれた地上絵(筆者撮影)

ナスカの地上絵がこれほどまでに有名で、〝謎〟として多くの人を惹《ひ》きつけるのは、何といっても、その巨大さのためである。図4−10(a)のジグザグの首をもつ鳥は鵜《う》ではないかと考えられているが、この全長は二七四メートルもある。図4−10(c)のサルの渦巻き状の尻尾の幅は六八メートル、線の全長は一・五キロメートルにも達する。

このように、ナスカの地上絵はいずれも巨大であり、それらが何の絵であるかは地上にいたのではわかり得ない。上空一〇〇〇〜二〇〇〇メートルから見てようやく判別できるのである。この紛れもない〝事実〟から、「発見」以来、〝謎〟として多くの人を魅了しているのである。

このような絵は当時の人間に描けるはずがなく、宇宙からやってきた異星人が描いたものだとする説、古代のナスカ人が神＝宇宙人に捧げた供物であるとする説など、〝謎〟の解決を〝地球外生命〟に求める説も、まことしやかに語られてきた。ナスカの地上絵の〝謎〟に迫る本は無数といってよいほど出版されているが、私が知る限り「これ一冊ですべて解決」と思われるのはアヴェニ著『ナスカ地上絵の謎　砂漠からの永遠のメッセージ』（参考図書⑹）である。

結論を簡単に記せば、ナスカの地上絵はもちろん〝宇宙人〟とは無関係であるし、空から眺めるためのものではない。ナスカの地上絵は社会的、宗教的な儀礼行為として歩くために造られた歩行者用の道なのである。

また、多くの直線は放射状に延びており、それは綿密に整備された灌漑水路と水の流れに関係している。直線の方向の多くは、ナスカ水系に水が流れ込んでくる一般的な方向、つまり自然の地勢と一致している。これらの方向は、ナスカ・ラインズが水に関係し、さらには、その貴重な液体を流し出す場所である山とも関係しているとする説と符合する（参考図書⑹）。

❖精密な図形はどう描かれたのか

地上絵はどのように描かれたのか。

私自身、機上から見たときはまったくわからなかったのであるが、地上で見て驚いた。地上絵は、地面にペイントを含む何かを置いて描かれているのではなかった。

ナスカの平原（パンパとよばれる）は一面の暗色だが、これは「砂漠漆《うるし》」に被われているためである。砂漠漆は、風に運ばれてきた微生物が鉄とマンガンを豊富に含む石の表面に付着し、そのはたらきで空気に触れた部分が酸化することで形成される。

この砂漠漆層の下の植物やバクテリアに由来する有機物の放射性炭素法による年代測定の結果、動植物などの〝絵〟はよく似た形象がナスカ土器に描かれたのと同じ頃、つまり紀元三六五プラスマイナス七五年に、また、直線、幾何学図形は紀元六〇〇〜一四五〇年に描かれたと判定された。ラインのほうが動植物画より後に造られたということで、これは直線が動物の絵の上を横切っている例がいくつか見られることと合致する。

五〇万年ほど前に洪水によって山から運ばれてきた岩の破片である石は、空気に触れると酸化して表面が暗色化するが、空気に触れなければ白く明るい色をしている。ナスカの地上絵は、暗色化した表面の石を取り除き、下層にある白く明るい面を露出させることで描いているのである。ナスカ・ラインズの製作者は、取り除いた表面に黒い石をきれいに並べてラインの縁取りを施し、輪郭を際立たせた。

いずれにせよ、膨大な数の巨大な地上絵を製作するのは気が遠くなるような作業だったろう。先に紹介した『ナスカ地上絵の謎　砂漠からの永遠のメッセージ』の著者・アヴェニが現地で実際に行った製作実験の結果から、一〇〇人が一日一〇時間働けば、三日間でおよそ一六七〇平方メートル弱の地面から暗色の石を除去できると結論している。

一六七〇平方メートルは九×一八三メートルの矩形に相当する面積にあたり、勤勉を尊ぶ労働倫理があれば、一万人の労働者でパンパのすべての図と線を造るのに要する時間は一〇年より短いという。大きな石を高く積み上げるピラミッドを建造するような場合とは異なり、平地での地上絵の製作には驚くほど少ない労働力と時間ですむということである。

図4－10に示すような図柄や図4－11に示すような図形は、どのようにして描かれたのであろうか。それらはいずれも巨大であり、上空から眺めることなく、どのようにして精確に描くことができたのか。

ナスカ研究者として著名なマリア・ライへ（一九〇三～九八）は、最初に糊をきかせた布にチョークで設計図を描き、まずパンパに小型の〝試作品〟を作ってみて、それから巨大なサイズに取りかかったと考えている。布に描かれた設計図を巨大なサイズでパンパに写し取るために、一定の基準測量単位を基にしてさまざまな倍数の長さを作り、棒とロープを用いてコンパスで弧を描いていったと述べている（参考図書⑹）。

つまり、長さと方向を正確に測定でき、相似形さえ描くことができれば、巨大な地上絵が精確に描かれているかどうかを空から眺めて確認する必要はないのである。事実として、彼らは、空から眺めることなく、巨大な地上絵＝ナスカ・ラインズを精確に描いたのであった。

❖インカ帝国が誇った「石の芸術的技術」

先述のように、インカ帝国が栄えたのは日本でいえば室町時代であり、〝古代〟というわけではない。したがって、本書の趣旨である〝古代世界の超技術〟からは外れるのであるが、インカ帝国が遺した「石の芸術的技術」について述べ、「石の文化・文明」の締めくくりとしたい。

インカ皇帝の系譜によれば、伝説的始祖とされる初代マンコ・カパックから第一三代アタワルパまで一三人の皇帝がいるが、マンコ・カパックを除いて、すべて実在の人物と考えられている。インカ帝国は一五三三年、スペイン人によって無惨に破壊されるが、スペイン人が侵入したとき、首都・クスコには二代から一一代までの皇帝のミイラが保存されていたという。

インカ帝国の最盛期は一五世紀中頃からスペインに破壊される一五三三年までで、その領土は現在のペルー、ボリビア、エクアドルの大部分とチリ、アルゼンチン、コロンビアの一部にまで拡大された。これだけの大帝国が、スペインの侵略者・ピサロ率いるわずか一六八名の兵士と一門の大砲、二七頭の馬という兵力にあっけなく征服されてしまうのであるが、その顚末《てんまつ》については数ある他書に譲る。

本書の関心は、あくまでも「石の文化・文明」である。

❖巨大な石をどう切り出し、運んだのか

インカの遺跡といえば、図4－13に示すような〝カミソリの刃すら通らない〟精巧な石組みが有名であるが、数百トンの巨石を使った遺跡もある。

クスコの北方、ウルバンバ川の支流であるパタカンチャ川が流れ込む直前の河岸平地と両側の急な斜面に建つオリャンタイタンボ遺跡には、高さ約四メートル、幅約一・五～二・五メートル、厚さ約二メートルの巨石が六枚並んだ「六枚屏風」とよばれる巨石の壁がある（図4－14）。重さは最大のもので約八〇トンと推測されており、巨石と巨石の間には幅が一五センチメートルほどの板状の石が挟まれ、これまた〝カミソリの刃すら通らない〟精巧な石組みになっている。この「六枚屏風」は、遺跡の頂上の太陽神殿の一部を構成していたと考えられる。

材料は数キロメートル下流にあるカチカタから切り出された斑岩《はんがん》で、表面に遺された突起にロープをかけて引っ張って運んできたというのが定説である。

〝古代〟ならまだしも、日本でいえば室町時代まで、つまりほんの五〇〇年ほど前まで、インカには車輪やコロが存在せず、馬のような大きな力をもつ家畜もいなかったというのは不思議なことであるが、インカ人はまちがいなく、数千人を動員して人力のみで巨石を運んだのである。

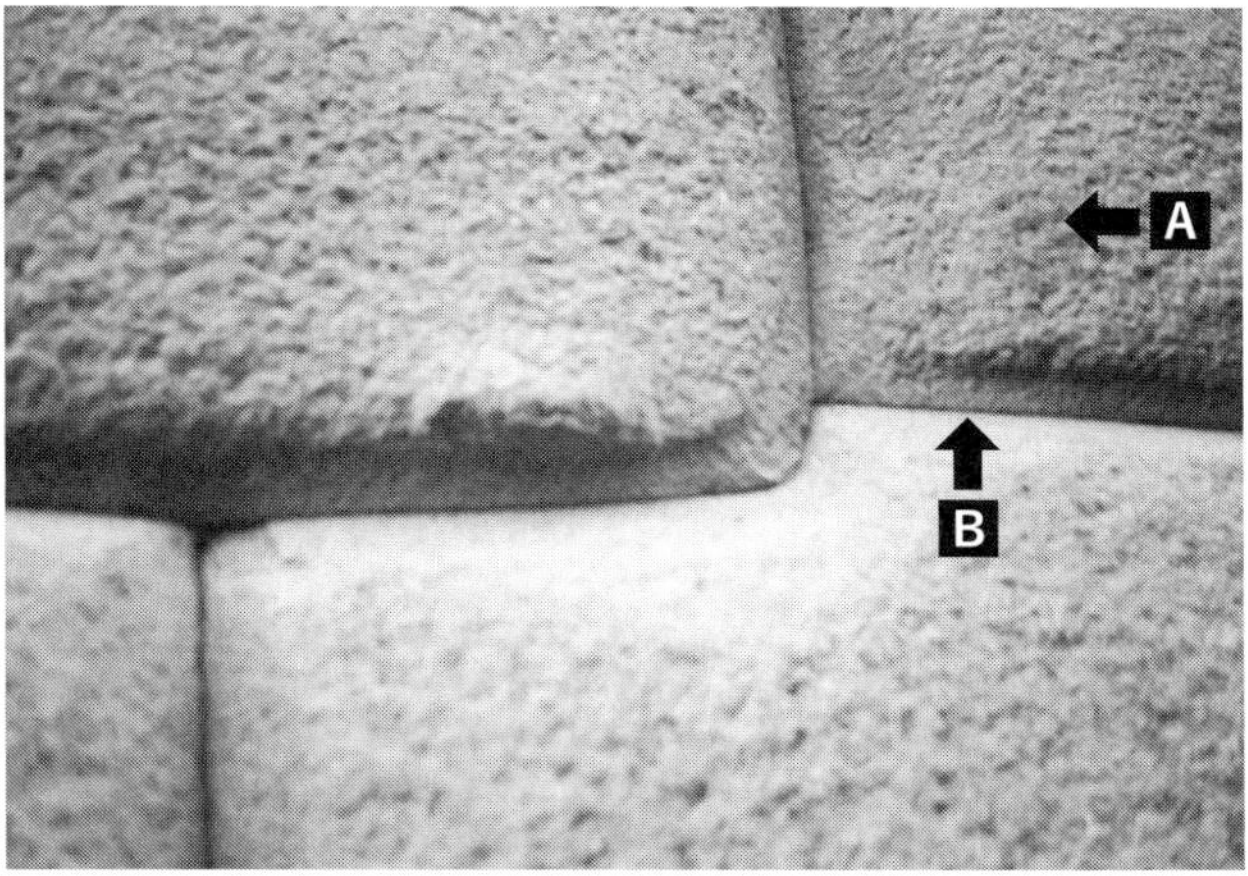

図4−13　インカの石組み（クスコにて筆者撮影）

巨石で有名なものとして、ほかにクスコ近郊のサクサイワマン遺跡がある。ここには最大二五〇トンと推測される巨石があり、採石場所からは三五キロメートルも離れている。このような重さの石を人力のみで運んだとすると、ロープのかけ方、ロープの強度、運搬人の配置などに難問が残り、不可能と結論する学者もいるようであるが、実際に人力のみで（宇宙人の手を借りることなく）運搬したのは疑いようのない事実である。

オリャンタイタンボ遺跡についての詳細な研究報告（参考図書⑸）を書いたカリフォルニア大学のプロツェン教授は、図4－15に示すような巨石運搬構成図を提案している。

巨石塊に大きな網をかけ、くびきに四本、あるいはそれ以上の太いロープをつなぐ。各ロー

図4−14　オリャンタイタンボ遺跡の“六枚屏風岩”（筆者撮影）

プには枝状に対称の二本の細いロープをつなぎ、それを運搬作業者が引っ張る。たとえば、一・六メートル間隔で長さ一八〇メートルの四本のロープをくびきにつなぎ、〇・八メートル間隔で運搬作業者を配置すれば、合計一八〇〇人の作業者で巨石塊を引っ張ることになる。

この図4－15に示されるような巨石運搬構成は、大型家畜を使うかどうかの違いはあっても、ピラミッドやストーンヘンジ築造の際の巨石運搬とも共通するものであろう。

このようにして建造現場まで運ばれた巨石塊が、どのように立てられたかについてはすでに第1章、第2章で考察したとおりである。

もう一つ残る疑問は、このような大きさの石をどのようにして切り出したのか、ということである。インカには鉄器がなく、石の加工は石

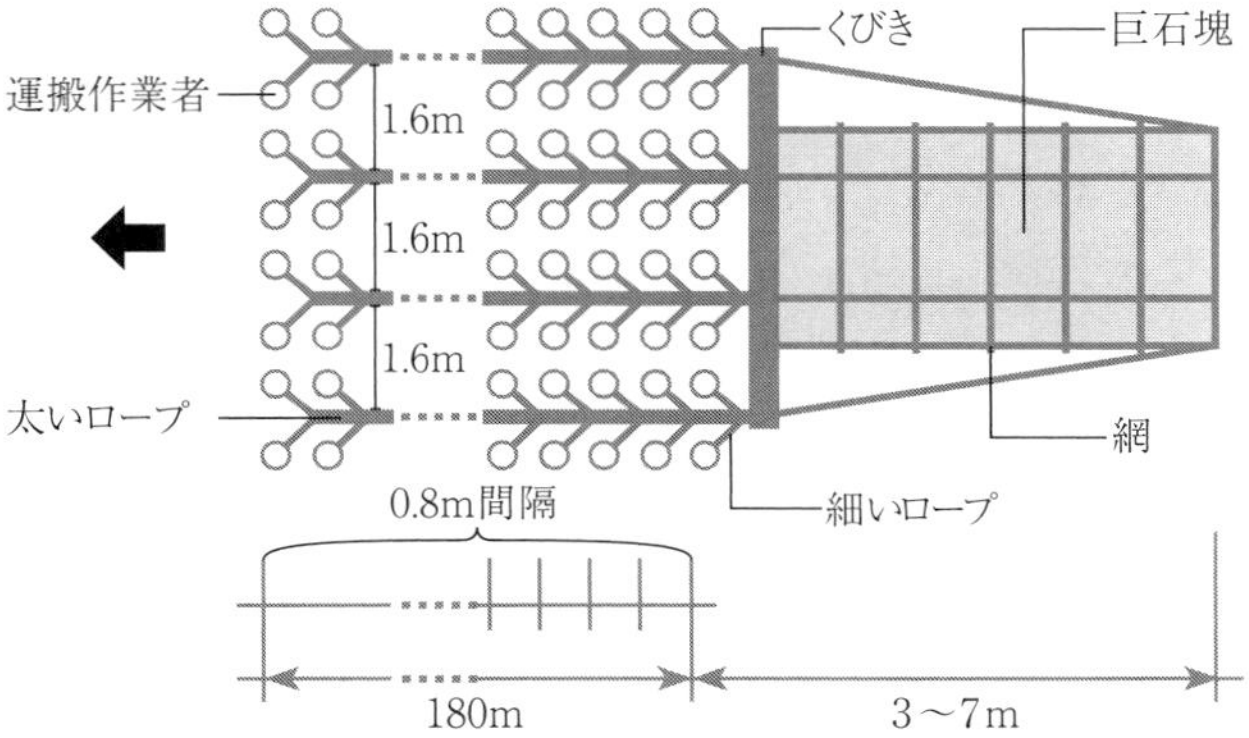

図4−15　巨石塊の運搬構成図（参考図書(5)より一部改変）

を使って行ったというのが定説である。この疑問に対するプロッツェン教授の答えは簡単明瞭である（参考図書(5)）。

建材としての石は、岩盤から剥がされたのでも切り出されたのでもない。採石場に出向いた採石職人は、目的を満たす、たとえば図4−16に示すような形状の巨大な落石を注意深く探して集めてきたのである。

読者は、図4−16の四角柱状に整った形の石塊を見れば、人工的に加工された石ではないかと思うかもしれない。しかし、それは第1章で述べたように、石目（木の場合の木目に相当する）に沿って自然に割れた結果である（48ページ参照）。

単結晶物質には、特定面で特定方向に原子オーダーの平滑な面で割れる劈開《へきかい》という性質がある。多結晶物質である岩石にも、特定面、特定方向に割れやすい性質があり、それが石目である。石職人にとって、石目

図4−16　巨大な落石塊（写真：Martin Gray／Getty Images）

の方向を見つけるのは簡単なことである。観光地の土産物屋などで、六角柱状の水晶や紫水晶を見たことがあると思うが、あれも人間が加工したのではなく、自然の造形である。福井県東《とう》尋坊《じんぼう》の柱状節理、香川県青峰《あおみね》の板状節理は石目の露頭の好例である。

もう一度、図4－14に示した巨石と巨石の間に挟まれた板状の石（矢印）を見ていただきたい。これらの板状の石は、明らかに石目に沿って割れたものである。私は、プロツェン教授が述べるように採石職人が採石場で注意深く探して集めてきた落石だけではなく、巨大な石塊から楔とハンマーを使って石目（劈開面）に沿って板状に割り出したものも含まれていると思う。この楔とハンマーが、何で作られたものであるかは後述する。

図4–17　インカの石積みと、増築されたスペイン人による石積み（筆者撮影）

❖〝ドリル〟の跡!?

クスコの街を歩いていて最も驚かされるのは、なんといっても図4－13に示したような〝カミソリの刃すら通らない〟精巧な石組みである。スペイン人は侵略後、インカの建造物を破壊し、インカの石組みの上に彼らの教会などを建てているが、スペイン人とインカ人の石積み技術の差は図4－17に示すように歴然としている。

スペイン人による増築の際には石と石の間にモルタルが使われ、隙間が空いてしまっている（図中の矢印参照）。インカの石積みは〝カミソリの刃すら通らない〟ばかりでなく（あるいはだから、こそ）、何度かクスコを襲った強い地震にもびくともしなかったが、スペイン人の石積みはもろくも崩れたという記録も遺っている。

鉄器をもたなかったというインカ人は、どのような道具を用いて、どのようにして〝カミソリの刃すら通らない〟ほど精巧な石積みを実現したのだろうか。プロツェン教授の著書（参考図書⑸）から学ぶことは少なくない。

基本的な道具は大小の珪岩製のハンマー、斧、石球のみである。表面に対しては大きなハンマー、石球で何度も叩いて加工した。周辺あるいは角に対しては小さなハンマー、石球で突くように加工した。図4-13のAとBには、それぞれの加工表面の粗さの違いがはっきりと示されている。石が積み上げられるときに接し合う面は、小さなハンマーを使って入念に平滑に仕上げられた。

ハンマーや石球で叩いたり突いたりすることが石の成形、表面加工の支配的な技法であることに疑いはないが、インカの石職人が他の加工方法も用いたことを示す証拠がある。263ページ図4-23に掲載した花崗岩の塊をご覧いただきたい。

これは私が、後述するマチュ・ピチュで見つけたものであるが、表面には明らかに鋸とタガネ（ノミ）の使用を示す溝（幅は数ミリメートル）と穴が刻まれている。この加工に使われた鋸あ

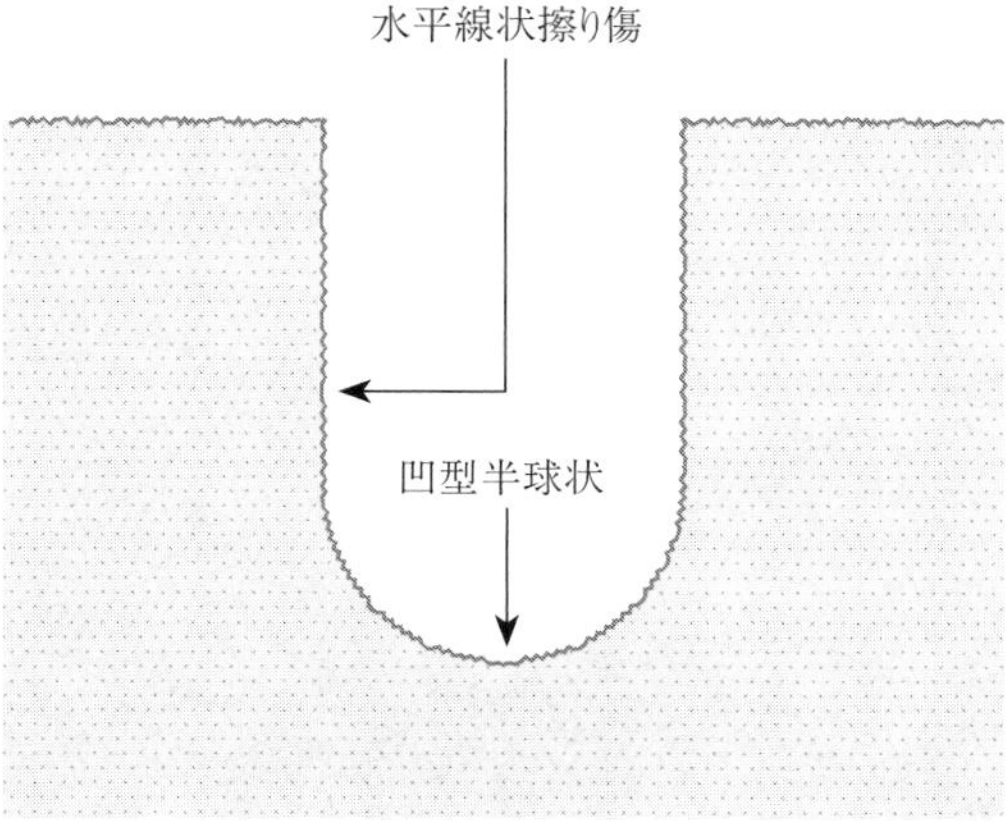

図4−18　ドリルであけられた穴が遺る石塊の断面模式図

るいはタガネは金属製以外には考えられない。

また、図4−18の断面図に示されるような直径約四センチメートル、深さ約七センチメートルの穴があけられた石塊も発見されている。穴の周囲の面には水平線状の擦り傷が見られること、さらに穴の底が凹型半球状になっていることから、〝ドリル〟によってあけられたものと考えられている。

しかし、現時点で、図4−23や図4−18の痕跡をもたらしたいかなる道具も発見されていない。

❖精緻な石組みはどう組まれたのか

クスコのロレート通りには、直方体に成形された同じ高さの石を規則正しく積み上げた図4−17

図4−19　第6代皇帝インカ・ロカの宮殿跡の石壁（望月威男イシフク会長提供）

の下段のような石壁（石組み）が少なくないが、誰もが驚くのは図4－19に示すようなたくさんの不定形の石が〝カミソリの刃すら通らない〟ほど精巧に積み上げられていることである。

繰り返すが、インカの石組みには石と石の接合面にモルタルなどの充塡・接着材は一切使われていない。石の面と面が直接、〝カミソリの刃すら通らない〟ほど密着しているのである。これらが掌《てのひら》に載るような小さなものであれば話は簡単であるが、相手は大きな石の塊である。

エジプトのピラミッドの建造には大した驚きを示さなかった現代の最高の石職人の一人である望月威男氏が「考えられない」と驚きを隠さないのが、この不定形の石が〝カミソリの刃すら通らない〟ほど精巧に積み上げられている事実なのである。

以下、プロツェン教授の調査結果（参考図書⑸）を基に、クスコ最大の秘密に挑戦してみたいと思う。

図4－19の真ん中にあるのが、クスコの石壁の中でもとりわけ有名な〝12の角《かど》の石〟である。この石の底辺の長さは一・五メートルほどである。いま、この〝12の角の石〟（〝T〟とする）が置かれたところからの、石の積み上げを考えてみよう。

最初にTの両脇にA、Bの石が置かれる。

まず、AとBの下面を下層の石の上面と密着させせなければならない。そのため、A、Bは後方に倒して――つまり、それぞれの底面が手前に出る状態にして、下層の上面と密着するまで研磨加工が繰り返される。プロツェン教授は研磨材の使用について言及していないが、私は「縄文時代の翡翠《ひすい》の穿孔法」や「古代瓦の切断法」を研究した際の経験から、「スラリー」（研磨材＋水）が使われたと推測するのが妥当だと考えている（本書の姉妹編『古代日本の超技術〈新装改訂版〉』第1章、第5章参照）。

上下の密着が確認された段階で、A、Bを左右にずらし、Tの左面に接するAの右面はTと密着するまで研磨加工が繰り返される。Tの右面に接するBの左面についても、同様の研磨加工が繰り返される。石を石の上に載せる（積む）場合は、密着するまで研磨加工を繰り返すには石を

図4－20　楔石（写真：Robert Harding／アフロ）

何度も持ち上げなければならないのできわめて大変な作業になるが、横に置いての作業であればそれほど難しいことではない。

積み上げられる石の面を互いに〝カミソリの刃すら通らない〟ほどに密着させるためには、微細な表面加工に使われた小さなハンマーのほかに、金属製のタガネ（図4－23参照）やヤスリも使われたのではないかと推測される。インカ人が鉄器をもたなかったのは確からしいので、タガネやノミは青銅製だったのではないか。

前述のように、私は隕鉄製の道具も否定しきれない。いずれにせよ、金属製の道具はまだ発見されていないのであるが。

AとBがTの両脇に安置されたら、以下は同様なプロセスでC、Dを安置させる。続いてE、Fの安置である。

T、E、G、Fの前面に突起が見られるが、これらの突起は、石の運搬のほかに石を後方に倒すときに利用されたものと思われる。

最後に問題になるのは、EとFの間に嵌め込まなければならないGである。上方から嵌め込むとすれば、GをEとFの高さ以上に持ち上げなければならない。

ここで登場するのが、「楔石《くさびいし》」である。

インカの石職人は石壁を建造するとき、横幅が定められた両側から順次、中央に向かって石を置いて（積み上げて）いった。建材である石が定形であれば、最後に残る中央の隙間の幅も高さも最初から予想されるとおりになるが、不定形の石を置いて（積み上げて）いく場合は、最後に残る中央の隙間の幅も高さも不定形になる。そのとき、この不定形の隙間を埋めるのが楔石（図4－20）で、これは前述のように左右の両面が密着するまで研磨加工を繰り返された後に、前方から嵌め込まれるのである。

不定形の石を〝カミソリの刃すら通らない〟ほど精巧に研磨加工し、積み上げていくのは、すべてその場での反復作業であったろう。いずれにせよ、何事にも「効率」と「経済性」を求める現代人の感覚からすれば、想像を絶するほど気が遠くなるような作業に違いないが、インカ人はそれを当たり前のように成し遂げた。結果的に、強度の地震にもびくともしないような石造建築物を遺したのである。

❖マチュ・ピチュ——農作に隠された智慧

「マチュ・ピチュ」(ケチュア語で「老いた峰」)は、アンデス山麓に属するペルーのウルバンバ谷に沿った標高約二五〇〇メートルの高い山の尾根に位置している。約一三平方キロメートルにわたって拡がり、約二〇〇の石造建築物から成る一五世紀のインカ帝国の遺跡である。全貌を示した図4-21の中央に見えるのは標高二七二〇メートルの「ワイナ・ピチュ」(若い峰)である。

マチュ・ピチュは山裾から遺跡の存在が確認できないことから、しばしば「空中都市」「空中の楼閣」「インカの失われた都市」などとよばれている。しかし、標高についていえば、「空中都市」マチュ・ピチュはクスコがある標高三六〇〇メートルより約一一〇〇メートルも低地にある。マチュ・ピチュは、現在のペルーのジャングルの平地からクスコまでの道のりの中間点に位置している。

そのようなマチュ・ピチュが「空中都市」や「空中の楼閣」とよばれるのは、その景観(図4-21)による。なお、二〇一二年六月、マチュ・ピチュ近郊で同様のインカラカイ遺跡が発見され、これからマチュ・ピチュのような遺跡が続々と発見されるのではないかと期待されている。

マチュ・ピチュがアメリカの探検家、ハイラム・ビンガム三世に「発見」されたのは(もちろ

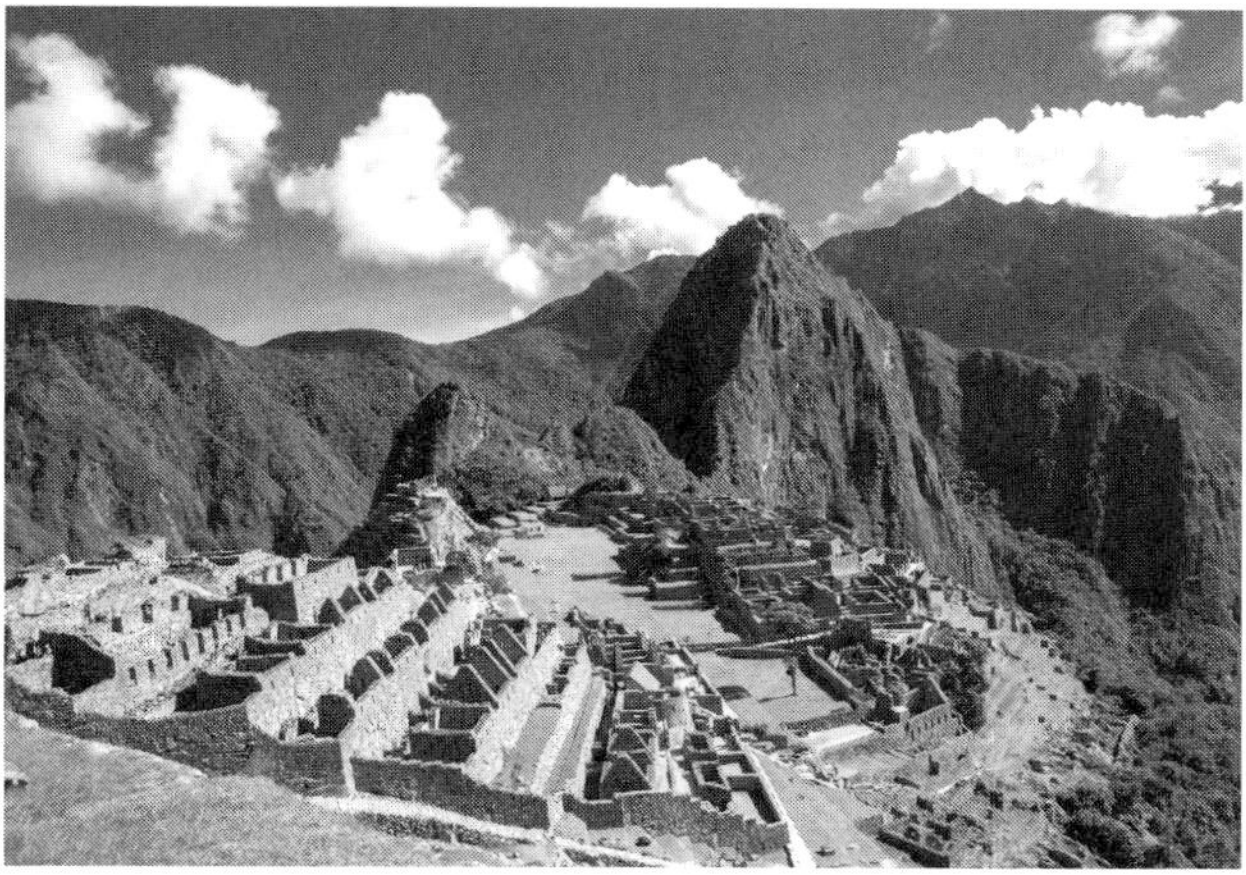

図4−21　マチュ・ピチュ全景（写真：保屋野参／アフロ）

ん、アメリカ大陸の発見者がコロンブスでないのと同様に、マチュ・ピチュの真の発見者はビンガムではない）、ほんの一一〇年ほど前の一九一一年である。その後、全編「マチュ・ピチュ特集」の『ナショナルジオグラフィック』（一九一三年四月号）やビンガムの『インカの失われた都市』『マチュ・ピチュ　インカの要塞』などの出版物によって、「空中都市」マチュ・ピチュの名前は世界に拡がった。

ビンガム以降の「マチュ・ピチュ」の顚末を含めた「探検記」は、『マチュピチュ探検記　天空都市の謎を解く』（参考図書⑬）に余すところなく書かれている。

マチュ・ピチュについては、その「発見」以来、首都・クスコから八〇キロメートルも離れた二五〇〇メートルの高地に存在することなど

図4−22　マチュ・ピチュに迫る花崗岩塊(筆者撮影)

から「何のために造られたのか」「誰が住んでいたのか」をはじめとする多くの〝謎〟が語られてきた。それらについては前掲の『マチュピチュ探検記　天空都市の謎を解く』などの既刊書に譲りたいが、しばしば語られる〝謎〟の一つである「マチュ・ピチュの建造物に使われている石は最大一〇トンほどもあり、約六〇〇メートル下の採石場から、どのようにして運び上げたのか」について述べておきたい。

実際にマチュ・ピチュを訪れ、周囲を見回せばすぐに気づくことであるが、ワイナ・ピチュ自体が花崗岩の塊であるし、図4－22に示すように、マチュ・ピチュは花崗岩の岩盤の上に建つ遺跡である。六〇〇メートル下に採石場があったとしても、そこから石材を、少なくとも主要な石材を運び上げる必要はない。

図4−23　作業途中の花崗岩塊（筆者撮影）

図4−23に示すのは、遺跡内に転がっている作業途中の岩塊である。225ページでも触れたことだが、古来、何でも「地産地消」が原則である。「その場にあるものをその場で使う」のが理にも利にもかなっている。マチュ・ピチュの建造者は、その場に豊富にある花崗岩を使ったのである。そもそも、良好な石材である花崗岩が豊富にあるワイナ・ピチュ山麓を、マチュ・ピチュの造営地に選んだのであろう。

先ほど、図4−23の石の表面にはタガネ（ノミ）あるいは鋸の使用を示す痕跡があることを述べた。図4−23に示す作業途中の岩塊には、明らかに楔を打ち込む前に施された穴と溝が見られる（48ページ、109ページ図2−17参照）。インカの石職人が金属製（おそらくは青銅か隕鉄製）のタガネやノミを使っていたことを示す

図4−24　アンデス山麓に見られる段々畑（筆者撮影）

動かぬ証拠であろう。

マチュ・ピチュ遺跡を訪ねて、「インティ・ワタナ」（太陽をつなぐもの）や「円形の塔」、「皇女の家」「王陵」などの建造物に感動したのは事実であるが、じつは、私が飛び上がるほどに感動したのは、図4－23の作業途中の岩塊を見つけたときだったのである。

もう一つ、私がマチュ・ピチュで大いに感心したのは、インカの農法を象徴する「アンデネス」とよばれる段々畑である。マチュ・ピチュ遺跡は大きく分けて居住区と農耕区から成っているが、農耕区には三メートルずつ上がる四〇段の段々畑が造られている（図4－21の右にその一部が見られる）。

インカ文明が栄えた一帯は、西は砂漠地帯、東はジャングルという環境であり、農地は山岳地帯に造らざるを得ない。農民は、急斜面に耕作地を造ることになるが、斜面そのままの耕作地であれば、雨で土壌がすぐに浸蝕されてしまう。そこで考えたのが段々畑である。

段々畑にすることで、耕作面積を増加させ、土壌浸蝕の問題も解決できる。一般的には、傾斜角が一〇度を超えると農地には適さないといわれているが、マチュ・ピチュには四〇度ほどの傾斜のアンデネスも見られる。その実現のためには、土留めを石組みで造る技術と灌漑用水路の整備技術が不可欠であるが、インカ人はいずれも十分に高度な技術をもっていた。現代においても段々畑の必要性は同じであり、アンデス山麓の随所に段々畑が造られている（図4－24）。

アンデネスの効用は、耕作面積を増加させたことだけに留まらない。

アンデネスではトウモロコシやジャガイモ、コカなどの作物が栽培されたが、急斜面の高度差、つまり温度差を利用して、生育温度が異なる作物が効率よく収穫された。たとえば、暖かい下部の畑ではトウモロコシを、寒い上部の畑ではジャガイモを栽培した。

私が暮らす静岡県では緑茶の栽培が盛んである。現在の栽培種のほとんどは生産性や味、人気などに優れる「やぶきた茶」であるため、収穫時期がほとんど同じになってしまい、その頃、茶農家は多忙を極める。そこで、収穫時期が異なる品種の生産を目指しているようであるが、依然として「やぶきた茶」が圧倒的に多量に生産されている現状に変化はないようである。

驚嘆すべきアンデスの智慧！

主な参考図書（発行年順）

(1) 泉靖一著『インカ帝国』（岩波新書、一九五九）
(2) G. Gasparini & L. Margolies (translated by P. J. Lyon), *Inca Architecture*, Indiana University Press, 1980.
(3) 増田義郎ら著『新潮古代美術館14 古代アメリカの遺産』（新潮社、一九八一）
(4) F・ピース、増田義郎著『図説 インカ帝国』（小学館、一九八八）
(5) J-P.Protzen, *Inca Architecture and Construction at Ollantaytambo*, Oxford University Press, 1993.
(6) A・F・アヴェニ著、増田義郎監修、武井摩利訳『ナスカ地上絵の謎 砂漠からの永遠のメッセージ』（創元社、二〇〇六）
(7) 青山和夫著『古代メソアメリカ文明 マヤ・テオティワカン・アステカ』（講談社選書メチエ、二〇〇七）
(8) 志村史夫著『人間と科学・技術』（牧野出版、二〇〇九）
(9) 大貫良夫、加藤泰建、関雄二編『古代アンデス 神殿から始まる文明』（朝日選書、二〇一〇）
(10) レッカ社編著『マヤ・インカ文明の謎』未解決ファイル』（PHP文庫、二〇一〇）
(11) 青山和夫著『マヤ文明 密林に栄えた石器文化』（岩波新書、二〇一二）
(12) 青山和夫著『古代マヤ 石器の都市文明［増補版］』（京都大学学術出版会、二〇一三）
(13) M・アダムス著、森夏樹訳『マチュピチュ探検記 天空都市の謎を解く』（青土社、二〇一三）

5

古代アジア

―― 現代文明に直結する「金属文明」の誕生

❖「新しい材料」の発見と「新しい道具」の発明

原始時代からの人類の歴史を振り返ってみると、歴史の節目には必ず、新しい材料の発見と新しい道具の発明があることに気づく。

デンマークの考古学者・トムセン（一七八八～一八六五）は、使用された利器の材料によって、考古学時代を以下のように区分している。

①石器時代（旧石器時代／中石器時代／新石器時代）

→ ②金石併用時代

→ ③青銅器時代

→

④鉄器時代

各時代の時期は地域によって異なり、たとえば日本では、弥生時代（紀元前八、七世紀前後〜紀元後二、三世紀）に鉄器と青銅器がほぼ同時に伝わり、青銅器時代を経ずして鉄器時代に移行したと考えられている。

①石器時代は、自然に産する石（岩）を砕いたり（打製石器）、磨いたり（磨製石器）して作った道具・利器を使っていた時代である。同時に、自然に産する樹木（木材）も道具の材料として使っていた。つまり、石器時代は自然に産する材料（自然材）を用いていた時代である。

通常、この石器時代に続くのは青銅器時代とされているが、その前に、②金石《きんせき》併用時代を考える場合もある。この場合の〝金（金属）〟は自然銅のことで、銅は人類が最も古くから利用しはじめた金属である。銅は〝自然銅〟の形で自然に産する材料、つまり自然材の一種である。この自然銅が、各種の利器や装身具に用いられた。

後述するように、人類が材料の歴史の中で、石器時代や金石併用時代から大きな飛躍を遂げたのが、③青銅器時代である。青銅（ブロンズ）は、銅と錫の合金の総称である。

青銅の冶金《やきん》術に加えて鉄の冶金術が発明され、利器の主な材料が鉄になった時代が青銅器時代に続く④鉄器時代である。文字通りに解釈すれば、現代も依然として「鉄器時代」であるといえなくもないが、考古学的な鉄器時代は紀元前数百年までの時代に限定されている。

❖「物理時代」の幕開け

じつは、鉄器が使われはじめたのは、青銅器時代後に限ったことではない。鉄は、銅や錫とは異なり、鉄鉱石や砂鉄（磁鉄鉱）、隕石（隕鉄）などの形で地球上いたるところに存在している。これらのうち、地表で採取した隕鉄を鍛打《たんだ》して作った「鉄器」は、メソポタミアでは紀元前三〇〇〇年頃、中国でも殷《いん》時代（紀元前一六～紀元前一一世紀頃）に使われていたらしい。

しかし、これらの鉄（隕鉄）はあくまでも自然材であり、基本的には石器との違いはない。また、事実として隕石の量は限られており、「鉄器」が広く普及することはなかった。

隕鉄は、厳密な意味では鉄ではない。宇宙から地球に飛来した、自然の鉄－ニッケル合金である。鉄は、地上においては酸化鉄としてしか存在せず、自然銅あるいは自然金に相当する自然鉄はない。鉄器が広く普及するのは、やはり鉄器時代（紀元前一二〇〇～紀元前七〇〇年頃）になってから、つまり、人類が酸化鉄を還元・精錬する技術を発明し、それが普及してからのことである。

石器時代から現代にいたるまでの材料の歴史をまとめたのが、図5－1である。

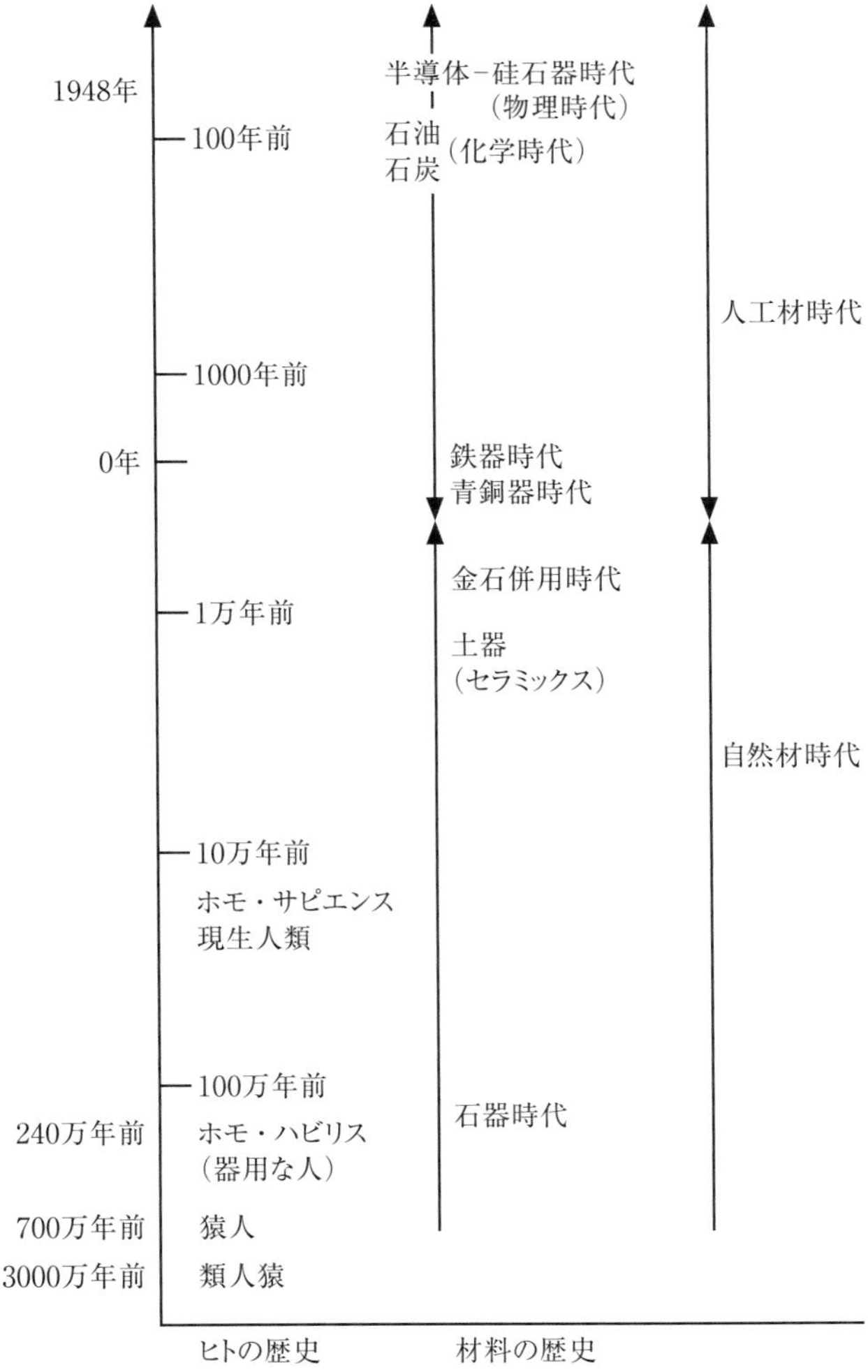

図5−1　ヒトと材料の歴史(参考図書(3)、(5)より)

一九世紀半ばから、石炭や石油を原材料とする有機化学工業が飛躍的な発展を遂げた。華々しい化学時代の幕開けだった。

現在も、化学の威力は増しこそすれ衰えることはないが、一九四八年、アメリカのベル研究所によって発表された半導体トランジスタの出現は、材料の歴史における物理時代の幕開けを宣言するものであった。この物理時代の幕開けは、同時にエレクトロニクス時代の幕開けでもあり、現在のICT（情報通信技術）、AI（人工知能）時代の嚆矢であった。

図5－1中の「硅石器時代」は、代表的な半導体であるシリコン（硅石）からの造語である（西村吉雄著『硅石器時代の技術と文明』日本経済新聞社、一九八五）。化合物半導体が出現している現在は、「ネオ硅石器時代」（筆者の造語）である。現代文明を支える半導体材料に興味がある読者は、拙著『ここが知りたい半導体』（講談社ブルーバックス）をご覧いただきたい。

❖人類初の「科学」の応用

本章では、石器文明終焉後の金属文明をもたらした超技術について述べるのであるが、金属文明以前に古代人の生活を一変させた古代アジアにおける大発明、つまり「土器の発明」について触れておかなければならない。

日本で最古の土器は、青森県の大平山元《おおだいやまもと》Ⅰ遺跡で出土した約一万六〇〇〇年前（縄文時代）のものであり、これが世界最古の土器と考えられていた。しかし、二〇一二年六月二九日付の米科学誌「サイエンス」によれば、北京大学やアメリカなどの研究チームが中国・江西省の洞窟遺跡で発見した土器片が約二万年前のものだという。

いずれにせよ、古代人の生活において、土器の発明は画期的であり、それまでの彼らの生活様式を一変させた。土器の発明によって、古代人は食物を煮て食べられるようになった。従来は食べられなかった物、特に、多くの植物類が食料として利用できるようになったのである。土器が存在しない時代、生《なま》で食す以外の調理法は、焼くか、焼け石を石のくぼみの水に入れて温度を上げて温める程度だった。

土器は粘土をこねて成形し、乾燥させて火で焼くことによって作られる。きわめて簡単な作業だが、焼成することによって、本来は水に溶けてしまう粘土を、水に浸《つ》けても溶けない、そして耐火性を備える器に変えることができるのである。じつは、この土器の発明こそ、人類が化学変化、すなわち「科学」を応用した最初の発明なのである。

土器や陶磁器、ガラスや耐火煉瓦などは、総じて〝セラミックス〟とよばれる。セラミックスこそが、人類が〝科学〟で得た最初の人工材、人工石であった。

セラミックスは、人類が最初に手にした最古の人工材であると同時に、ＩＣチップや宇宙船の外面などに使われる現代の最新・最先端のハイテク材料でもある。人類最古の人工材料の発明が、いまからおよそ二万年前の古代アジアで行われていたことに感嘆するばかりである。

❖「世界第八の奇跡」――兵馬俑の発見

一九七四年、中国北西部はひどい旱魃《かんばつ》に見舞われ、黄土《こうど》高原の随所で井戸が掘られていた。この年の春、日本の古代史にもしばしば登場する、七世紀初頭から唐の都・長安として繁栄を誇った西安の北東にある秦始皇帝陵から東に一・五キロメートル離れたところで、その土地の農民が偶然、テラコッタ（素焼き）の兵士の頭部を発見した。

これが、世界を騒然とさせた約八〇〇〇体にものぼるといわれる兵馬俑《へいばよう》発見の端緒であり、新華社通信は「世界の七不思議」（132ページ参照）をもじって「世界第八の奇跡の発見」と報じた。

私はこのとき、「俑《よう》」という言葉を初めて知ったのであるが、「俑」とは「人形《ひとがた》」のことで、特に、中国で墓主の死後の生活を助けるために副葬される人間や動物をかたどった木製・土製・金属製の人形《にんぎょう》を意味する。

一九七四年に発見された兵馬俑の「墓主」が、紀元前二二一年、中国史上最初の統一国家を築いた秦始皇帝であることも、世界を騒然とさせた理由の一つであった。

それ以来現在まで、最初に発見された一号坑から四号坑までの発掘調査が進められている（図5－2）。二号坑と三号坑の発掘調査は完了しているが、兵馬俑の大半を占め、約六〇〇〇体の俑があると推定されている一号坑の発掘は、いまだ坑全体の半分ほどに留まっている。発掘調査の終了までには、なお数十年を要するだろうといわれている。

第一号兵馬俑坑（図5－3、図5－4）が一般公開されたのは一九七九年一〇月一日のことで、私がここを訪れたのは、それから七年後の一九八六年一〇月だった。北京で開催された「半導体・集積回路技術国際会議」の際に、西安工科大学を訪問する機会に恵まれたときである。

私は当時、アメリカのノースカロライナ州在住で、日本を越えてはるばる中国まで行くことは億劫《おっくう》でもあったのだが、「世界第八の奇跡の発見」と称される兵馬俑を直に見られるということが、私の億劫な気持ちを払拭してくれた。

その頃はまだ、現在のように立派な兵馬俑博物館の建物は整備されておらず、発掘現場さながらの埃っぽい坑を見下ろしたのだが、ずらりと隊列を組んで並ぶ等身大の兵士俑の数と迫力に圧倒されたことを、四〇年近く経ったいまでもはっきりと憶えている。その入り口付近には、土産物を売るたくさんの露店が並んでいた。

現在までに、兵馬俑のほかに文官俑や御者俑、宮中で行われていた演劇芸能人、力士らの百《ひゃく》戯《ぎ》俑《よう》も発掘されているが、以下では兵士俑に見られる超技術について述べる。

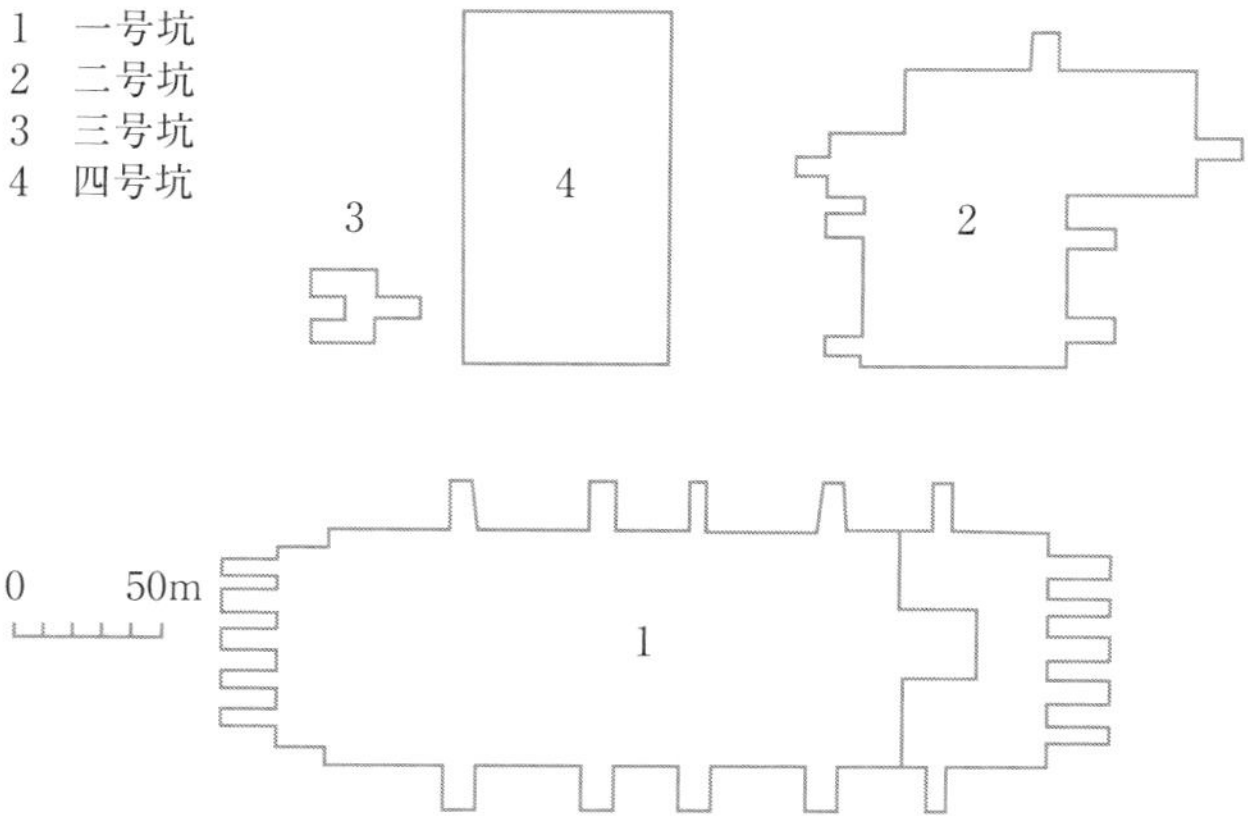

図5−2　兵馬俑坑配置図(参考図書(4)より一部改変)

図5−3　兵馬俑一号坑(写真：呉明／アフロ)

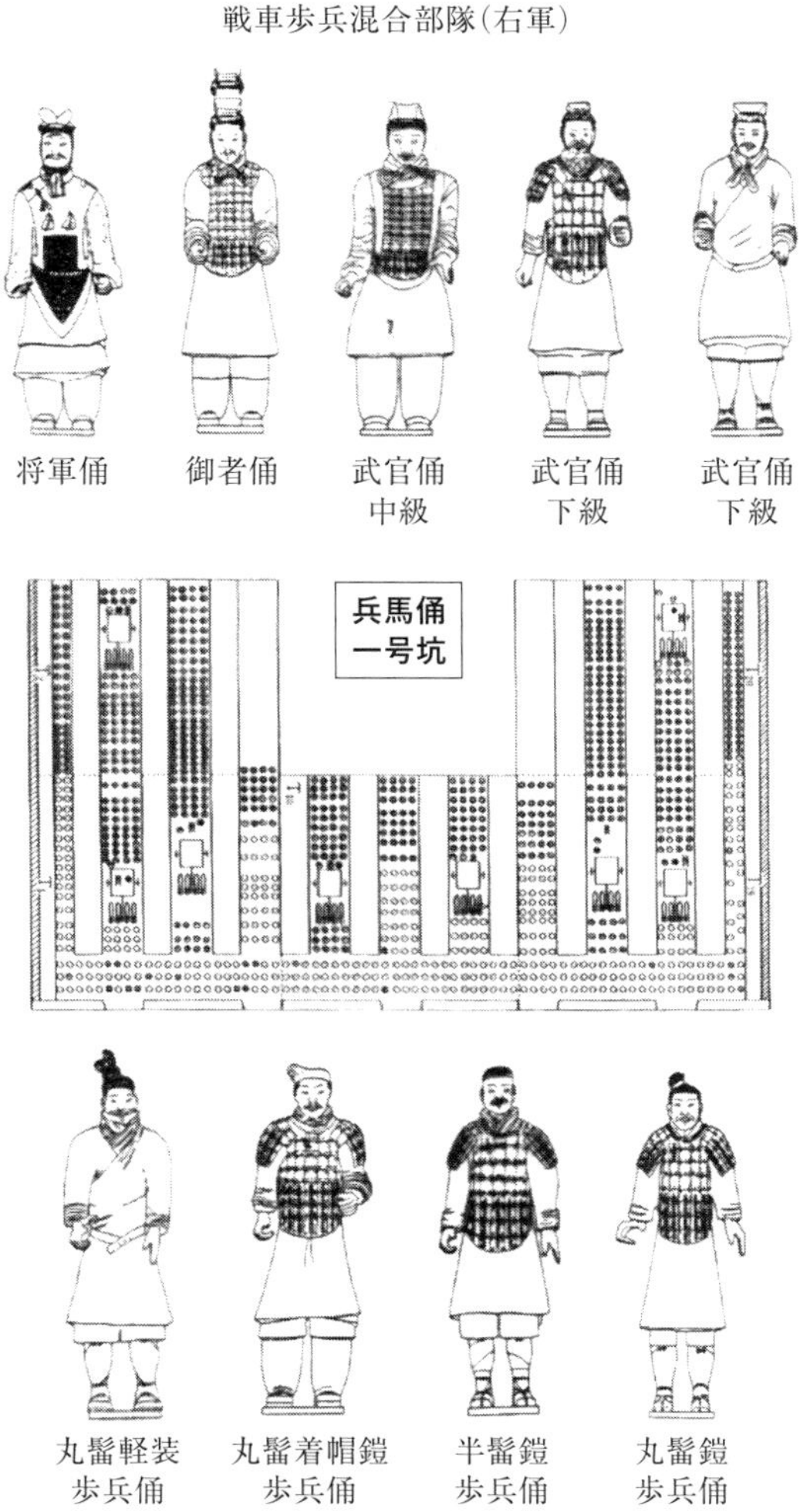

図5−4　兵馬俑一号坑配置図(参考図書(4)より一部改変)

図5–5　さまざまな等身大兵士俑（写真：アフロ）

❖製陶技術と芸術の極致

兵馬俑を見て度肝を抜かれるのは、そのすさまじいまでの数と、〝等身大〟といわれる平均で一八〇センチメートル、大きな俑では一九五センチメートル、重さ二〇〇キログラム超という大きさである。図5－4や図5－5に示されるように、さまざまな兵士俑がおよそ八〇〇〇体も作られているのである。

しかも、これら多数の兵士俑は、図5－5や図5－6のように、装束や装備からその階級や兵科までが一目瞭然であり、個性豊かな表情をもつリアルな〝一人一人〟として作られている。

さらに、「世界第八の奇跡の発見」を印象づけたのは一九九九年四月、兵馬俑二号坑で発見された全身彩色豊かな跪射俑《きしゃよう》（立膝をついて矢を射る姿の兵士俑、図5－

図5−6　同じ顔が一つもない兵士俑（写真：Alamy／アフロ）

5右参照）だった。彩色は自然鉱物顔料によって行われているが、顔料の〝乗り〟をよくするために、テラコッタ表面には下地として黒い生漆《きうるし》が塗られている。

発見の一三年前に当地を訪ねた私自身は、残念ながらその跪射俑の実物を見ていないが、写真で見る限り、皮膚は緑と白の上に肌色を重ね塗りしたらしい。紺色に見える鎧《よろい》の紐は赤、脚絆《きゃはん》は緑というように、当時の兵士の衣装がリアルに表現されている。

このような彩色兵士俑が発掘されるのはきわめて稀で、ほんの一部に着色の跡が見られることもあるが、ほとんどの俑には色が残っていない。自然鉱物顔料が経年変化で褪色、あるいは変色することはないから、多くの兵士俑に着色が見られないのは、二〇〇〇年ほどの歳月の間に、乾燥に弱い下地の漆が表面顔料を乗せたまま、剝がれ落ちてしまった結果であろう。

兵士俑の着色に使われた顔料物質として、赤は朱砂《しゅしゃ》

（硫化水銀）や鉛丹《えんたん》、白は燐灰石《りんかいせき》や鉛白《えんぱく》、青は藍銅鉱《らんどうこう》、緑は孔雀石《くじゃくせき》などが知られており、全部で一二〜一三色の鉱物顔料（岩絵の具）が部位によって使い分けられている。

私の高校時代からの友人で、院展などで活躍している日本画家の内藤五琅画伯の話によれば、これらは現在の日本画に使われている顔料と同じだそうで、彼は「日本画の絵の具の点では、秦の時代から二〇〇〇年間、まったく進歩していないということですねえ」と感慨深げに語ってくれた。

内藤画伯は一九七九年五月、父・内藤四郎東京藝術大学教授らと「中国美術研修」（埼玉県日中友好県民会議）に参加し、一般公開前の兵馬俑抗を見学している。図5－7は、そのとき彼が

図5−7　発掘途中の兵士俑（1979年5月4日）（内藤五琅画伯提供）

「発掘中の土に埋まった俑は迫力があり、印象が深く、夢中でスケッチした」という作品である。

❖兵馬俑はどう作られたか

等身大サイズの、当初はリアルに彩色されていたこれほど大量のテラコッタは、いったいどのようにして作られたのか。

一人一人の顔つきや表情、装束や装備が異なることから、これらの俑が型に嵌められて大量生産されたとは考えられない。漢代の小さな俑では、粘土を押しつけて成形する陶器の型が発見されているが、〝等身大〟である兵士俑の場合は、腕や手などの末端部分に型を使うことは可能であっても、全身を一つの型に嵌めて作るのは困難である。

仮に、胴体を型に嵌めて作るとすれば、まず胴体を前後、あるいは左右の二つに分けて作り、それらを張り合わせることになるであろう。しかし、実際の兵士俑に、そのような二体を張り合わせた形跡は見られない。

現実の兵士（兵馬）俑の製作は、次のような工程で進められたと考えられている（図5－8）。

①輪にした帯状の粘土板を積み上げて、下半身や胴体を作る。内部は空洞（中空）になるが、後

述するように、焼成の際にこの空洞が重要な役割を果たす
②頭部、腕、手、肩などの末端部を型に嵌めて作る
③すべてを陰干ししたのちに、各部を組み合わせる
④頭部、顔、鎧などをはじめとする細部を彫刻する（この段階で、個性豊かな〝一人一人〟の兵士俑となる）
⑤頭部を胴体の首部に嵌め込む
⑥炉に入れて焼成する。その燃料は、木や木炭であろう
⑦彩色する

❖兵士俑の下半身はなぜ大きいか

図5－8では、すべての部分を組み立てたのちに、一体化してから焼成する工程を描いてある。しかし、私自身の小林章男〝瓦博士〟との共同研究「古代瓦の科学的研究」の経験（『古代日本の超技術〈新装改訂版〉』第5章参照）からいえば、必要とする炉の大きさや均熱帯、焼成中の割れ防止のことなどを考慮すると、実際には、下半身・胴体部、頭部、腕・手・肩部を別々に焼成したのちに接合して、全体を組み立てたと思われる。

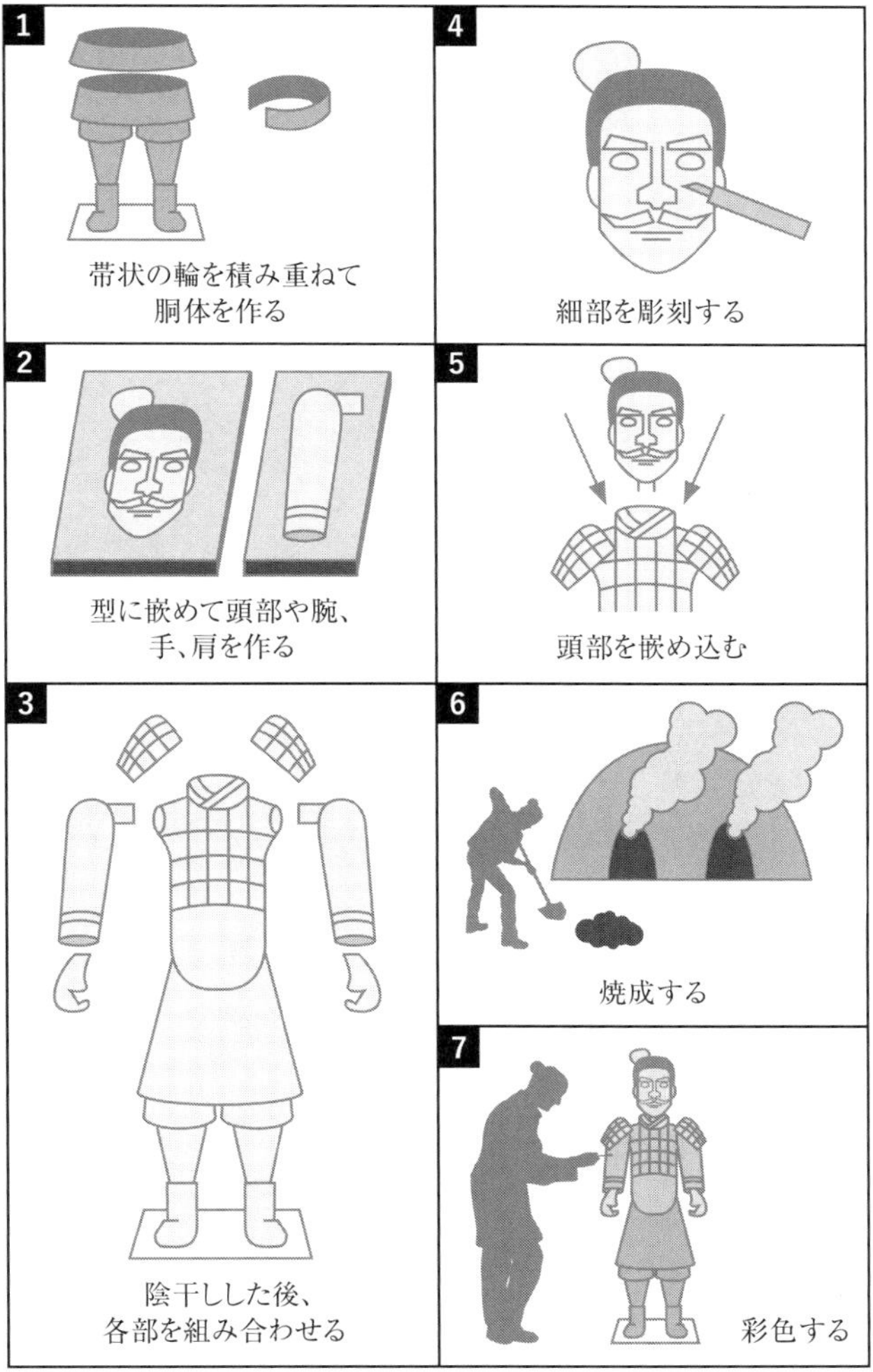
1
帯状の輪を積み重ねて
胴体を作る
2
型に嵌めて頭部や腕、
手、肩を作る
3
陰干しした後、
各部を組み合わせる
4
細部を彫刻する
5
頭部を嵌め込む
6
焼成する
7
彩色する

図5−8　兵士俑の製作工程

これだけ大きなテラコッタは、焼成の前に粘土を適度に、かつ均一に乾燥させておくことが必要であり、大きさの異なる各部の乾燥度が異なるままに一体化されて焼成されると、各部の接合面で割れが生じやすい。大きなものほど焼成中の割れを防ぐのが難しいが、下半身・胴体に空洞があることが割れを防ぐのに役立つ。

いずれにせよ、大きなテラコッタや陶磁器製品を作る際に重要なのは、炉内の温度分布が均一であることと、焼成炉内で最初は膨張し、のちに収縮するという性質をもつ粘土の収縮率ができるだけ小さいことである。

現実的に、大きな兵馬俑を大量に製作した技術者たちが、高度な技術と経験を集約した的確な焼成炉と燃料の調整を含む焼成技術を有していたことは間違いない。

さらに、彼らが使用したのは、粒子が細かく、石英を多く含む収縮率が小さい粘土、あるいは複数の土を混合・調製して得た〝ハイテク粘土〟だったのだろう。

加えてもう一点、重要なポイントがある。

少なくとも一六〇センチメートルの高さがある下半身・胴体部は、焼成炉内に立てて置かねばならない。そして、安定した状態で立たせるためには、全体の重心をなるべく低くする必要がある。

具体的には、下半身をできるだけ重く、上半身をできるだけ軽くすることである。上半身をできるだけ軽くすることに、上述の空洞（中空）が貢献している。また、図5－5を見れば、兵士俑の下半身が明らかに太く、大きく作られていることがわかる。特に、跪射俑の腿《もも》と脹脛《ふくらはぎ》は、異常とも思える太さである。

このように形をデフォルメすることによって、重心の低さを保ったのである。

❖画期的な青銅の発明——人類初の合金

青銅（ブロンズ）は、銅と錫の合金（銅九〇パーセント、錫一〇パーセントを基準とする）で、「青銅」というのは、サビの緑青《ろくしょう》の色からつけられた名称である。

前述のように、銅は自然銅の形で自然に産するが、錫は、錫石（主要成分は酸化錫）を炭素材や硅石、石灰石などと加熱・融解して分離・採取しなければならない。錫を得るには、かなりの技術を要するのである。

この、錫を銅に混合することによって得た青銅は、人類が最初に創造した合金である。青銅のような合金を得るには、鉱物についての知識とともに、火（熱）の制御に関する高度な技術、総じて冶金術の発達が必要だった。つまり、人類の冶金術の淵源《えんげん》を、この青銅器時代に見ることができる。このように、青銅器時代は、人類が自然材のほかに初めて合金という人工材を得たという点において画期的なのである。

青銅器時代は、メソポタミアやエジプト、中国で紀元前三〇〇〇年頃からはじまったといわれている。実際、中国・甘粛省の馬家窯《ばかよう》文化遺跡で発見された青銅製の刀が、放射性炭素を用いた年代測定によって五〇〇〇年以上前に作られた物であることが判明している。われわれには、「青銅器といえば殷」という印象があるが、それも歴史的根拠があるものと思われる。

性質がおのずと決まってしまう単元素金属とは異なり、青銅の性質は、錫の含有量によって大きく変わってくる。すなわち、利用目的に応じて錫の含有量を変える〝材料設計性〟に優れていることが、青銅という合金の特徴である。

青銅は一般に、銅より硬度が高く、また鋳造性・流動性がよいので、武器や農具などの利器を作るのに適している。錫の含有量が一〇パーセント以上になると青銅の硬度が上がり、白みを帯びて白銀色の光沢が強くなるので、鏡（銅鏡）に適した材料になる。

一方、錫の含有量が少なくなるにつれて、青銅は黄金色を経て赤銅色に変化し、硬度が低下するが、神聖な神具や装飾品の貴重な材料になった。

いま、美術館に陳列されている殷時代の青銅容器は緑青色をしているが、これらが作られた当初は白銀や黄金、赤銅色を帯びた華やかなものだったのである。日本古代史にしばしば登場する銅鏡も、作られた当時は白銀色に輝いていた。

ちなみに、日本の十円銅貨は銅九五パーセント、錫一～二パーセント、亜鉛四～三パーセントの青銅製である。添加する錫の量が少なければ、純銅に近い赤銅色になる。

じつは、オリンピックの「銅メダル」は純銅ではなく、銅に五～一五パーセントの錫を混ぜた青銅製であり、英語では正確に「ブロンズ・メダル」とよんでいる。ところで、二〇二一年に開催された東京オリンピックの「銅メダル」は真鍮《しんちゅう》の一種である丹銅《たんどう》製だった。確かに「ブロンズ・メダリスト」には違和感がないが、「青銅メダリスト」や「丹銅メダリスト」は、聞き慣れないせいもあろうが、なんとなくヘンである。物理的には正しくなくても、日本語ではやはり「銅メダル」とよぶのがよさそうである。

❖驚くべき工夫

銅の融点が一〇八四・五度Cであるのに対し、融点が二三一・九度Cの錫との合金である青銅の融点は、一〇〇〇度C以下となる。錫の含有率が三〇パーセントの場合は、七〇〇度C程度にまで低下する。これは、鉱物を融解する熱源が木や木炭に限られていた時代の人々にとって、まことにありがたい性質であった。

ところで、兵馬俑の兵士や馬は、大きさも表情もきわめて写実的であったが、兵士俑がもって

鉄	炭素鋼	100－450
	鋳鉄	160－180
銅		35
青銅		50－100
銀		25
金		22

表5－1　身近な金属の硬さ
(ブリネル硬さ：HB)

いた武器は青銅製の実物であった。兵馬俑坑では四万点にものぼる大量の青銅製兵器が出土している。それに対し、鉄製兵器は数点が発掘されただけである。

表5－1に示すように、青銅は鉄と比べ、硬さの点では劣っている。しかし、銅（青銅）のサビ（緑青）は鉄のサビとは異なり、内部まで腐蝕させるのではなく、むしろ内部を腐蝕から守る保護膜の役割を果たしている。兵馬俑坑で多くの青銅製兵器が発掘されたのは、この保護膜のおかげであろう。

秦の青銅製武器で驚くべきことは、緑青さえも防ぐためにクロムメッキが施されていたことである。X線マイクロアナライザーによる測定で、剣の表面に一〇～一五マイクロメートルのクロム層があることが確認されている（参考図書(4)）。

兵馬俑坑で発掘された長剣は、二二〇〇年以上の時を経ているにもかかわらず光沢があり、重ねた新聞紙を切ることができたという（参考図書(8)）。鉄表面のクロムメッキは、二〇世紀のドイツで画期的な発明といわれた、鉄とクロム化合物を密閉容器に閉じ込めて一〇〇〇度Cの高温に加熱する技術である。

そのような近代的な技術を、秦の時代の技術者はどのような方法で実現したのか。熔解したクロムに青銅を浸して被膜を作ったのか。詳しいことはわかっていない。

❖「鉄器時代」の出現

金属が時代を動かす重要な資源であることはいまも変わらない。人類史を通覧すれば明らかなように、金属なしでは文明を発展、維持することはできないのである。

金、銀、銅という金属は、自然界にそのままの形（自然金、自然銀、自然銅）で存在するのであるが、鉄の場合は、宇宙から飛来する隕鉄を除いて、地球上には酸化鉄としてしか存在しない。つまり、鉄を利用するためには、酸化鉄から酸素を取り除く高度な技術が必要である。人類史の考古学的区分の中で、石器時代に続くのが鉄器時代ではなく青銅器時代であるのは、その理由による。

〝鉄〟を手にしたときから、人類が文明を飛躍的に「進歩」させたのは紛《まぎ》れもない事実である。エジプトや中国など、世界の多くの文明において国家形成が開始されたのは青銅器時代であるが、青銅製に替わる鉄製の優れた農具の量産によって農作物の生産量が増大し、富の蓄積が進んだ。さらに、鉄製の優れた武器の量産によって、各地で強力な軍事力を保持する強大な統一国家が成立するようになっていく。

青銅器の原料である銅鉱石や錫鉱石は偏在しており、世界のどこででも産出するという物質ではない。これに対し、鉄器の原料となる鉄鉱石や砂鉄などは偏在性が小さく、世界の多くの地域において容易に入手可能な物質であるので、製鉄法が伝わった世界各地で、その土地の原料を使った特有の製鉄が行われるようになった。やがて青銅器の用途は祭器や装飾品などに絞られていき、他の利器は鉄製に駆逐されて、世界各地で鉄文明強国が生まれることになる。

このような「世界の構図」は、二一世紀の現代にいたるまで基本的には変わっていない。事実、つい最近まで「鉄は国家なり」といわれたように、鉄はきわめて国家的、戦略的な物質であった。図5－1に示した半導体が「産業の米《こめ》」(アメリカでは「産業のオイル」)とよばれるようになる前は、鉄が一貫して「産業の米(オイル)」だった。鉄なくして、国家の発展はあり得ないのである。

しかし、人類が鉄を手にしたときから、つまり「文明」を飛躍させたときから、人間の〝劣化〟が急速に進み、人間の愚かさ、野蛮性が増したようだ。このことは、最近のロシアによるウクライナへの理不尽な軍事侵攻などを見れば、誰もが否応なしに納得せざるを得ないだろう。

第2章の末尾で紹介した、ヘシオドスが『仕事と日々』で「〝鉄の種族の人間〟どもがいかに劣悪であるか」を綿々と語ったのが二七〇〇年も前であることに、私は驚きを禁じ得ない。

❖「文明」と「人間」の関係

ところで、ドイツの実存哲学者にして精神科医でもあったヤスパース（一八八三～一九六九）が「枢軸時代」とよんだ、紀元前五〇〇年頃に起こった人類史における思想上の画期「精神革命」がある。世界の先進文明地域で、独立に、そしてほぼ同時期に、現在まで多大の影響を与え続けている人類の精神的枢軸となるような、偉大な思想家・宗教開祖が輩出した時代である。

具体的にいえば、中国では伝統的中国思想の基盤を形成する孔子と老子が生まれ、インドではインド哲学の源流ともいうべきウパニシャッド哲学が発生し、ブッダが生まれた。イランではゾロアスター教が善と悪との闘争という挑戦的な世界観を説き、パレスチナではエリヤからイザヤおよびエレミヤを経て、第二イザヤにいたる預言者たちが出現した。また、ギリシャではタレスをはじめとしてピタゴラスやデモクリトス、ソクラテス、プラトン、アリストテレスらの哲学者が現れている。

もちろん、世界の先進文明地域でほぼ同時にこのような「精神革命」が起こったのは偶然ではない。

高度の都市文明を築き上げていた中国、インド、中東、地中海地域において、どれもが相互に接することなく、紀元前八世紀から紀元前三世紀のほぼ同時に「精神革命」が起こったことは、「文明」と「人間」との関係を考えるうえでの象徴的な出来事である。現代世界を眺めてみると、それが実現したかどうかはともかく、「精神革命」は人間の精神上の根本的革命を期待するものであったのである。

この人類の精神的革命期をヤスパースが「枢軸時代」とよんだのは、この時代の精神革命が、その後の人類史の展開における枢軸（基軸）を規定したという意味からであった。

高度の都市文明を築き上げた人々の生活は〝豊か〟であったはずだ。それなのに、人間は自己の限界を意識し、世界の恐ろしさと自己の無力さを経験したのである。ヤスパースにいわせれば「無数の小国家や都市が鼎立《ていりつ》し、ことごとくが闘争し合う、しかもこの際とにかく驚異的な繁栄、力と富の展開が可能であった」ことが「精神革命」の原動力である。

つまり、簡潔にいえば、豊かさや繁栄を経験した人間の限りなく膨張した欲望と、それが引き起こす闘争が、ヤスパースがいうところの「人間の生存が歴史として反省の対象」になったのである。人間の膨張した欲望を制御し、真の人間を目指す思想、宗教を確立した〝聖人〟が特定の地域に輩出したのが「枢軸時代」であった（ヤスパース著・重田英世訳『歴史の起源と目標』理想社、一九六四）。

ともあれ、製鉄技術の発明が現代に直接つながる文明の嚆矢であったし、現代の世界と人間にもたらした豊かさと繁栄、そして同時に愚かさを導いたことは疑いがない事実である。そういう意味においても、「鉄」は、現代と決して無縁ではない「古代世界の超技術」を縷々紹介する本書の最後を締めくくるにふさわしい話題であろう。

❖ヒッタイトの製鉄

さて、最初の鉄器文化は紀元前一五世紀頃、アジア大陸最西部に位置するアナトリア半島（現在のトルコ西部〜中部）に現れたヒッタイトにはじまったとされている。アナトリアの北は黒海、北西はマルマラ海、西はエーゲ海、南西は地中海に面している。アジアとヨーロッパをつなぐ重要な地域であるため、ここは先史時代からいくつかの文明の発祥地となっている。

ヒッタイト人を含む多民族・多言語のオリエント地域の歴史はいささか複雑で、ヒッタイトの古王国は紀元前一七四〇年頃に興り、紀元前一四七〇年頃の新王国を経て、紀元前一二〇〇年頃に突如、滅びている。ヒッタイトを構成した民族もヒッタイトの言語も一筋縄ではいかず、いまだ不明な点の少なくない複雑な国であった（参考図書⑴）。

いずれにせよ、ヒッタイトはエジプトやアッシリアなどと並ぶ大帝国・軍事大国を築いたのであるが、その原動力は鉄と馬、そして、馬に引かせる戦車である。馬を調教し、戦争に活用した

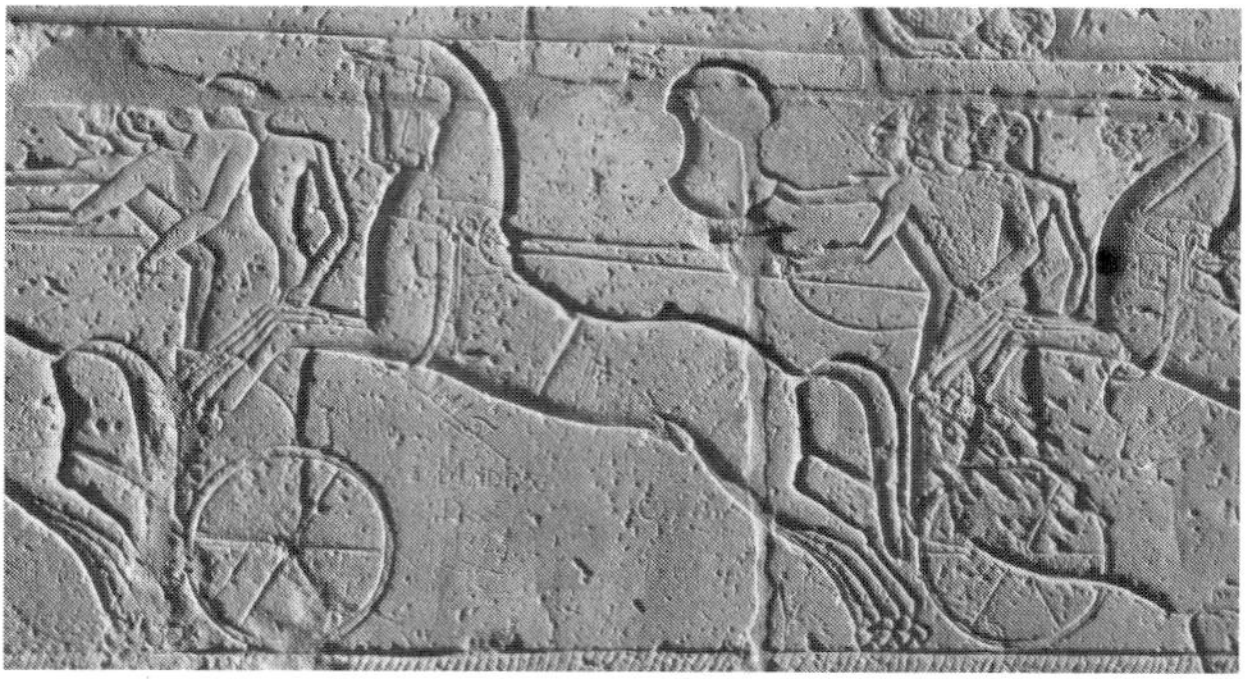

図5−9　ヒッタイトの3人乗り戦車の石彫（アンカラ考古学博物館）
（写真：Alamy／アフロ）

のは、ヒッタイトが初めてで、戦車についていえば、エジプトの戦車が二人乗りだったのに対し、ヒッタイトの戦車は三人乗りだった（図5－9）。

いずれも一人は馬を操る御者《ぎょしゃ》であるから、兵士が一人か二人かの差は大きい。闘いの際、エジプトの戦車では一人で防御と攻撃の二役を務めなければならないが、ヒッタイトの戦車のように二人の兵士が乗っていれば、それぞれが防御と攻撃に専念できる。戦車自体は木製だったが、鉄が使われた車輪や車軸などの果たした役割は小さくなかっただろう。

アナトリアのアラジャホユック遺跡の紀元前一七世紀頃の地層からは、製鉄の痕跡を示す炉跡が発掘されており（参考図書⑵）、ヒッタイトの先住民・プロトヒッタイト人は、この頃すでに鉄鉱石を原料とする人類最初の製鉄技術を開発していたことを示すものと思われる。

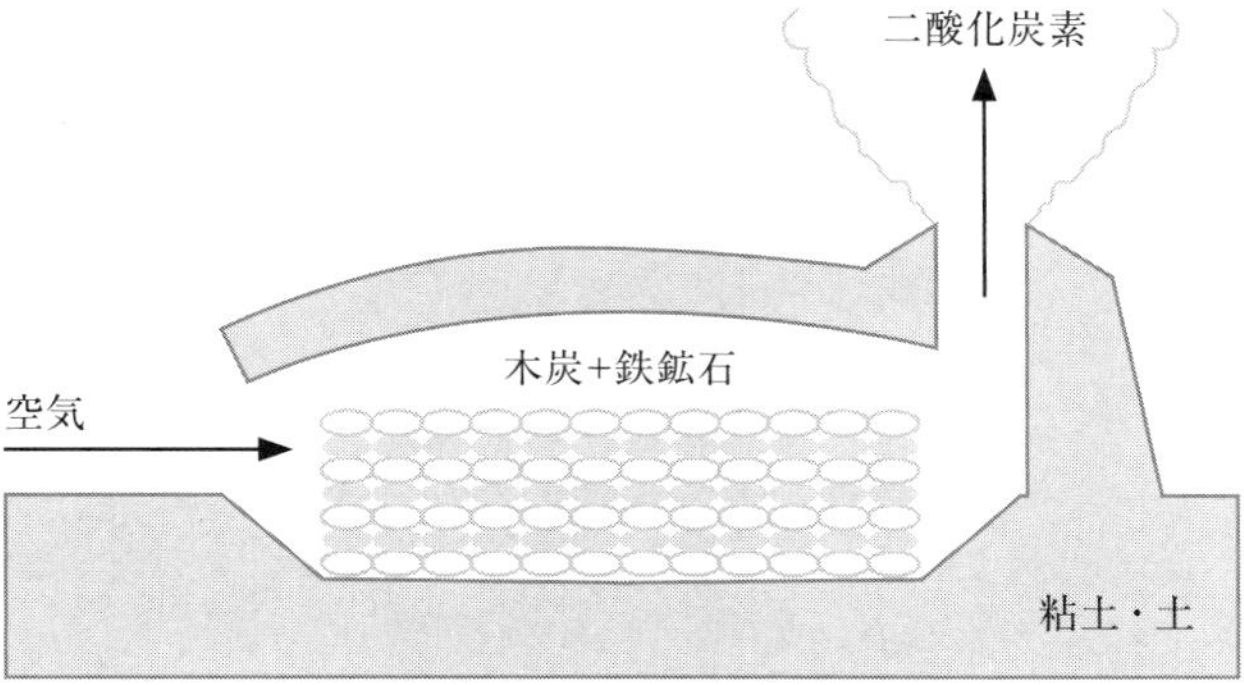

図5−10　古代の製鉄炉の断面図

その炉跡は直径約一メートルの円型遺構で、床面から大量の鉄滓《てっさい》（スラグ）が見つかっている。想像される製鉄炉の断面図を図5−10に示す。

木炭と鉄鉱石（酸化鉄）を層状に積み重ねた炉内に空気を送って燃焼させ、そのときに生じる一酸化炭素（CO）で酸化鉄を還元して鉄を得る。

同時に、一酸化炭素は二酸化炭素に変わり、外へ排出される。

金属の精錬・加工に必要な高温を得るための、炉内への強制送風に欠かせないのが鞴《ふいご》という道具である。紀元前一五世紀の遺跡であるエジプトのテーベ墳墓に鞴を使っている図が描かれているが、プロトヒッタイトの時代に鞴が使われていたという確証はない。

❖製鉄に必要な条件――「鉄器時代」の主役とは？

ヒッタイトの発掘調査に長らく従事した大村幸弘アナトリア考古学研究所長によれば、当時のヒッタイトで製鉄の場所として選ばれる条件として、燃料や原料に富んだ地域であることに加え、製鉄技術の外部への拡散を防ぐために秘密を遵守できる地域であること、強い季節風を利用できるような地形であることが求められた。炉跡が発掘されたアラジャホユックは、まさにそのような地域であった（参考図書(2)）。

日本の伝統的製鉄法である「たたら」で幾多の工夫がなされたように（参考図書(10)）、古代の製鉄においては炉を高温に保つことに加え、周囲からの湿気を徹底的に排除することが肝要である。当時のヒッタイトがたとえ鞴という道具をもっていなかったとしても、上記の条件を満たすアラジャホユックで季節風の強い乾燥期に限って製鉄が行われたのではないかと考えられる。

いずれにせよ、次の化学反応によって、酸化鉄（鉄鉱石）から鉄を得ることができる。

①炭素の燃焼　$C + O_2 \rightarrow CO_2$

②一酸化炭素の発生　$C + CO_2 \rightarrow 2CO$

③酸化鉄の還元　$Fe_2O_3 + 3CO \rightarrow 2Fe + 3CO_2$

鉄の融点はおよそ一五四〇度Cであるが、③の還元反応で重要なことは、鉄鉱石は熔けなくても鉄が得られることである。一酸化炭素（CO）が鉄と結合している酸素を奪って二酸化炭素（CO_2）となり、酸化鉄（Fe_2O_3）が還元されて金属鉄（Fe）になるのである。この還元反応に必要な温度は鉄鉱石に含まれる不純物に依存するが、およそ四〇〇～八〇〇度Cで、木炭と強い季節風で十分に得られる温度である。

ヒッタイト人は先住民・プロトヒッタイト人から製鉄技術を学んでいたが、紀元前一四〇〇年頃に炭素を十分に含んだ〝硬い鉄〟、すなわち鋼《はがね》を発明していた。当時の最先端材料といってよい。じつは、鉄そのものは農具や武器を作るには十分な硬さをもっておらず、この鋼が現在にいたる「鉄器時代」の主役なのである。

❖三〇〇〇年以上前に起こった技術者たちの「頭脳流出」

紀元前一二〇〇年頃にヒッタイト王国が滅ぶと、ヒッタイトの鋼職人たちは周辺諸国に雇われて大移動し、それまで「国家機密」であった製鉄法が各地へ伝播《でんぱ》された。こうして一気に、「鉄器文明」が花開くことになるのである。

余談ながら、このヒッタイトの鋼職人たちの大移動で思い出したことがある。

私がまだアメリカの大学にいた一九九一年の秋から初冬にかけて、旧東ドイツ、ポーランド、旧ソ連（当時はまだ「ソ連」が存在していた）を訪問した。ロシアとウクライナには一〇日間滞在し、モスクワやキエフ（いまのキーウ）、サンクトペテルブルクにある研究所や大学を訪ねた。

そこでは、旧ソ連の科学者や技術者がいかに情報に飢えているか、彼らが置かれている環境がいかに劣悪であるかを知ることになった。科学者や技術者の収入の相対的低さにも唖然とした。旧知のロシア・アカデミー会員のG博士は、「いくらよい仕事をしても給料や待遇には関係ない。優秀な連中はみんな必死になってアメリカなどへ脱出する機会を狙っている」とこぼしていた。

翌一九九二年の年始早々の「USAトゥデイ」紙に、「リビアが核開発のために、ロシアの科学者を同国内のポストと高給を提示して勧誘している」という記事が載った。私が目のあたりにしてきたロシアを含む東欧の科学者・技術者事情を考えれば、このような事態は驚くにはあたらなかった。同じようなことが、三〇〇〇年以上前のヒッタイトで起こったのだなあと合点がいった次第である。

ちなみに、日本には六世紀後半に朝鮮半島の百済《くだら》を経由して鉄鉱石を使った製鉄法が伝来したが、奈良時代以降、原料の鉄鉱石が枯渇してからは、砂鉄（磁鉄鉱）を用いた日本独自の製鉄法である「たたら」が発達した。たたら鐵《てつ》は現代の鉄に比べて数々の優れた性質をもち、日本刀は玉鋼《たまはがね》とよばれる最高級たたら鐵なくしては作ることができない（本書の姉妹編『古代日本の超技術〈新装改訂版〉』第6章参照）。

しかし、たたら製鐵の鐵歩留《ぶどまり》の低さや、投入する砂鉄とほぼ同量の木炭を必要とすることに加え、たたら炉を構築するまでの時間と労力、人件費などを考慮すれば、「経済的効率」において、近代熔鉱炉製鉄法に太刀打ちできるはずもない。たたら製鐵はやがて、工業的製鉄の世界から完全に姿を消した。

一時期、たたら製鐵の研究に従事し、たたらに愛着をもつ私は、たたら鐵に敬意を払って「金属の王なる哉」という文字である「鐵」を用い、現代鉄には「鉄」（金を失う）を使っている。

❖インドの「サビない鉄柱」

インド・デリー市郊外のイスラム教の礼拝所や歴史的建造物が集まったクトゥブ・ミナール内に建つ「デリーの鉄柱」（図5－11(a)）は、建造から一六〇〇年以上が経ったいまもサビていないことで知られる。一般には、「アショーカ・ピラー（アショーカ王の柱）」とよばれる鉄柱である。

図5−11　インドのさびない鉄柱(筆者撮影)

アショーカ王（在位紀元前二六八年頃～紀元前二三二年頃）は、古代インドにあって佛教を守護した大王として知られている。石柱や摩崖《まがい》（岩）などに刻まれたインダス文字を別にすれば、インドに現存する文字資料として最古のものと思われる詔勅《しょうちょく》＝「アショーカ王の法勅《ほうちょく》」は、言語学的・歴史的・宗教的な価値がきわめて高く、現在のインドやネパール、パキスタン、アフガニスタンに遺っている。

しかし、アショーカ王の命による詔勅とは異なり、「デリーの鉄柱（アショーカ王の柱）」はアショーカ王自身が建てたものではない。鉄柱に刻まれたサンスクリット語の碑文にあるチャンドラという王の名前から、アショーカ王の時代より七〇〇年ほどのちのグプタ朝（三二〇～五五〇年頃）初期に建造されたものと推測されている。

この鉄柱はもともと、インド南東部のウダヤギリ石窟群の前にあったが、一三世紀になって侵入したイスラム教徒が略奪品として青銅の像などとともにデリーに持ち去り、現在地のクトゥブ・ミナール内に建て直された経緯がある。

ウダヤギリは北緯二三度三一分にあり、夏至には太陽が鉄柱の真上に昇って影がなくなったというから、この鉄柱は暦として使われていたと思われる。太陽の位置から連想する暦といえば、われわれはすぐさま、第2章で述べたストーンヘンジを思い出す。

デリーの鉄柱の高さは約七メートルである。その下部六メートルは鉄の円柱で、下部から上部に向けて直径が約六〇センチメートルから約三五センチメートルへと徐々に細くなっている。先端の一メートルは鉄の円筒になっており、鉄製の飾りが七段に分けて差し込まれている（図５－11(b)）。地上約二メートルの高さのところには、上述の碑文がサンスクリット語で書かれている（図５－11(c)）。

鉄柱の地面に埋まっている部分は約二メートルといわれている。地上に現れている鉄柱の下部（図５－11(d)）は、鉄柱の他の部分がきれいな平面に加工されているのとは対照的に荒削りで、この部分はもともと地中に埋まっていたのかもしれない。

❖デリーの鉄柱と飛鳥の釘の共通点――なぜサビないのか？

デリーの鉄柱は「サビてはいない」が、ピカピカに光っているわけではない。

私は現地で鉄柱を見た瞬間に、一三〇〇年前の創建当時の、法隆寺の〝飛鳥の釘〟を思い出した。それは、長さ三〇センチメートルほどの法隆寺の構造材用の釘で、表面は黒くサビているが、手にズシリとくる重さだった。

一三〇〇年前の〝飛鳥の釘〟の内部は、まったく朽ちることなく新品同様の状態を保っているものと推測され、「飛鳥のクギはまた使えますのや。（中略）これから、まだ千年もちまっしゃろ

	分析者(年)				
	Hadfield (1912)	Ghosh (1963) 上部	Ghosh (1963) 下部	Lahiri *et al.* (1963)	Lal (1945)
炭素	0.08	0.23	0.03	0.26	0.90
ケイ素	0.046	0.026	0.004	0.056	0.048
硫黄	0.006	trace	0.008	0.003	0.007
リン	0.114	0.280	0.436−0.48	0.155	0.174
窒素		0.0065			
鉄	99.720				99.67
その他	0.246				0.011

表5−2　デリーの鉄柱の成分組成(%)(参考図書⑼より)

な」という西岡常一棟梁の言葉が決して誇張ではないことを実感したのである（参考図書⑽）。

デリーの鉄柱の表面は、〝飛鳥の釘〟と同様に、黒くサビているのであるが、内部までサビているわけではない。デリーの六月から九月は雨季で、気温は三〇度C以上、湿度は七〇パーセントになる。このような環境下で一六〇〇年以上もの間、サビずに建ち続けるデリーの鉄柱は、やはり驚異的といわねばならない。

なぜサビないのか。

表5－2に示すように、デリーの鉄柱は約九九・七パーセントという高純度の鉄で作られている。デリーの鉄柱がサビない理由として「純度が高い鉄製だから」と説明されることがあるが、これは誤りである。

すでに述べたように、鉄は宇宙から飛来する隕鉄

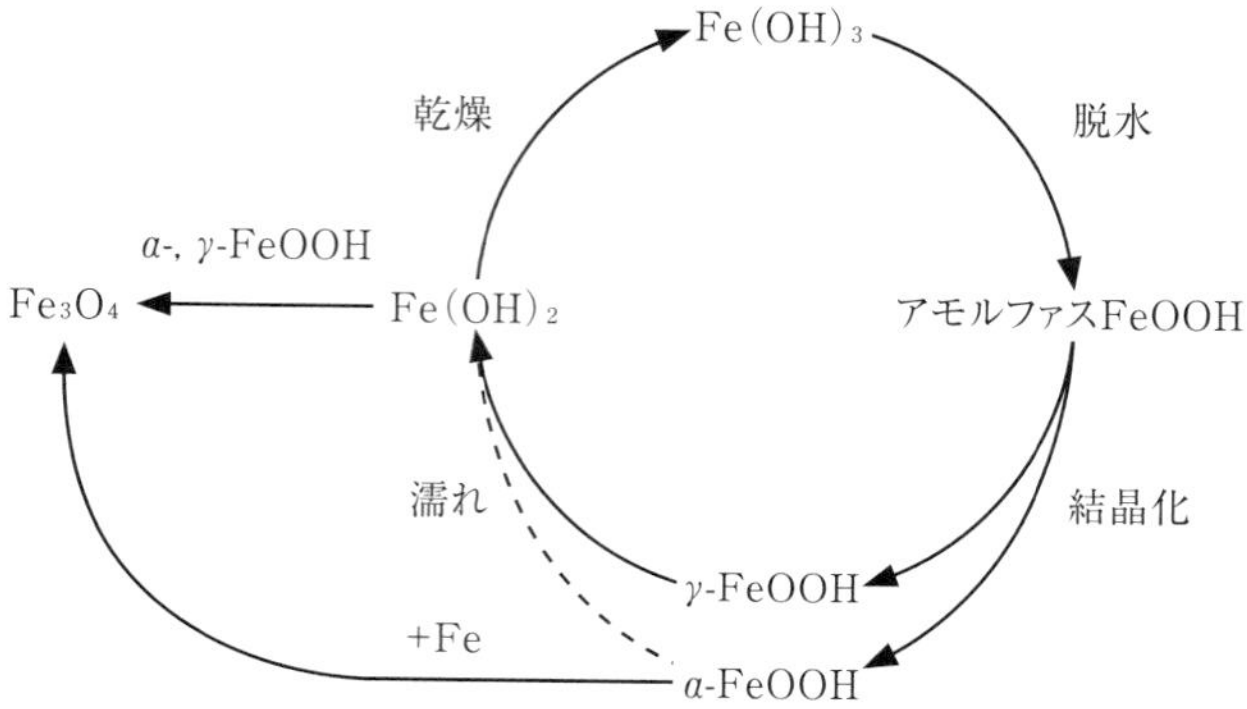

図5−12　サビのサイクル（長野博夫・山下正人「熱処理」Vol.35, No.1, 1995）

（実際は鉄－ニッケル合金）を除き、地球上には酸化鉄としてしか存在しない。製鉄というのは、自然界に安定して存在する酸化鉄を、人間が無理やり還元して鉄を得る技術である。したがって、いかなる高純度の鉄も、機会があればもとの酸化鉄に戻ろうとする。これが、「鉄がサビる（酸化する）」現象の本質である。

サビの進行には水分が不可欠だから、鉄は水分がないところ、よく乾燥した環境下では決してサビないのであるが、デリーの鉄柱も〝飛鳥の釘〟も、そのような環境下に置かれたものではない。

大気中において鉄表面にサビが生成するメカニズムについては、さまざまなモデルが提唱されている。一例として、図5－12にサビのサイクルを示す。

図中のFeOOH（水酸化鉄）が一般に〝赤サビ〟

といわれるもので、日常的によく目にする明るい黄褐色、チョコレート色のサビである。この赤サビは多孔質で、サビを促進する水分を取り込みやすい。つまり、鉄の表面に赤サビが生成されると、その赤サビが、サビをさらに促進する水分と二酸化硫黄などを呼び込んで、赤サビの形成がいっそう進行することになる（図5－13）。

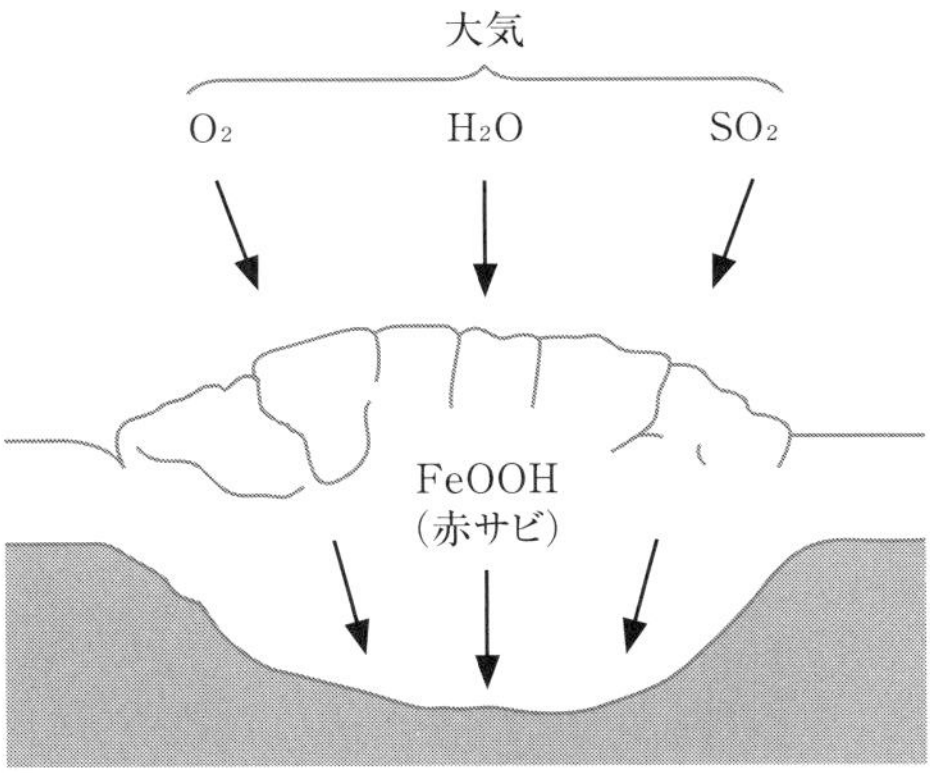

図5−13　赤サビによるサビの進行

赤サビは赤サビを生み、鉄の内部までサビを進行させる。つまり、赤サビが生じた鉄は、その赤サビの進行サイクルのどこかを止めない限り、内部までボロボロになってしまう。遺跡などで、鉄製の遺品が見つかりにくいのはこのためである。

一方、図5－12の左端にあるFe_3O_4（マグネタイト）は黒色の物質で、一般に〝黒サビ〟とよばれるものである。やや遠回りしたが、デリーの鉄柱や〝飛鳥の釘〟の表面を覆っているのが、この黒サビなのである。

黒サビは構造が緻密で、空気や水分子の通過を妨げる。つまり、黒サビは、鉄をサビの進行・侵攻から守る保護膜のはたらきをする。

❖なぜ黒サビで覆われているのか

したがって、次なる疑問は、デリーの鉄柱や〝飛鳥の釘〟の表面はなぜ、黒サビで覆われているのかということである。

デリーの鉄柱の成分組成は、表5－2に示したようにばらついてはいるが、自然送風あるいは鞴を使った送風による錬炉《れんろ》で作った海綿鉄（低炭素濃度の鋼塊）の特徴をもっているようである（参考図書⑨）。この海綿鉄を、熔融酸化鉄と共存する状態で互いに熔解させながら大きな鉄塊を製造した。さらに、鉄を酸化させて表面の温度を上げて熔解し、酸化鉄と共存させてハンマーで鍛造し、熔接したのではないかと考えられる。

ここで私は、薬師寺の西塔と回廊の再建の際に、西岡棟梁の依頼で一万三〇〇〇本の和釘を鍛造した白鷹幸伯《しらたかゆきのり》鍛冶の言葉を思い出す。白鷹鍛冶は、鉄は純度の高いことが絶対条件であるとしたうえで、〝飛鳥の釘〟に見られる黒サビについてこう語っていた（参考図書⑩）。

「（高純度の鉄でも）圧延したままだと耐蝕性はありません。（釘の）頭を作るとき首部分はよく焼けるんですが、そこは通常再び鍛えることがないのでよく錆びてしまいます。高温に焼かれたため結晶粒が大きくなっているのを叩いて砕く必要があります。（中略）鉄は九〇〇〜四五〇度Cの間に鍛錬すると結晶粒が小さくなります。微細化するほど結晶粒の表面積が小さくなり、酸素の侵入も防げ、耐蝕性が増します。九〇〇度Cを越えるといろいろな不純物が結晶粒周辺部に溜まり純鉄は出来ません」

デリーの鉄柱と〝飛鳥の釘〟に共通する黒サビと耐腐蝕性は、高純度の鉄であることに加え、適切な温度での鍛造にあるのではないかと思われる。

❖デリーの鉄柱はどう作られたか

では、デリーの鉄柱はどのようにして作られたのか。

ここで300ページ図5－11(e)を見ていただきたい。鉄柱に縦方向につながる形跡や模様は見られないが、矢印で示した箇所などに、あたかも鉄製の円盤を重ねて積み上げたことを示すと思われる円周に沿った形跡や模様を認めることができる。141ページで述べたパルテノン神殿の円柱が〝だるま落とし〟のように積み重ねられた一個の円筒から成っていることを思い出していただきたい。この円周に沿った形跡・模様が、「鉄柱はどのようにして作られたのか」を如実に示す証拠なのではないか。

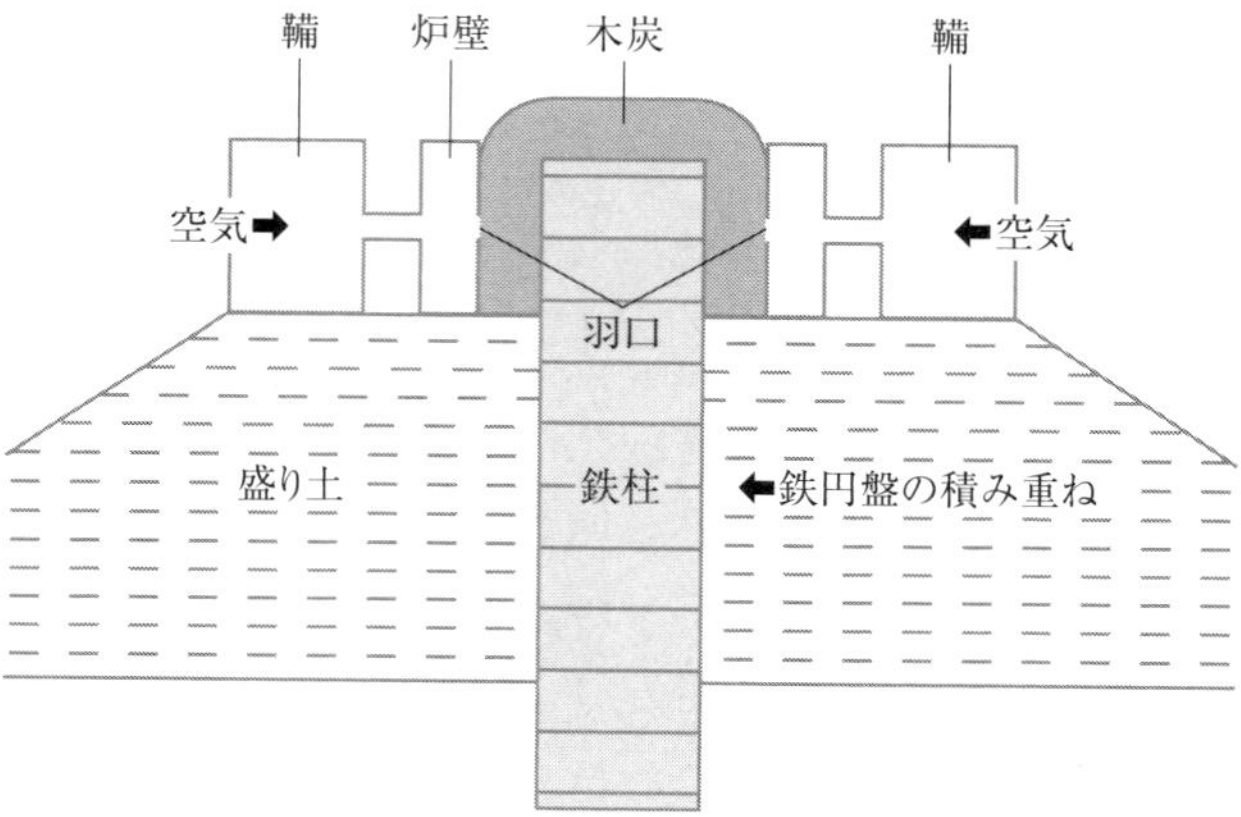

図5−14　鉄柱の作り方の断面図(参考図書(9)より一部改変)

私が想像する鉄柱製造工程を永田和宏東京工業大学名誉教授が説明してくれている（参考図書(9)）。その概要を図5－14とともに引用させていただきたい。

高さ一メートルほどの錬炉で鉄鉱石粒から約一〇キログラムの鋼塊を作り、直径三〇～六〇センチメートル、厚さ約一センチメートルの円盤を鍛造する。これを鍛冶炉中で層状に重ねて加熱し、金床《かなとこ》上に置いて大金槌《おおかなづち》で鍛造する。界面が熔融しているので容易に鍛接できる。

金床の代わりに鍛接してできた鉄柱の基部を使い、順々に円盤を鍛接して積み重ねる。柱が延びていくにつれてその上部まで土を盛り上げ、上端を囲んで鍛冶炉を設置し、円盤を鍛接していく。

鉄の酸化熱を用いて高温にするため、つねに鍛接面が熔融し、熔融酸化鉄が接触している。そして、熔接後すぐに凝固するので、鉄中の固溶酸素濃度は過飽和状態になる。したがって、室温で分解して表面にマグネタイト被膜を析出し、鉄柱表面はつねに黒サビで覆われて保護される。きわめて明快である。

また、前述のように、鉄柱の下部（図5-11ⓓ）は、鉄柱の他の部分が製造後にきれいに表面研磨加工されているのに対して荒削りで、実物をよく見ると表面には黒サビに加えて赤サビも生じている。この底部の形状とサビの状態から、この部分は上記の鉄柱とは異なる鉄、あるいは製鉄法が使われたと考えるのが妥当だろう。この部分は本来、地中に埋められるべきであり、地表に露出させた「移設者」の美的センスを私は疑う。

❖「現代金属文明」の泣きどころ

人類の文明史を通覧すると、その発展は人類が利用した材料に大きく依存していることがよくわかる。道具や機械は人間を助け、人間の生活を豊かにするためのものであり、新しい材料が新たな道具や機械を生みつつ、それらを進歩させる。特に、青銅にはじまる金属の利用は人類の文明における画期であった。

人類はさらに〝鉄〟を手にしたときから、文明を飛躍的に「進歩」させた。すでに述べたように、青銅に替わる鉄製の優れた農具の量産によって農作物の生産量が増大し、富の蓄積が進み、さらに優れた鉄製武器の量産によって、各地で強力な軍事力を保持する強大な統一国家が成立するようになる。

このような「世界の構図」は、二一世紀の現代にいたるまで基本的には変わっておらず、半導体が「産業の米（オイル）」とよばれるようになる前は、鉄が一貫して「産業の米」だった。

半導体が「産業の米」になって以降は、半導体産業や自動車産業に欠かせないタングステン、モリブデン、リチウム、ガリウム、ゲルマニウム、パラジウム、アンチモン、白金などなどの「レアメタル」（「レアメタル」は和製カタカナ英語）とよばれる希少金属（minor metal）が「現代金属文明」の必須不可欠な調味料的存在になっている。

困ったことに、鉄の原料となる鉄鉱石や砂鉄などが世界の多くの地域において容易に入手可能な物質であるのに対し、レアメタルの産出地は中国、南アフリカ、ロシアなど世界の限られた地域に偏在している。

たとえば、レアメタルと同様に「現代金属文明」の必須不可欠な調味料的存在である希土類元素（レアアース）やタングステンは、中国だけで九〇パーセント以上の埋蔵量があるともいわれてきた。つまり、中国の「匙《さじ》加減」一つで、世界の政策や経済情勢、政情不安などが左右されてしまうおそれが現実的なものになっている。

すでに述べたように、人類が鉄を手にしたときから、つまり「金属文明」の発生時から、人間の〝劣化〟が急速に進み、人間の愚かさや野蛮性が増したと思われるが、「現代金属文明」はレアメタル、レアアースの登場によって政治的要素が高められた厄介な文明になりつつあるのである。天然資源の偏在はいかんともしがたく、特に日本のような天然資源に恵まれない国が生き抜くための緊急の課題が、独創的な科学・技術力の創造・保持であることが叫ばれてからすでに久しい。しかし、日本の現実はどうか。

本書を閉じるにあたり、紀元前七〇〇年頃のギリシャの叙事詩人・ヘシオドスの言葉をもう一度想起したい。

今や鉄の種族の時代なのだ。
昼は労働と悲惨の
止むことなく、また夜にも滅亡に脅やかされている。
（中略）
むしろ悪業を為す者や乱暴者を
人々は賞讃するであろう。正義は腕力の中にあり、
羞恥心は失われよう。

主な参考図書（発行年順）

(1) 森本哲郎編『埋もれた古代都市3　オリエントの曙光』（集英社、一九七八）
(2) 大村幸弘著『鉄を生みだした帝国』（ＮＨＫブックス、一九八一）
(3) 志村史夫著『材料科学工学概論』（丸善、一九九七）
(4) 鶴間和幸著『始皇帝陵と兵馬俑』（講談社学術文庫、二〇〇四）
(5) 三井誠著『人類進化の７００万年』（講談社現代新書、二〇〇五）
(6) 志村史夫著『人間と科学・技術』（牧野出版、二〇〇九）
(7) 小林登志子著『文明の誕生』（中公新書、二〇一五）
(8) 鶴間和幸監修『秦の始皇帝と兵馬俑の謎』（宝島社、二〇一五）
(9) 永田和宏著『人はどのように鉄を作ってきたか』（講談社ブルーバックス、二〇一七）
(10) 志村史夫著『古代日本の超技術〈新装改訂版〉』（講談社ブルーバックス、二〇二三）

おわりに

二一世紀文明を謳歌する現代人からみても、依然として謎に包まれている「古代の超技術《ウルトラテク》」は少なくない。古代の技術者たちは、現代文明のさまざまな利器をもたずして、なぜ、とても〝人間業〟とは思えないたくさんの〝作品〟を遺せたのだろうか。

私がいま、私なりに〝謎解き〟をして思うのは、〝謎〟を〝謎〟にしてきたのは、ICT（情報通信技術）の進歩で膨大化の一途をたどる情報量、それらを得ることの安易化、さまざまな〝文明の利器〟の進化と増大に比例して退化・劣化させた人間の感性・智慧、そして現代社会の金科玉条《きんかぎょくじょう》である「経済性」と「効率」だったということなのである。

現代社会では、何事も「経済性」と「効率」を最優先し、ともすると目先のことさえうまくつくろえば通用し、社会もそれを是認している風潮がある。

しかし、古代の技術者たち、それ以前に、古代社会そのものや彼らに〝仕事〟をさせた古代世界の支配者・指導者たちは、「経済性」や「効率」などを考えることなく、後世に遺せるほんとうによいものを求めたのであろう。技術者たちも、限られた材料、機材の中で、精一杯の智慧をはたらかせ、急ぐことなくたっぷりと必要な時間を費やしたのであろう。そして、彼らは自分たちに課せられた責任感と、それをまっとうすることの誇りをもっていたはずである。古代社会では、彼らの責任感と誇りが正当に評価され、称えられたに違いない。

大ピラミッド、ストーンヘンジなどの巨石・巨大遺跡の〝謎解き〟で最も勇気づけられたのが、巨大な採石現場を案内していただいた現代の石職人・望月威男氏の生《なま》の言葉だった。望月氏は「だいたい、学者の先生は、石屋の話なんか聴きませんからねえ」というが、私はいつも、実際に物を作っている職人さんたちの言葉に絶大の信頼を置いて拝聴する。望月氏には、貴重な石材試料や写真も提供していただいた。

執筆途上、青山和夫茨城大学教授には私の素朴な質問に丁寧にお答えいただいたうえに、貴重な写真をご提供いただいた。鳥居徳敏神奈川大学名誉教授、関雄二国立民族学博物館名誉教授、林知行秋田県立大学名誉教授には貴重なコメントをいただいた。

この場を借りて、五氏に心から御礼を申し上げたい。

本書の旧版が上梓されたのは二〇一三年であり、執筆後、NHK－BS「奇跡の巨石文明！ストーンヘンジ七不思議」（二〇一九年初放映）に出演した際、あらためて「ストーンヘンジ」のことを調べたのだが、ストーンヘンジの、エジプトの大ピラミッドをも凌駕する「巨石文明度」に驚かされた。

以来、私は、このようなストーンヘンジを、自分自身の目で見ていなかったことが理由であったにせよ、一〇年前の旧版で触れなかったことを悔いていた。姉妹編ともいうべき『古代日本の超技術』は一九九七年の初版発行から一五年後に〈改訂新版〉を出すことができたので、『古代世界の超技術』の〈改訂新版〉もいつかは、という淡い期待を抱いていた。

そして、もしその機会が訪れたら、「ストーンヘンジ」とともに、七年前の二〇一六年に実際に現地に見に行き、〝新発見〟と思われることをいくつか見つけた「デリーの鉄柱」についても加筆したいと思っていた。

今般、私の淡い期待が実現し、一九七九年の〝大発見〟後、一般公開されてから間もない一九八六年に訪れた中国・西安の兵馬俑のことも含めた〈改訂新版〉を上梓できたことを、いままで実際の場で一度も使ったことがない「欣《きん》喜《き》雀《じゃく》躍《やく》」という言葉で表させていただきたい。

最後に、私の淡い望みを実現していただき、本書の企画から具体的な掲載写真探しなどの出版実務に献身的にご尽力いただいた講談社ブルーバックス編集部の倉田卓史副部長に衷心より感謝の気持ちを捧げたい。また、私の原稿を懇切丁寧に校閲していただいた講談社校閲部の方々にも心より御礼申し上げたい。

二〇二三年師走

志村史夫

さくいん

N.D.C.500　318p　18cm

ブルーバックス　B-2250

古代《こだい》世界《せかい》の超《ちょう》技《ぎ》術《じゅつ》〈改訂新版《かいていしんぱん》〉
あっと驚く「巨石文明」の智慧

2023年12月20日　第1刷発行
2024年8月5日　第4刷発行

著者　志村史夫《しむらふみお》
発行者　森田浩章
発行所　株式会社講談社
〒112-8001 東京都文京区音羽2-12-21
電話　出版　03-5395-3524
販売　03-5395-4415
業務　03-5395-3615
印刷所　（本文印刷）株式会社新藤慶昌堂
（カバー表紙印刷）信毎書籍印刷株式会社
本文データ制作　ブルーバックス
製本所　株式会社国宝社

定価はカバーに表示してあります。

ISBN978－4－06－534288－6

発刊のことば

科学をあなたのポケットに

二十世紀最大の特色は、それが科学時代であるということです。科学は日に日に進歩を続け、止まるところを知りません。ひと昔前の夢物語もどんどん現実化しており、今やわれわれの生活のすべてが、科学によってゆり動かされているといっても過言ではないでしょう。

そのような背景を考えれば、学者や学生はもちろん、産業人も、セールスマンも、ジャーナリストも、家庭の主婦も、みんなが科学を知らなければ、時代の流れに逆らうことになるでしょう。

ブルーバックス発刊の意義と必然性はそこにあります。このシリーズは、読む人に科学的に物を考える習慣と、科学的に物を見る目を養っていただくことを最大の目標にしています。そのためには、単に原理や法則の解説に終始するのではなくて、政治や経済など、社会科学や人文科学にも関連させて、広い視野から問題を追究していきます。科学はむずかしいという先入観を改める表現と構成、それも類書にないブルーバックスの特色であると信じます。

一九六三年九月　　野間省一